Harry Bingham

Parla con i morti

Traduzione di Laura Melosi

http://narrativa.giunti.it

© 2012 Giunti Editore S.p.A.
Via Bolognese 165 – 50139 Firenze – Italia
Via Dante 4 – 20121 Milano – Italia
Prima edizione: giugno 2012

Ristampa	Anno
6 5 4 3 2 1 0	2016 2015 2014 2013 2012

1

IL COLLOQUIO, OTTOBRE 2006

Fuori dalla finestra scorgo tre aquiloni sospesi nel cielo sopra Bute Park. Uno blu, uno giallo e uno rosa. Hanno tutti la stessa forma, quasi fossero fatti con uno stampino. Da questa distanza non riesco a vedere i fili a cui sono legati, perciò sembrano fluttuare spontaneamente. La luce del sole avvolge tutto, inghiottendo profondità e ombre.

Continuo a guardare fuori in attesa che l'ispettore capo Matthews finisca di riordinare la sua scrivania. Sposta l'ultimo fascicolo della pila che ha davanti su una sedia di fronte alla finestra. L'ufficio è sempre nel caos, ma almeno adesso riusciamo a vederci.

«Ecco» dice.

Io sorrido.

Ha in mano un foglio. Il lato stampato è rivolto verso di lui, ma controluce noto il mio nome scritto in alto. Sorrido di nuovo, non perché ci sia un motivo, solo non riesco a pensare a niente di sensato da dire. È un colloquio di lavoro. E lui ha il mio curriculum in mano. Cosa vuole che faccia? Che applauda?

Appoggia il curriculum nell'unico spazio libero sulla scrivania. Inizia a leggerlo riga dopo riga, sottolineando ogni sezione con l'indice via via che procede. Liceo. Università. Interessi. Referenze.

Con il dito torna al centro della pagina. Università.

«Filosofia.»

Io annuisco.

«Perché siamo qui o che senso ha tutto questo? Roba del genere?»

«Non esattamente. Più tipo, cosa esiste? Cosa non esiste? Come facciamo a sapere se esiste o meno? Questioni così.»

«Utile per lavorare in polizia.»

«Non proprio. Credo che sia utile solo per insegnarci a pensare.»

Matthews è un omone. Non un palestrato, ma un gallese dalla muscolatura rassicurante fatta di lavoro nei campi, rugby e birra. Ha occhi chiarissimi e capelli scuri e folti, e sulle dita delle mani peli altrettanto scuri che gli arrivano fino all'ultima falange. È il mio esatto contrario.

«Ha idea del lavoro che svolge un poliziotto?»

Scrollo le spalle. Non lo so. Come posso saperlo se non l'ho mai fatto? Dico le cose che credo vadano dette. Mi interessa la giustizia, apprezzo la disciplina, comprendo il valore di un approccio metodico bla, bla. E poi ancora bla, bla, bla. La brava bambina con il tailleur grigio scuro da colloquio di lavoro che risponde da manuale.

«Non pensa che potrebbe annoiarsi?»

«Annoiarmi?» Rido sollevata. Ecco cosa voleva scoprire. «Può darsi. Lo spero. Mi piace un po' di noia.» Poi, preoccupata che mi reputi arrogante – la filosofa pluripremiata di Cambridge che deride lo stupido poliziotto – faccio marcia indietro. «Voglio dire, mi piacciono le cose precise, accurate. E se questo implica un po' di sana routine, nessun problema. Mi piace.»

Ha ancora il dito sul mio curriculum, ma lo ha spostato un paio di centimetri più in su. Liceo. Rimane con il dito fermo lì, mi punta i suoi occhi chiari addosso e dice: «Ha qualche domanda da farmi?».

Sapevo che prima o poi avrebbe dovuto chiedermelo, ma disponiamo di quarantacinque minuti e ne abbiamo usati al massimo dieci, la maggior parte dei quali li ho trascorsi a guardarlo spostare cancelleria da una parte all'altra dell'ufficio. Còlta di sorpresa – e imbranata come sono in queste situazioni – rispondo la cosa sbagliata.

«Domande? Nessuna.» C'è una breve pausa: lui si rende conto di avermi sorpresa, e io mi sento un'idiota. «Intendo dire, voglio il lavoro. Non ho domande al riguardo.»

Adesso tocca a lui sorridere, un sorriso spontaneo, non finto come i miei.

«Sì, lo vuole davvero.» La sua è un'affermazione, non una domanda. Come ispettore capo non è molto bravo a fare domande. Io annuisco comunque.

«Immagino apprezzerebbe molto se non le chiedessi niente del buco di due anni che vedo qui, più o meno durante il periodo del liceo.»

Annuisco di nuovo, più lentamente. Esatto, apprezzerei molto se non me lo chiedesse.

«L'ufficio del personale sa cosa è successo, giusto?»

«Sì. Gliene ho già parlato. Sono stata male, ma mi sono ripresa.»

«Con chi ha parlato?»

«Katie. Katie Andrews.»

«Di quale malattia ha sofferto?»

Scrollo le spalle. «Adesso sto bene.»

Una non risposta. Spero non si spinga oltre, e lui per fortuna si ferma. Vuole sapere con chi ho sostenuto il colloquio prima di lui. Con quasi tutti, rispondo. L'incontro con Matthews è l'ultimo ostacolo.

«Okay. Suo padre sa che ha fatto domanda qui da noi?»

«Sì.»

«Dev'esserne contento.»

Un'altra affermazione al posto di una domanda. Io non rispondo.

Matthews osserva attentamente il mio viso. Forse questo è il suo modo di condurre gli interrogatori. Forse non fa domande quando interroga i sospettati, solo affermazioni, e li scruta in faccia sotto la luce intensa del cielo di Cardiff.

«Abbiamo intenzione di offrirle un posto, sa?»

«Sul serio?»

«Certo. I poliziotti non sono dei cretini, ma lei ha più cervello di chiunque altro in questo edificio. È idonea. Ha la fedina penale pulita. Durante l'adolescenza è stata malata, ma adesso è guarita. Vuole lavorare per noi. Perché non dovremmo assumerla?»

Avrei un paio di risposte possibili, ma preferisco tacere. All'improvviso mi sento sollevata, il che mi spaventa un po', perché non mi ero accorta di essere in ansia. Mi alzo. Anche Matthews si è già alzato e viene verso di me, mi stringe la mano e dice qualcosa. Le sue grandi spalle mi bloccano la visuale su Bute Park e perdo di vista gli aquiloni. Mi parla di formalità e io gli rispondo a caso, senza prestare la minima attenzione. Sarò una poliziotta. E neanche cinque anni fa ero morta.

2

È vero, mi piace la routine, ma il troppo stroppia.

Un poliziotto che lavorava a Londra per Scotland Yard – ventidue anni di servizio irreprensibile alle spalle – è stato costretto ad andare in pensione in seguito a una ferita riportata in servizio. Allora ha accettato un posto come amministratore di una scuola maschile cattolica nel Monmouthshire. Ha iniziato a rubacchiare un po' di soldi, ma non è stato beccato. Ne ha rubati ancora, e non è stato beccato. È impazzito: si è comprato un pianoforte, è diventato socio di un golf club, si è fatto due lunghe vacanze, ha messo su una serra e ha acquistato una quota di un cavallo da corsa.

I dirigenti scolastici non erano molto svegli, ma nemmeno del tutto rimbambiti. Sono venuti da noi con le prove. Noi abbiamo indagato e ne abbiamo trovate altre, abbiamo arrestato il sospettato – Brian Penry – e lo abbiamo interrogato. Penry ha negato tutto, dopo di che ha smesso di parlare ed è rimasto a fissare la parete con l'aria distrutta. Nella registrazione dell'interrogatorio si sente il suo respiro lievemente asmatico, un fioco sibilo nasale che sembra una nota di protesta fra una domanda e l'altra. Ha undici capi di imputazione a suo carico, ma a volerli contare tutti ammonterebbero a una cinquantina.

Lui continua a negare, il che significa che ci sarà il processo. Cinque minuti prima dell'inizio, Penry si dichiarerà colpevole perché sa di essere nei guai fino al collo e, per l'entità della pena, non cambia poi molto se si dichiara colpevole adesso o lì. Nel frattempo io devo spulciare ogni singolo dettaglio dei suoi estratti conto, ogni singolo pagamento effettuato con la carta di credito, ogni singolo prelievo dal conto corrente della scuola. E devo individuare ogni singola transazione fraudolenta degli ultimi sei anni. Devo fare tutto questo e documentarlo meticolosamente, in modo che l'avvocato difensore non trovi nessuna falla nella nostra argomentazione, cosa impossibile, perché Penry è nei guai fino al collo e lo sa.

Ho la scrivania ricoperta di scartoffie. Detesto tutte le banche e le società che emettono carte di credito. Odio tutti i numeri tra zero e nove. Disprezzo tutte le scuole cattoliche del Galles gestite da dirigenti ebeti. Se Brian Penry fosse davanti a me adesso, lo costringerei a mangiare la calcolatrice, che è grossa e commestibile come un telefono di bachelite.

«Ti diverti?»

Alzo gli occhi. David Brydon, sergente investigativo, capelli biondo scuro, trentadue anni, una discreta quantità di lentiggini sul viso e un atteggiamento così cordiale e aperto che ogni tanto mi ritrovo a dirgli cose sgradevoli perché troppa gentilezza può essere indisponente.

«Vaffanculo.»

Questo non conta però. Questo è il mio modo di essere cordiale.

«Sempre su Penry, eh?»

«In realtà si chiama Bastardo, Ladro, Vorrei-che-morisse-affogato Penry.»

Brydon annuisce con aria saggia, come se avessi detto una cosa sensata. «Sapevo che avevi opinioni sofisticate sulla responsabilità morale.» Ha in mano due tazze. Tè per lui, tisana alla menta per me. Zucchero solo per lui.

Mi alzo. «Le ho, ma non quando devo fare cose come queste.» Indico la scrivania, odiandola già un po' meno. Andiamo a sederci vicino alla finestra. Ci sono un divano e due poltrone, di quelle che trovi solo negli uffici e nelle sale d'attesa degli aeroporti, con le gambe cilindriche cromate e il rivestimento grigio antimacchia. Qui c'è molta luce naturale, e una bella vista sul parco. E poi Brydon mi è simpatico. Il mio cattivo umore è solo scena.

«Si dichiarerà colpevole.»

«Lo so.»

«Ma va fatto lo stesso.»

«Dimenticavo che oggi è la giornata delle ovvietà. Scusa.»

«Pensavo che questa potesse interessarti.»

Mi allunga una busta di plastica trasparente con dentro una Visa Platinum emessa dalla Lloyds Bank. Data di scadenza: ottobre dell'anno scorso. Titolare: Brendan T. Rattigan. Non è nuova di zecca né troppo rovinata. È semplicemente scaduta, tutto qua.

Scuoto la testa. «No, no. Non credo. Non mi interessa proprio per niente.»

«Rattigan. Brendan Rattigan.»

Il nome non mi dice niente. Se non mi si legge in viso dovrò dirglielo. Sorseggio la tisana – ancora troppo calda –, mi stropiccio gli occhi e sorrido a Brydon come per scusarmi di essere odiosa.

Lui corruga la fronte e mi guarda. «Brendan Rattigan, uno della Newport che conta. Commerciava rottami di ferro, poi è passato all'acciaio. Gli stabilimenti siderurgici mini-mill, mi sembra si chiamino così. Dopo di che si è dato agli armamenti. Ha accumulato un patrimonio esagerato: cento milioni di sterline o giù di lì.»

Annuisco. Adesso mi torna in mente, ma non ricordo né tantomeno mi interessa la sua ricchezza. Brydon continua a parlare. C'è qualcosa nella sua voce che non mi convince.

«È morto nove mesi fa. Un incidente aereo nell'estuario.» E con il pollice indica verso Roath Dock, nel caso io non sapessi dove si trova l'estuario del Severn. «Nessuna causa accertata. Il corpo del copilota è stato ritrovato, quello di Rattigan no.»

«Ma ecco che compare la sua Visa.» Distendo la plastica trasparente, come se a un esame più approfondito la carta di credito svelasse tutti i suoi segreti.

«La sua Visa, appunto.»

«Che non è stata nove mesi in ammollo nell'acqua salata.»

«No.»

«E dove l'hai trovata?»

Brydon esita per un momento. È bloccato davanti a un bivio: una parte di lui vuole godersi la sua piccola vittoria, l'altra è cupa – la testa di un cinquantenne sulle spalle di un giovane che osserva un buio intimo e profondo.

La parte cupa ha la meglio.

«Non l'ho trovata io, grazie al cielo. Alla stazione di polizia di Neath hanno ricevuto una telefonata anonima. Dalla voce sembrava una donna adulta. Ha fornito l'indirizzo di una casa qui a Cardiff – nel quartiere di Butetown – e ha detto che dovevamo andarci. Ci sono stati un paio di agenti. La porta era chiusa a chiave, le tende tirate e i vicini o non c'erano o non sono stati d'aiuto. Gli agenti sono andati sul retro. Il giardino era…» Brydon gira i palmi delle mani verso l'alto, e io capisco subito cosa sta per dire «… era uno sfacelo. Sacchetti di immondizia rovistati dai cani, spazzatura ovunque, erbacce. E merda. Merda umana… Le tubature dentro erano ostruite… Puoi immaginare il resto. All'inizio i poliziotti avevano esitato a entrare, ma a quel punto no. Hanno buttato giù una porta. La casa era peggio del giardino.»

Un'altra breve pausa. Non per fare colpo stavolta. Solo per la terribile sensazione che un essere umano avverte davanti all'orrore. Annuisco, come a dire «so cosa provi». Anche se non è vero, è quello che Brydon ha bisogno di sentirsi dire.

«Due corpi. Una donna, dai capelli rossi, sulla ventina. Morta. Faceva uso di droghe pesanti, ma la causa del decesso non è stata ancora stabilita. E una bambina. Un amore, a quanto pare. Di cinque, forse sei anni, sottile come un giunco. E… cazzo, Fi, le hanno scaraventato un lavello sulla testa. Enorme. Il lavello non si è rotto, ma l'ha schiacciata. E non si sono neanche preoccupati di toglierglielo di dosso!»

Brydon ha lo sguardo turbato e la voce rotta, soffocata sotto il peso di un lavello di porcellana in una casa che puzza di morte anche da qui.

Non sono molto brava a gestire le emozioni. Per ora. Non sono brava con i sentimenti umani, che sgorgano come l'acqua zampillante di una sorgente, incontenibile, chiara e spontanea. Riesco a immaginare quella casa carica di morte, perché negli ultimi anni sono stata in posti piuttosto truci e so come sono fatti, ma non reagisco nel suo stesso modo. Lo invidio, ma non riesco a condividere la sua reazione. Brydon però è un amico, ed è lì davanti a me, in attesa di qualcosa. Con la mano gli tocco l'avambraccio. Lui è senza giacca, e lo scambio di calore tra la sua pelle e la mia è immediato. Espira rumorosamente, distendendosi. Lo lascio fare, qualunque cosa stia facendo.

Dopo un attimo, mi lancia un'occhiata di gratitudine, si scosta e finisce di bere il tè. È ancora cupo in viso, ma è uno che si riprende in fretta. Se fosse stato fra i poliziotti che hanno rinvenuto i corpi magari sarebbe andata in maniera diversa.

Indica la carta di credito: «Tra tutte quelle schifezze, hanno trovato questa».

Posso immaginare la scena. Piatti sporchi, mobili troppo grandi per la stanza, velour marrone e macchie incrostate. Vestiti, giocattoli rotti, un televisore. Roba per farsi: tabacco, aghi, accendini. Buste di plastica piene di cose inutili: tappetini per auto, grucce, custodie di cd, pannolini. Sono già stata in posti simili: più povera è la casa, più cianfrusaglie ci sono. E da qualche parte fra tutte quelle cose, su una credenza sotto una pila di ingiunzioni di pagamento, una Visa Platinum. Una Visa Platinum e una bambina, un amore di bambina, con la testa fracassata sul pavimento.

«Me lo immagino.»

«Già.» Brydon annuisce, e si riprende. È un detective, e si tratta di lavoro. Non siamo là, nella casa, ma in un ufficio con lampade a basso consumo energetico, sedie ergonomiche, fotocopiatrici ad alta velocità e vista su Cathays Park. «Una tragedia.»

«Sì.»

«Jackson è il capo dell'inchiesta, ma è un caso per cui ha chiesto la collaborazione di tutti.»

«E vuole anche la mia.»

«Ovviamente.»

«Vuole che io scopra perché questa carta si trovava là.»

«Esatto. Probabilmente si tratta di un furto legato a una storia di droga, ma dobbiamo seguire comunque ogni traccia, qualsiasi collegamento. È una scommessa azzardata, lo so.»

Brydon comincia a parlarmi dell'indagine. Si chiama Operazione Lohan. La riunione di condivisione e aggiornamento è tutti i giorni alle otto e mezza in punto. E in punto significa in punto.

Tutti devono essere presenti, anche i membri non essenziali della squadra, come me. Alla stampa è stata rilasciata una dichiarazione molto concisa, e ogni ulteriore dettaglio al momento va taciuto. Brydon mi racconta tutto, io però lo ascolto a metà. Si chiama operazione Lohan perché c'è un'attrice, Lindsay Lohan, che ha i capelli rossi e ha avuto problemi di alcol e droga. Lo so solo perché me lo dice Brydon, e lui me lo dice solo perché sa che altrimenti non ne capirei il motivo. Sono famosa per la mia ignoranza, io.

«Tutto chiaro?»

Annuisco. «Tu stai bene?»

Adesso annuisce lui, accenna un sorriso. Non un tentativo riuscitissimo, ma più che passabile.

Porto la carta di credito alla mia scrivania, tendo la busta di plastica e con il pollice e l'indice della mano libera traccio il contorno della carta.

Hanno ucciso una giovane donna. Hanno buttato un grosso lavello sulla testa di una bambina. E questa carta – che appartiene a un milionario morto – guarda caso era lì.

Come dicevo, nessun problema con la routine. I segreti sono meglio, però.

3

La mattina dopo nella sala riunioni, dove in punto significa in punto.

Una parete della centrale operativa è occupata da bacheche riempite di nomi, ruoli, incarichi, domande ed elenchi: la burocrazia dell'omicidio. Protagonista assoluta una serie di foto della scena del crimine, immagini scattate con estrema cura per i dettagli e scarsa attenzione alla luce. C'è qualcosa, nella loro rudezza, che gli conferisce una veridicità scioccante.

La donna è distesa su un materasso per terra. Forse dormiva o era in uno stato comatoso indotto dalla droga. Non ha l'aria felice o triste, serena o inquieta. Ha l'aria che hanno i morti o una qualunque persona mentre dorme.

La bambina è un'altra storia. Non le si vede la parte superiore della testa perché non c'è. Il lavello occupa quasi tutta l'immagine e ha il bordo superiore sfocato perché il fotografo si è concentrato sulla faccia della bambina, di cui si vedono solo il naso, la bocca e il mento. Lo schianto del lavello le ha provocato la fuoriuscita di sangue dal naso, sangue che poi è schizzato giù, come in un trucchetto di magia riuscito male. La bocca è tesa, credo per via del peso del lavello, che le ha tirato la pelle o i muscoli. Lo scatto che sto guardando è una semplice riproduzione della realtà, non l'espressione di un sentimento. Eppure gli esseri umani sono esseri umani, e interpretano quello che sembra un sorriso come un sorriso, anche se non lo è. E questa bambina, priva della parte superiore della testa, mi sorride. Sorride a me, da morta.

«Povera piccola.»

La persona che parla alle mie spalle – con l'alito che sa di caffè – è Jim Davis, un vecchio poliziotto che ha passato in uniforme gran parte della sua vita, e adesso è diventato un sergente investigativo assolutamente affidabile.

«Già, povera bambina.»

La sala è piena: siamo in quattordici, di cui tre donne. In questa fase di un'inchiesta, le riunioni hanno un'energia strana, nervosa. Si percepisce rabbia e coraggio, e una specie di crudele entusiasmo tipicamente maschile. E ovunque, persone che vogliono *agire*.

Otto e ventotto. L'ispettore capo Dennis Jackson esce a tutta velocità dal suo ufficio, già senza giacca, già con le maniche della camicia arrotolate. Un certo ispettore Hughes, Ken Hughes, che io non conosco granché, lo segue, dandosi delle arie.

Jackson si accomoda davanti a noi e nella stanza cala il silenzio. Io sono vicino alla parete con le foto, e sento la presenza di quella bambina accanto al mio viso così intensamente che sembra seduta al mio fianco in carne e ossa. Più intensamente, forse.

Le indagini sono partite da meno di ventiquattr'ore, ma gli accertamenti di routine hanno già prodotto una serie di fatti e ipotesi. Jackson li elenca tutti parlando a braccio. Sembra posseduto dalla stessa energia nervosa che riempie la sala, tronca le frasi a metà e ce le scaglia contro: informazioni come pallottole.

Nessuno risulta residente a quell'indirizzo.

Sembra però che i servizi sociali conoscessero la donna e la bambina. Il riconoscimento definitivo dovrebbe arrivare in giornata, ma la donna è quasi sicuramente Janet Mancini. E sua figlia è April.

Supponendo che le identità vengano confermate, il retroscena è questo. Al momento della morte Janet Mancini ha ventisei anni, la bambina appena sei. La storia famigliare della donna era molto travagliata: era stata data in adozione e di lei si erano occupati i servizi sociali; aveva vissuto con diverse famiglie affidatarie, alcune delle quali migliori di altre; si era iscritta alle scuole superiori serali. Non era brillante, ma cercava di fare del suo meglio.

Poi la droga, la gravidanza. La bambina le viene tolta e affidata di continuo, a seconda dei periodi di disintossicazione. «I servizi sociali sono convinti che la Mancini fosse una sballata, ma non una pazza» dice Jackson con un sorriso che sembra più un ghigno. «In ogni caso, non una che scaraventa lavandini.»

L'ultimo contatto con i servizi sociali risale a un mese e mezzo fa. La Mancini sembrava disintossicata. L'appartamento – non quello all'indirizzo in cui è stata trovata, ma un altro in una delle zone più belle di Llanrumney – era abbastanza in ordine e pulito. La bambina era in salute, vestita con cura e andava a scuola. «Quindi, all'ultimo contatto, nessun problema.»

La volta dopo, quando i servizi sociali passano a monitorare la situazione, la Mancini non c'è. Forse è da sua madre, forse da qualche altra parte. Gli assistenti si preoccupano, ma non lanciano nessun allarme.

«La casa dov'è stata trovata è un appartamento occupato, ovviamente, ma non c'è nessuna traccia che colleghi la Mancini a quel posto. Abbiamo la testimonianza di uno dei vicini, purtroppo niente di utile.» Jackson punta il dito verso le bacheche. «È tutto lì e su Groove. Datevi una mossa, se non lo avete già fatto.» Groove è il nostro sistema informatico per la gestione delle inchieste e la condivisione delle informazioni. Funziona bene, ma le bacheche piene di fogli svolazzanti servono a far sì che questa sembri una vera centrale operativa.

A questo punto Jackson fa un passo indietro per dare la possibilità a Hughes di blaterare su altri dettagli inutili. Le prove deducibili dall'analisi delle bollette, dalla fedina penale, dai tabulati telefonici. Dettagli che una squadra di polizia moderna acquisisce in un battibaleno. Accenna alla carta di credito di Rattigan, senza darle grande importanza. Dopo di che conclude, e Jackson riprende la parola.

«Il referto dell'autopsia arriverà in giornata, forse, ma non avremo niente di definitivo per un bel po'. Propongo comunque di procedere ipotizzando che la bambina sia stata uccisa da un lavello.» È il suo primo tentativo di fare umorismo, se così lo si può definire. «La madre è morta di overdose, probabilmente. Asfissia? Infarto? Ancora non lo sappiamo.

«Adesso dobbiamo raccogliere tutte le informazioni possibili sulle vittime. Il loro passato, la famiglia di provenienza, le persone frequentate. Informatevi sul traffico di droga, sul giro della prostituzione. Indagate casa per casa: voglio sapere chi è entrato in quell'appartamento, voglio sapere chi ha incontrato, chi ha visto e con chi ha parlato la Mancini, voglio sapere qualsiasi cosa le sia successa nel mese e mezzo in cui i servizi sociali non hanno più avuto sue notizie. La domanda chiave è: perché la Mancini si è trasferita in quell'appartamento? Si era disintossicata, si occupava della bambina, insomma, se la cavava abbastanza bene. Perché ha buttato all'aria tutto? Cosa l'ha costretta a trasferirsi?

«Gli incarichi individuali li trovate qui» continua indicando le bacheche «e su Groove. Per qualsiasi dubbio, rivolgetevi a me. Se non mi trovate, parlate con Ken. Avvisatemi immediatamente se scoprite qualcosa di importante, o che vi sembra tale. Niente scuse.»

Jackson annuisce mentre controlla di non aver dimenticato nulla. Okay. Nella primissima fase di un'indagine criminale seria, riunioni come questa sono in parte una messinscena. Qualsiasi squadra di poliziotti darà sempre la massima priorità a un caso di omicidio, ma le dinamiche di gruppo esigono un rituale. L'haka degli All Blacks, il guado celtico, la musica da battaglia. Jackson mette da parte il suo tipico sguardo stanco ma determinato e ne sfoggia uno truce e risoluto.

«Non sappiamo ancora se si tratti di un omicidio, ma al momento questa è l'ipotesi più accreditata. La bambina però... Aveva solo sei anni. Sei. Aveva appena iniziato ad andare a scuola, a farsi delle amiche. Nell'appartamento di Llanrumney, da dove se ne era andata un mese e mezzo fa, sul frigo c'erano dei suoi disegni, in camera degli abiti puliti. E poi questo.» Indica la foto della bambina, ma nessuno di noi la guarda perché ce l'abbiamo già impressa in testa. Nella stanza gli uomini serrano la mandibola con aria da duri. La detective Rowland, Bev Rowland, una mia cara amica, piange apertamente.

«Sei anni, e poi questo. April Mancini. Troveremo l'uomo che le ha scaraventato addosso il lavello e lo manderemo in prigione per il resto dei suoi giorni. È questo il nostro obiettivo, il motivo per cui siamo qui. E adesso sbrighiamoci.»

La riunione è conclusa. Scambiamo qualche parola e poi prendiamo d'assalto il distributore del caffè. Nel trambusto agguanto Bev.

«Tutto a posto?»

«Sì, sto bene, davvero. Sapevo che oggi non sarebbe stata una giornata da mascara.»

Rido. «Cosa ti hanno affidato?»

«Per lo più il porta a porta. Sensibilità femminile. E a te?»

C'è uno strano presupposto nella sua risposta e nella sua domanda. Il presupposto è che io non conti affatto come donna, per questa ragione non svolgo mai gli incarichi che di solito vengono assegnati alle mie colleghe. La cosa non mi offende. Bev è il tipo di persona che si mette a piangere quando Jackson tira fuori la voce roca per il gran finale strappalacrime. Io no. Bev è il tipo di persona accogliente con cui la gente si confida davanti a una tazza di tè. Io no. Voglio dire, so fare anch'io il porta a porta. Mi è già capitato e ho fatto le domande giuste ottenendo, a volte, informazioni preziose. Ma Bev sembra nata per questo incarico, e tutte e due sappiamo che io invece non lo sono.

«Lavoro soprattutto sul caso di Brian Penry. Estratti conto eccetera eccetera. Nel tempo libero, se non impazzisco, dovrei seguire il caso della carta di credito, la Visa di Rattigan. Posto strano in cui saltare fuori, non credi?»

«È stata rubata?»

Scuoto la testa. Ho chiamato la banca ieri, dopo aver parlato con Brydon. Una volta riuscita a superare tutta la farraginosa burocrazia – e a parlare con chi di dovere – ho scoperto quello che volevo sapere senza grandi difficoltà. «No, no. C'è una denuncia di smarrimento: la carta è stata bloccata e sostituita con una nuova. La vita va avanti. Magari è andata davvero così: a Rattigan è caduta per terra, la Mancini o chiunque altro l'ha raccolta e l'ha tenuta per ricordo.»

«La Visa Platinum di Brendan Rattigan? L'avrei fatto anch'io.»

«No. Tu l'avresti restituita.»

«Be', sì, ma se non fossi stata una persona affidabile…»

Rido. Tentare di usare i meccanismi mentali di Bev Rowland come modello per individuare quelli di Janet Mancini non mi sembra la ricetta giusta per il successo. Bev mi fa una smorfia perché rido, e poi schizza di corsa in bagno per risistemarsi il trucco prima di andarsene. Le auguro una buona giornata, e lei mi risponde: «Anche a te».

Mentre Bev sta uscendo, mi accorgo che quello che le ho detto non è vero. Janet Mancini *non può* aver raccolto da terra la Visa di Rattigan. È impossibile. La Mancini e Rattigan non camminavano per le stesse strade, non frequentavano gli stessi pub, non facevano parte degli stessi mondi. I luoghi in cui Rattigan poteva aver perso la carta erano tutti luoghi che, in modo più o meno palese, non sarebbero stati accessibili alla Mancini.

Non appena questo pensiero mi attraversa la mente, ne comprendo tutte le implicazioni. Loro due si conoscevano. Non di sfuggita, non per caso, ma concretamente, personalmente. Se in questo momento mi chiedessero di scommettere, scommetterei che il milionario ha ucciso la tossicodipendente. Non in modo diretto, presumo – è difficile uccidere qualcuno se sei morto –, ma un omicidio indiretto è pur sempre un omicidio.

«Ti prenderò, brutta merda» commento ad alta voce. Una segretaria mi guarda sbigottita mentre mi passa accanto. «Non tu» le dico. «Non parlavo di te.»

Lei abbozza un sorriso, del tipo che lanci a un matto che impreca per strada, o che accenni a degli ubriaconi che litigano per il vino al parco. Non mi importa, sono abituata a questi sorrisi ormai. Per me sono come l'acqua, mi scivolano addosso. E vado avanti.

Torno al piano di sopra.

La scrivania mi guarda con aria minacciosa, sfoggiando le sue cataste di fogli. Mi dirigo verso il cucinotto e mi preparo una tisana alla menta. La beviamo solo io e una delle segretarie, nessun altro. Torno alla scrivania. Dalle finestre arieggiate e luminose scorgo un'altra giornata di sole. Abbasso il viso sulla tazza e lascio che il vapore aromatizzato mi scaldi. Mille cose noiose da fare e una sola interessante. Allungo la mano verso il telefono, scostando nel frattempo il viso dalla tazza. Faccio un paio di telefonate prima di ottenere il numero di Charlotte Rattigan – la vedova di un milionario ovviamente non è sull'elenco telefonico – e poi la chiamo.

Risponde una voce di donna, informandomi che sto chiamando la tenuta Cefn Mawr. Ha l'atteggiamento tipico della domestica, della domestica ben pagata e inflessibile.

«Pronto? Sono la detective Griffiths e chiamo dalla centrale del Galles meridionale. Posso parlare con la signora Rattigan, per cortesia?»

La donna esita un momento, come succede sempre quando dico di essere della polizia. Dopo di che inserisce il pilota automatico.

«La detective Griffiths ha detto? Posso chiederle il motivo della sua telefonata?»

«È una questione riservata. Preferirei parlarne direttamente con la signora Rattigan.»

«Al momento non può rispondere. Eventualmente potrei dirle io di cosa si tratta…?»

Ai fini dell'indagine non è necessario incontrare la vedova Rattigan di persona. Basterebbe parlarle al telefono, ma non reagisco bene all'ostruzionismo inflessibile: tira fuori tutta la durezza da poliziotta che c'è in me.

«Perfetto. La signora sarebbe disponibile in giornata per un interrogatorio?»

«Senta, se potesse dire a me di cosa si tratta…»

«Chiamo a proposito di un'inchiesta per omicidio. È una procedura di routine, ma va comunque affrontata. Se non desiderate che mi presenti a casa, potremmo chiedere alla signora Rattigan di venire a Cardiff, in modo da interrogarla qui.»

Mi divertono questi giochetti di potere, per quanto siano stupidi. Mi piacciono perché vinco io. Nel giro di due minuti Miss Ostruzionismo mi ha dato un appuntamento per le undici e trenta e le indicazioni per raggiungere la casa. Metto giù il telefono e rido tra me e me. Il viaggio mi farà perdere un'ora e mezza, e quella che poteva essere una telefonata di tre minuti finirà per farmi perdere mezza mattinata.

Trascorro più di un'ora a lavorare sugli odiosi estratti conto di Penry, perdendo la cognizione del tempo, e così mi tocca correre giù per le scale verso la macchina. È una Peugeot Coupé Cabriolet bianca a due posti. Cappotta morbida, motore turbo ad alta pressione, da zero a cento in poco più di otto secondi. Sedili in pelle chiara, cerchi in lega. Mio padre mi ha comprato la mia prima macchina quando ho cominciato a lavorare qui tre anni fa, poi quest'anno ha insistito per sostituirla con il nuovo modello. È una macchina del tutto inappropriata per una giovane detective, e io la adoro.

Lancio la borsa – taccuino, penna, portafoglio, telefono, occhiali da sole, trucchi, busta dei reperti – sul sedile del passeggero ed esco dal parcheggio, immergendomi nel traffico di Cardiff. In macchina la radio suona musica classica e per strada i martelli pneumatici squarciano la A4161 in direzione Newport Road, lungo la quale si alternano negozi di tappeti e discount di mobili. La viabilità migliora sulla A48, alzo il volume per coprire il rumore dell'autostrada e mi godo la vista su Newport – forse la città più brutta al mondo – prima di oltrepassare Cwmbran e inerpicarmi verso Penperllini.

Per via del traffico e dei lavori, ma soprattutto perché sono partita tardi e mi sono persa nei vicoli di Penperllini, sono in ritardo di quasi venticinque minuti quando riesco a trovare l'ingresso di Cefn Mawr. Grandi colonne di pietra e strepitose siepi di tasso sagomate. Snob e all'inglese, del tutto fuori luogo qui in Galles.

Prendo la curva e, inforcati gli occhiali per proteggermi dal sole, accelero nel vialetto, nel disperato tentativo di non accumulare altro ritardo. Un'ultima svolta mi coglie alla sprovvista e arrivo nel grande parcheggio di ghiaia davanti alla villa a quasi cinquanta chilometri orari. Sotto i venti sarebbe stato decisamente più appropriato. Freno energicamente e sbando sul pietrisco finché la velocità non diminuisce. Non mi resta che spegnere il motore. Un'enorme nuvola di polvere dorata si solleva come a voler sottolineare la mia manovra. Applauso muto per Fiona Griffiths, pilota di rally.

Mi rimetto in sesto in una manciata di secondi. Inspiro ed espiro, concentrandomi su ogni respirazione. Il cuore mi batte troppo veloce, ma almeno lo sento. Cose come questa non dovrebbero preoccuparmi così tanto, e invece mi preoccupano. Be', non dovrebbero esistere neanche cose come la povertà e la fame nel mondo, eppure esistono. Aspetto finché non mi sembra che il battito sia tornato regolare e poi mi prendo altri venti secondi.

Scendo dalla macchina, sbatto la portiera e non inserisco la sicura. Sulla scalinata c'è una donna che mi osserva – Miss Ostruzionismo, immagino. Non mi sembra di starle simpatica.

«Agente Griffiths?»

Noto che adesso sono diventata «agente». Miss Ostruzionismo non mi sembra particolarmente informata sui gradi del dipartimento di indagini criminali, perciò sospetto che abbia fatto una ricerca su internet. In questo caso sa dunque che sono giovanissima.

«Mi dispiace per il ritardo. C'era traffico.» Non so se ha assistito al mio arrivo da rallista, ma io non mi scuso e lei non ne fa parola.

Cefn Mawr è una tenuta modesta. Dieci o dodici camere da

letto, superfici immacolate. Dei cipressi nascondono un campo da tennis. E più in là, un paio di cottage e quello che immagino sia un fienile o una palestra. Il fiume Usk scorre in modo pittoresco tra le rocce che si stagliano sullo sfondo, oltre una lunga distesa erbosa. Siamo a pochi chilometri da Cwmbran e dalle vecchie miniere di carbone che feriscono le colline circostanti. Crumlin, Abercarn, Cwmcarn, Pontywaun. Stando qui, con il fiume Usk che sfoggia i suoi migliori riflessi, si potrebbe pensare di essere a milioni di chilometri di distanza da tutto. È proprio questo il punto, suppongo. È a questo che servono i soldi.

Miss Ostruzionismo mi fa entrare in casa dal portone principale. Dentro è tutto come te lo aspetti: ogni dettaglio è stato affidato all'estro di qualche interior designer che – insieme ai pavimenti vittoriani – ha rimosso ogni traccia di personalità dei proprietari. I nostri tacchi picchiettano sul marmo dell'ingresso mentre passiamo davanti a vasi di fiori freschi e a foto di cavalli da corsa. Arriviamo in cucina: una stanza enorme, un ampliamento del corpo principale della casa. I mobili fatti a mano sono color avorio, il piano cottura è blu Wedgewood. Ci sono altri vasi di fiori freschi, veneziane, divani e tanta luce.

«La signora Rattigan al momento è impegnata, ma si libererà a breve. La attendevamo per le undici e trenta.»

«Mi dispiace, è colpa mia. Aspetto volentieri.»

Lo dico con sincerità: sono davvero dispiaciuta e aspetto davvero volentieri. È un atteggiamento maturo da parte mia. Che carina che sono! Purtroppo però sono carina solo perché poco fa me la sono fatta sotto e adesso ho bisogno di rimanere tranquilla. Per ora mi basta stare seduta qui ad ascoltare il battito del mio cuore.

Miss Ostruzionismo – che davanti casa mi ha detto il suo nome e stretto la mano mollemente ma con eleganza – sta armeggiando con il bollitore. Cerco di ricordarmi come si chiama, ma è inutile. Mi siedo al tavolo e tiro fuori il taccuino. Per un attimo dimentico addirittura perché sono qui. Lei mi porge il caffè come fosse un'opera d'arte su cui la famiglia ha appena investito.

Non riesco a pensare a niente da dire, perciò rimango in silenzio, sbatto solo le palpebre.

«Vado a vedere se la signora Rattigan si è liberata.»

Io annuisco e lei se ne va. Sento i suoi tacchi picchiettare fuori dalla cucina, lungo il corridoio e poi altrove. Mi sto calmando. Un orologio ticchetta da qualche parte, la canna fumaria emette un leggero borbottio, come un fiume in lontananza. Passano pochi minuti, minuti piacevoli e vuoti, dopo di che compare in cucina una donna, e Miss Ostruzionismo al suo fianco.

Mi alzo.

«Signora Rattigan, mi scuso per il ritardo.»

«Oh, non si preoccupi.»

Su internet ho letto che la signora Charlotte Frances Rattigan ha quarantaquattro anni e due figli adolescenti. È un'ex modella, questo risulta evidente guardandola. Indossa una camicia grigio melange, un paio di pantaloni di lino chiaro e dei sandali. Ha i capelli biondi che le arrivano alle spalle e una bella carnagione, usa poco trucco. È alta circa un metro e settantacinque, più altri due o tre centimetri di tacchi.

È elegante, ovvio, ma non è la sua eleganza a colpirmi. C'è un che di etereo in lei, come se non fosse solo la casa a sentire la mancanza dei pavimenti vittoriani. Mi assale una curiosità immediata. Chiedo a Miss Ostruzionismo se le dispiace lasciarci qualche minuto da sole e lei, dopo un'occhiata alla vedova, se ne va.

Rimango a fissare la signora Rattigan con il mio tipico sorriso professionale, da detective.

«La ringrazio molto per avermi concesso un colloquio. Ho da farle solo qualche domanda di routine, ma non posso farne a meno.»

«Nessun problema, capisco.»

«Temo di doverle chiedere del suo defunto marito. Mi scuso in anticipo per l'eventuale disagio che la cosa può provocarle. È la procedura e…»

Lei mi interrompe. «Nessun problema. Capisco.»

Ha una voce morbida, una pesca senza nocciolo. Io esito. Non c'è assolutamente niente in questa situazione che mi spinga a essere brusca, ma non riesco a impedirmelo, e il tono della mia voce si indurisce.

«Suo marito conosceva una donna di nome Janet Mancini?»

«Mio marito…?» Non finisce la frase e scrolla le spalle.

«È un no o un non lo so?»

Lei scrolla di nuovo le spalle. «Voglio dire, che io sappia no. Mancini? Janet Mancini?»

«Nessuno di questi due indirizzi le dice niente?»

Le mostro il taccuino. Il primo indirizzo è dove è stata ritrovata Janet, il secondo dove viveva.

«No, mi dispiace.»

«Il secondo indirizzo è a Butetown. Sa se suo marito conduceva degli affari in quella zona? Se andava lì a trovare dei clienti?»

Lei scuote la testa.

Secondo la fisica quantistica l'atto dell'osservazione altera la realtà. Lo stesso succede con gli interrogatori della polizia. La signora Rattigan sa che io sono una detective che indaga su un caso di omicidio. Le sue risposte evasive mi irritano, ma potrebbero essere indotte dal mio ruolo, dal mio incarico. Il bollitore di Miss Ostruzionismo sbuffa accanto a noi. La signora Rattigan non mi ha ancora offerto il caffè, così la anticipo io.

«Le andrebbe del caffè? Glielo verso?»

«Oh, sì, grazie. Mi scusi.»

Verso un caffè, non due.

«Lei non lo prende?» È il primo gesto positivo che ha compiuto da quando sono arrivata, ma non guadagna chissà quale punteggio.

«Non bevo caffeina.»

La signora Rattigan si avvicina la tazza, ma non beve. «Brava. Neanch'io dovrei, lo so.»

«Ho ancora qualche domanda. Come sa, noi cerchiamo di scoprire la verità. Se in passato suo marito ha commesso qualche reato, lo consideriamo acqua passata. Non ci interessa più.»

Lei annuisce. Ha occhi nocciola chiaro e ciglia bionde. Mi rendo conto di essermi sbagliata sulla casa: è stata arredata da cima a fondo da qualche designer, che però ha còlto almeno un aspetto della personalità di chi ha commissionato il lavoro. Lino chiaro, nocciola chiaro, come una pesca senza nocciolo. La casa e la sua proprietaria hanno qualcosa in comune.

«Suo marito ha mai fatto uso di stupefacenti?»

La domanda la coglie di sorpresa. Scuote la testa, guardando prima in basso e poi a sinistra. Tiene la tazza di caffè nella mano destra. Se è destrorsa, allora il fatto che abbia guardato prima in basso e poi a sinistra suggerisce la presenza di un elemento non spontaneo nella risposta.

«Cocaina, forse? Qualche striscia insieme ai suoi soci d'affari?»

Lei mi guarda sollevata. «Sa, a volte. Io non… Cosa faceva quando era fuori non…»

La rassicuro. «No, no, sono certa che lei non ne fosse a conoscenza. Ma molti manager in carriera sniffano, è un dato di fatto. Lei non la voleva in casa, però, lo capisco.»

«Sa, ci sono i ragazzi.»

Immagino sia lo stesso commento che faceva al marito quando lui era ancora in circolazione: «Oh, non farlo. Non per me, per i ragazzi. Pensa alla tua salute».

Tiro fuori la Visa e gliela mostro.

«È di suo marito, giusto?»

Prima guarda la carta, poi me. Non fa un cenno del capo deciso, si ferma a metà.

«È stato denunciato lo smarrimento della carta. Si ricorda quando o dove suo marito l'ha persa?»

«No, mi dispiace.»

«Le ha mai accennato di averla persa?»

«Non credo. Voglio dire…» Scrolla le spalle. Quando un milionario perde una carta di credito, non si occupa personalmente della questione. Ecco cosa significa la sua alzata di spalle o perlomeno cosa significa secondo me.

«La carta di credito è stata trovata sulla scena di un delitto a Butetown. Le dice niente?»

«No, no, mi dispiace.»

«Ha la minima idea di come questa Visa sia finita in possesso di Janet Mancini?»

«Mi dispiace. Non lo so proprio.»

«Il nome di Janet Mancini le suona familiare?»

«No.»

«Sa che Butetown è un quartiere povero? Piuttosto malridotto e, a dire il vero, anche abbastanza pericoloso? Le viene in mente almeno un motivo per il quale suo marito potesse gestire degli affari in quella zona?»

«No.»

Ho esaurito tutte le possibili domande, tutte quelle che le avrei fatto per telefono. Arrivo addirittura a ripetermi. Eppure c'è una sensazione di vuoto nell'aria, che mi irrita con il suo profumo. La signora Rattigan non mi sta mentendo, lo so. Ma c'è qualcosa che non quadra.

E allora parto in quarta.

«Ancora qualche domanda» dico.

«Nessun problema.»

«La vostra vita sessuale era assolutamente normale?»

4

Al ritorno, oltrepassato Cwmbran, il traffico aumenta. Alla radio cerco una stazione che mi piaccia, ma – non trovandola – opto per il silenzio. Alla mia sinistra scorgo colline verdi e agnelli. Sulla destra, le gallerie intricate delle vecchie miniere. Gallerie lunghe e nere che conducono all'oscurità. Preferisco gli agnelli.

Eccomi a Cardiff. Non me la sento di tornare subito in ufficio, e allora non ci vado. Invece di proseguire su Newport Road, giro a sinistra.

Fitzalan Place. Adam Street. Bute Terrace.

La gente dice di apprezzare la nuova Cardiff. Il centro ristrutturato, il palazzo del Parlamento, gli alberghi di lusso, gli uffici regionali e il caffè a due sterline e mezzo. Questo è il nuovo Galles. Un Galles al passo con i tempi. Orgoglioso, determinato, indipendente.

Io invece non riesco a farmene una ragione. Mi sembra di essere stata truffata, non c'è niente di questo nuovo Galles che mi vada a genio. L'aspetto. Lo stile. I prezzi.

Tantomeno i nomi delle strade e delle piazze. In centro ci sono Churchill Way, Queen Street, Windsor Place. Dov'è andata a finire la nostra dannata voglia di indipendenza? Se fosse stato per me, avrei chiamato tutte queste maledette vie con i nomi dei principi gallesi del Duecento, che hanno passato la loro vita a combattere contro gli inglesi e sono stati massacrati. La strada principale dovrebbe essere dedicata a Llewelyn ap Gruffydd, l'ultimo principe del Galles indipendente. Fu una disfatta eroica, fiera, all'ultimo sangue. Llewelyn fu ingannato, attaccato, ucciso, e la sua testa finì su una guglia della Torre di Londra. Chiamerei con il suo nome tutti i luoghi più importanti di Cardiff. E se gli inglesi non apprezzano questa scelta, be', possono sempre restituirci la testa mozzata di Llewelyn. La regina probabilmente la conserva ancora in qualche ripostiglio, o forse William e Harry la usano per esercitarsi con i palleggi.

Mi rilasso solo quando mi allontano dal centro – la zona dove lavoro – e mi dirigo a Butetown. In questo quartiere, la gente beve più tè che caffè, ma né l'uno né l'altro costano due sterline e mezzo. È vero che, di quando in quando, un tossico viene ammazzato e puoi trovare una bambina con la testa schiacciata da un enorme e raffinato lavello di porcellana, ma io preferisco così. Crimini da vedere. Vittime da toccare.

Fermo la macchina un po' oltre il civico 86 di Allison Street.

Ho la pelle d'oca che mi viene tutte le volte che mi avvicino a una persona morta, uno strano formicolio.

Scendo dalla macchina. Allison Street non è un bel posto: case popolari degli anni sessanta che sembrano scatole di cartone, tutte dello stesso colore, tutte con la stessa struttura squadrata e tutte con le stesse pareti sottili e la stessa resistenza all'umidità. In giro c'è solo un bambino che tira ripetutamente un pallone rosso contro un muro privo di finestre. Mi lancia una rapida occhiata e poi continua.

Il numero 86 è circondato dal nastro segnaletico che delimita la scena del crimine, ma quelli della Scientifica dovrebbero avere quasi finito ormai. Passo sotto il nastro e suono il campanello.

All'inizio silenzio, poi dei passi. Sono fortunata. Un agente dall'aria rassicurante, con i capelli corti rossicci e le orecchie rosa, viene alla porta.

Gli mostro il distintivo. «Passavo di qua» spiego. «Ho pensato di dare un'occhiata.»

L'agente scrolla le spalle. «Cinque minuti, tesoro. Sto prendendo dei nuovi campioni di tessuto e poi ho finito.»

Sale di sopra e io resto al pianterreno. Vado nel salotto dove April e Janet sono morte. Le tende rosse alla finestra davanti sono tirate – come il giorno dell'omicidio – ma la stanza e la cucina sono state illuminate da lampade alogene. La luce è troppo intensa per essere vera: mi sembra di trovarmi sul set di un film, non in un appartamento.

Alcune delle cose che erano in casa sono state portate via come prove. Altre sono state esaminate, inventariate e poi distrutte. Altre ancora sono state lasciate al loro posto ed etichettate come non rilevanti. Non so esattamente come funzionino le indagini della Scientifica, perciò non riconosco quale sia la logica che sta dietro a quello che è stato fatto.

Cammino per la stanza cercando solo di capire se provo qualcosa. Niente. O meglio, provo disgusto per la casa, la moquette con il motivo a spirale, il divano brutto, le macchie di sporco sulle pareti, l'odore di discount e di tubature intasate. Mi sento strana e distaccata.

Grazie alle foto che ho visto su Groove, so dov'erano distesi i due corpi quando sono stati ritrovati. Dov'era April adesso c'è una pozza di sangue rappreso e incrostato sulla moquette. Non sembra sangue però, assomiglia più a una macchia di curry.

Mi chino e tocco il pavimento sul quale April ha esalato il suo ultimo respiro, poi mi sposto finché non arrivo nel punto in cui è morta Janet.

In momenti come questi vorresti sentire qualcosa, percepire la presenza di chi è morto, come se aleggiasse nell'aria. Ma io non sento nulla. C'è solo la moquette sintetica e un odore strano. Le lampade alogene rendono tutto irreale. Sotto la finestra c'è una cassapanca di legno a cui sono stati aggiunti uno schienale e dei braccioli, in modo da usarla anche come divanetto.

L'agente scende le scale, due gradini alla volta, e arriva in salotto facendo un gran casino.

«Tutto a posto?» chiede.

Indico il divanetto alla finestra. «Aveva dei cuscini?»

Lui punta il dito verso un lurido cuscino nero a scacchi appoggiato contro la parete a un metro da lì. È della misura del divanetto.

«C'erano dei disegni in casa? Disegni infantili, del tipo che avrebbe fatto April?»

«Ce n'è una pila enorme là.» Mi fa segno di guardare oltre il divanetto. «Soprattutto fiori.»

«Okay.»

Sollevo la tenda rossa e guardo in strada. Si ha una buona visuale da qui: metà di Allison Street e un parcheggio in fondo. Mi siedo davanti alla finestra, immaginando di essere April.

L'agente è vicino a me e respira rumorosamente. Vuole che me ne vada, e io non ho alcun motivo per restare, perciò gli faccio il favore di sloggiare.

Esco dal salotto luminoso e mi ritrovo prima in un ingresso troppo buio e poi in una strada calda e assolata. Sembra tutto più strano adesso. Il bambino e il suo pallone rosso non ci sono più. La casa e la via sembrano normalissime ma, al numero 86, April Mancini è stata sicuramente uccisa e molto probabilmente anche sua madre. E questo fa una differenza enorme. Da quando sono stata a Cefn Mawr ho sempre tenuto il cellulare spento. Adesso che lo riaccendo mi arrivano un mucchio di messaggi, nessuno dei quali abbastanza interessante da meritare una risposta.

Prendo in considerazione l'idea di tornare in ufficio, ma non ho ancora pranzato, e poi la visita a Allison Street mi ha lasciato insoddisfatta. Irrequieta.

Vago alla ricerca di un supermercato. Sono sicura di averne visto uno mentre venivo qui ma, come al solito, faccio una gran fatica a rintracciarlo. Non sono brava a individuare oggetti grossi, statici e ben segnalati in luoghi molto luminosi. Alla fine però lo trovo ed entro.

Ci sono giornali, cioccolata, un frigorifero con latte e yogurt e quella carne precotta che ti ostruisce le arterie alla stessa velocità in cui un maialino di allevamento ingrassa, strilla e muore. Qualche scatoletta, pane affettato, biscotti. Un po' di frutta dall'aria triste.

Prendo un succo d'arancia e un panino con formaggio e pomodoro. La ragazza alla cassa si chiama Farideh. O almeno così c'è scritto sul suo badge di plastica.

«Salve» dico per attaccare discorso.

Lei non abbocca, prende i miei acquisti e li appoggia alla cassa. Una televisione a circuito chiuso sopra la sua testa mostra vari punti del negozio. In questo momento inquadra un vecchio pensionato che si china sul frigorifero.

«Sono della polizia» insisto. «Sa, la madre e la figlia che sono state uccise in fondo alla strada.»

Farideh annuisce e dice qualcosa di gentile e conciliante, il tipo di cose che la gente dice quando cerca di mostrarsi disponibile senza però esserlo realmente.

«Le conosceva?»

«Lei veniva qui, mi sembra. La madre.»

«La rossa? Janet?»

Farideh annuisce di nuovo. «Sono già stati qui. Ho già parlato con loro.»

Non capisco se vuole includermi o meno in questo «loro». Se non mi include, mette come un divisorio tra loro da una parte e noi dall'altra. Altrimenti è come se considerasse tutti i poliziotti parte della mia tribù, api operaie che ronzano attorno alla loro regina. Ma d'altro canto ha un accento straniero molto forte, e forse leggo nelle parole che sceglie sfumature che non ci sono.

Farideh batte sul registratore di cassa i miei acquisti, sul viso ha stampata un'espressione del tipo: «Paga e levati di torno».

«Non ha mai visto la bambina? Non è mai passata, che ne so, per comprare un gelato?»

«No.»

«Le bambine non amano molto il gelato, vero? Cosa preferiscono?» Penso ad alta voce, senza nascondere la mia perplessità. Sono stata anch'io una bambina di sei anni munita di paghetta settimanale e andavo a comprare dolciumi nel negozietto sotto casa, ma quei giorni mi sembrano incredibilmente lontani. Rimango sempre sconcertata dai ricordi che gli altri hanno del loro passato. Eppure mi arrovello cercando di indovinare i gusti di April. «Alpenliebe? Kit Kat? Orsetti di gomma? Smarties?»

Non so se mi sono vagamente avvicinata, ma Farideh è tenace. Non ha mai visto la bambina. Il vecchio pensionato che è entrato dopo di me ha finito di rovistare nel frigorifero e aspetta di pagare. Prendo delle banconote e le porgo alla cassiera.

La parte anteriore del negozio è piena di annunci scritti a mano. C'è chi vende una mountain bike e chi si propone come giardiniere o tuttofare. «Qualsiasi offerta di lavoro è bene accetta.» C'è già un avviso della polizia: accuratamente preparato da qualcuno del nostro ufficio stampa. È stato stampato a colori su carta lucida e riporta – in basso – un numero verde. È praticamente inutile, fuori posto, il tipo di messaggio che la gente del quartiere ignora. Come ignora le bollette, le comunicazioni ufficiali, i formulari dei servizi sociali e i moduli delle tasse.

Lascio pagare il vecchio pensionato e poi chiedo a Farideh se posso appendere un annuncio.

«Formato A5 o cartolina?» chiede.

«Cartolina» rispondo. Mi piacciono le cartoline.

Mi dà una cartolina e con una penna a sfera scrivo: *Janet e April Mancini. Abitavano al numero 86 di Allison Street. Uccise il 21 maggio. Cercasi informazioni. Si prega di chiamare la detective Fiona Griffiths.*

Non metto il numero verde del centralino della polizia ma il mio cellulare. Non so perché, ma mi sembra la cosa giusta da fare.

«Una, due o quattro settimane?» domanda lei. Sono cinquanta pence la settimana, oppure una sterlina e mezzo per un mese. Scelgo l'ultima soluzione.

Mentre me ne vado, Farideh attacca l'annuncio alla vetrina.

Sole, segreti e silenzio.

Una volta fuori mi siedo su uno spartitraffico a mangiare il panino. Chiamo Bev sul cellulare e, anche se è indaffarata, chiacchieriamo un paio di minuti. Mi arriva anche un messaggio di Brydon, che mi propone un aperitivo in serata. Rimango a fissare lo schermo per un po', senza sapere cosa rispondere. Non rispondo e finisco il panino.

Rientrata in ufficio non vengo accolta dal «Dove diavolo sei stata?» che più o meno mi aspettavo. A dire il vero, non credo che qualcuno si sia accorto della mia assenza. Scrivo un breve rapporto su Cefn Mawr e lo invio per e-mail a Jackson. Poi trascrivo con cura i miei appunti e li carico su Groove.

Ricomincio ad analizzare i maledetti estratti conto di Penry, che non quadrano, o per lo meno non quadrano quando sono io a usare la calcolatrice. Chiamo la scuola per controllare che non ci sia nessun altro conto corrente da cui Penry abbia potuto rubare del denaro, e ho un moto di stizza quando mi sento dire di no, sicuramente no. Non ho nessuna scappatoia.

Il mio umore comincia a prendere una brutta piega quando ricevo una telefonata di Jackson, che mi convoca al piano di sotto.

Vuole avere maggiori informazioni sul mio sopralluogo a Cefn Mawr. Gli riassumo l'interrogatorio cercando di mantenere il linguaggio professionale che siamo stati addestrati a usare, ma Jackson non ci casca.

«Hai chiesto *cosa*?»

«Ho chiesto se i signori Rattigan avevano rapporti sessuali normali, signore. Mi sono scusata per il carattere intimo della domanda, ma…»

«Risparmiami le stronzate. Cosa ti ha risposto?»

«Niente in maniera diretta. Ma ho toccato un nervo scoperto, farfugliava.» E aveva le orecchie in fiamme e sembrava offesa. E quel senso di vuoto che mi aveva travolto entrando in casa, all'improvviso era diventato ancora più palpabile.

«E tu l'hai piantata lì. Ti prego, dimmi che l'hai fatto.»

«Sì, quasi. Cioè, aveva già cominciato a raccontarmi che…»

«Non ti ha raccontato nulla. Hai detto che farfugliava.»

Una lunga pausa. Jackson mi fissa.

«Le ho chiesto se suo marito faceva sesso selvaggio con delle prostitute» ammetto alla fine.

«Le hai chiesto *questo*? Hai usato esattamente *queste parole*?»

«Sì, signore.»

«E?»

«Ho interpretato il suo sguardo come una conferma dei miei sospetti.»

«Il suo *sguardo*? Hai interpretato uno *sguardo*?»

«Era una domanda legittima. La carta di credito di suo marito è stata ritrovata sulla scena del crimine.»

«Avrebbe potuto essere una domanda legittima se l'avesse fatta un detective esperto, dopo essersi consultato con il capo dell'indagine. Non è stata una domanda legittima, perché l'ha fatta un'agente che operava da sola, senza mandato e senza l'autorizzazione di un superiore. Inoltre, non era una domanda appropriata da fare a una moglie in lutto per la morte del marito.»

«No, signore.»

Jackson mi fissa di nuovo, senza partecipazione stavolta. Si sporge in avanti con aria professionale e scorre alcuni fogli sulla scrivania, finché non trova quello che cercava.

«Sono i verbali della squadra mobile, hanno avuto a che fare con la Mancini. Non ha mai battuto a tempo pieno, per quanto ne sappiamo, ma era senz'altro disponibile se aveva bisogno di contanti.» Muove rapidamente gli occhi sulla stampata. «Le hanno spiegato i rischi che correva, le hanno fornito numeri di telefono a cui rivolgersi, cose del genere. Non è servito a molto… be', non è servito a niente, non credi? Guarda com'è finita.»

«Non possiamo saperlo, magari le sono stati d'aiuto. Sembra che cercasse di occuparsi della figlia.»

«Sembra.»

Jackson enfatizza molto la parola. Ha ragione, ovviamente. Non ha molto senso *sembrare* una brava madre se poi ti fai di eroina, ti prostituisci, tua figlia viene affidata ai servizi sociali e poi uccisa. Ops, cara April, mi dispiace tanto.

Scrollo le spalle come per dire che sono d'accordo, ma aggiungo: «Per quanto possa valere la mia opinione, sono quasi sicura che la Mancini non fosse proprio una come tante, per lo meno non per Brendan Rattigan. La reazione della vedova non è stata la normale reazione di una donna tradita. È stata qualcosa di più»

«Va' avanti.» Jackson ha ancora un tono di voce irritato, ma vuole sapere cosa ho da dire. Una piccola vittoria, suppongo.

«Rattigan aveva la sua bella modella come moglie, da sfoggiare in società e che a casa si occupava dei figli. Ma credo che a lui piacessero le donne di cui poteva abusare. Non so in che modo, forse le prendeva a schiaffi, forse le malmenava. Se vuole un'ipotesi azzardata, direi che Allison Street faceva parte del divertimento. L'appartamento occupato, voglio dire, lo squallore.»

«Le ipotesi azzardate sono esattamente quello che ci aspettiamo dai nostri agenti.»

Jackson chiude la conversazione perché ha un quadro abbastanza chiaro: dai verbali della squadra mobile risulta che la Mancini era una prostituta occasionale, e batteva per soddisfare una tossicodipendenza saltuaria. Questo è quanto. La mia scampagnata a Penperllini non ha aggiunto niente di nuovo. Forse la Mancini offriva i suoi servizi a clienti a cui piaceva il sesso selvaggio ma, in fondo, quasi tutte le prostitute soddisfano quasi tutti i gusti. Jackson sta per congedarmi, non senza prima avermi ammonito sui rischi del farsi trascinare quando si interroga la vedova di un multimilionario, ma gli squilla il telefono. Faccio per andare, lui però solleva una mano e mi ferma.

Ascolto con attenzione la telefonata. Ho paura sia qualcuno da Cefn Mawr, che chiama per lamentarsi di me. Quando è chiaro che non si tratta di una telefonata del genere, mi rilasso. Sono quasi le cinque del pomeriggio. Non ha molto senso andare a casa prima di incontrare Brydon, per cui lavorerò ancora un po' sulle scartoffie di Penry.

Jackson sbatte giù il telefono.

«Era il medico legale. Non ha ancora finito, ma il referto è quasi pronto. Puoi venire con me a prendere appunti. Consideralo un premio per la tua indagine a Cefn Mawr.»

Visto che nessuno di noi ha intenzione di rientrare in ufficio, andiamo in ospedale con due macchine. Sulla North Road c'è il solito traffico da ora di punta, quello che mi fa venire il nervoso. Un continuo fermarsi e ripartire. Vedo Jackson che con il braccio tamburella fuori dal finestrino al ritmo di una musica che io non riesco a sentire. Quando arriviamo in ospedale lasciamo le macchine nel grande parcheggio da mille e trecento posti auto. Estraggo dal vano portaoggetti il cartello POLIZIA e lo appoggio sul parabrezza, così evito di pagare la sosta. Jackson è davanti a me, ma si affretta verso l'entrata, al riparo dal vento, e si accende una sigaretta.

«Ne vuoi una?» mi chiede appena lo raggiungo.

«No, grazie. Non fumo.»

«Sei tu quella che non beve?» Jackson cerca di ricordare il mio viso tra i partecipanti alle bevute con i colleghi. Di solito sono quella che ha in mano il succo d'arancia e se ne va via presto. Ma non si sofferma più di tanto, e va avanti senza aspettare una risposta. «L'unico momento in cui *io* fumo, più o meno. Maledetti cadaveri.»

Tre o quattro tiri, una smorfia e poi ha finito. Spegne la sigaretta con la scarpa ed entriamo.

Non sono brava con gli ospedali. Edifici che si susseguono,

circondati da alberi dall'aria contrita, mentre al loro interno si svolgono attività enigmatiche e si respira un'aria impregnata di misterioso zelo.

Letti schermati da tende, e la morte che scende leggera come neve.

Ma non è l'ospedale in sé che ci interessa. Ci dirigiamo verso l'edificio meno segnalato di tutto il complesso. Aidan Price, il patologo più anziano in servizio, ci attende sulla porta dell'obitorio. È alto, magro e ha un'espressione preoccupata e saccente insieme, perfetta per il suo ruolo. Al momento verifica l'ora, manda via il personale ausiliario e controlla le chiavi.

Gli obitori svolgono due o tre funzioni. In primis sono magazzini, dispense. I grandi ospedali generano tanti cadaveri, ma la gente si innervosisce se questi sostano troppo a lungo nelle corsie. Per questo motivo vengono allontanati e sostituiti da lenzuola pulite e odore di detergente. I corpi però devono stare da qualche parte e vengono temporaneamente depositati qui, all'obitorio, in attesa di essere spediti a un impresario di pompe funebri o in un forno crematorio.

La funzione numero due deriva dalla numero uno. Se i parenti addolorati desiderano piangere il defunto hanno bisogno di qualcosa di più di lenzuola pulite e odore di detergente. E, in ogni caso, gli addetti alle pubbliche relazioni dell'ospedale vogliono i parenti lontani dalle corsie tanto quanto vogliono disfarsi dei cadaveri. Perciò gli obitori sono dotati di una zona in cui è possibile vegliare il cadavere. È uno spazio funzionale, ritagliato in base a esigenze architettoniche e budget ridotti: quello dell'ospedale in questione è decorato con una stampa di betulle in primavera e ha la vista sul tetto della mensa.

Poi c'è la funzione numero tre, quella che ci ha portati qui.

L'ospedale universitario del Galles è dotato del servizio di autopsia più efficiente del paese, e si occupa anche di casi a rischio di malattie infettive. Vengono tagliati a fettine due corpi al giorno, ma gran parte del lavoro è routine. Muore un tossicodipendente. Il coroner deve stabilire la causa della morte e le autorità sanitarie statali vogliono sapere se il cadavere aveva l'Hiv, l'epatite B, l'epatite C. Il patologo rimuove e pesa gli organi, esamina il cervello e poi riempie le tabelle tossicologiche e riferisce al coroner. Il coroner emette un verdetto e stila un rapporto. Una vita si conclude.

Ci cambiamo mentre Price ci aspetta sulla porta del reparto autopsie. Indossa una tuta bianca a maniche lunghe e un grembiule di plastica sopra il camice da chirurgo. Ha anche stivali di gomma, una mascherina sul viso e un berretto di cotone bianco. Anche noi dobbiamo indossare una tenuta simile prima di procedere oltre.

Appena abbiamo fatto, entriamo. Price chiude la porta dietro di noi. Ci sono due barelle, entrambe coperte da un telo azzurro, una luce molto intensa e il ronzio dell'impianto di ventilazione. In queste stanze l'aria viene cambiata almeno una volta l'ora: è aspirata dalle zone pulite, filtrata e poi rilasciata. Filtra i germi, filtra i morti.

Price solleva il telo dal corpo più grande. Janet Mancini.

È carina. Era evidente dalle foto, ma dal vivo è ancora più delicata, con l'ossatura minuta e l'espressione sensibile. Ho voglia di seguire con un dito la linea delle sue sopracciglia, di posare una mano sui suoi capelli ramati.

A Price non piacciono i morti, né le prostitute tossicodipendenti con i loro cadaveri ad alto rischio di contagio. Non gli piacciono i poliziotti. Tiro fuori il taccuino e mi faccio spazio vicino ai piedi di Janet Mancini per prendere appunti. Janet ha le caviglie sottili.

Mi ritrovo a sistemarle il telo intorno ai piedi, come se volessi mostrarli nella luce migliore. Mi blocco non appena mi accorgo che Jackson mi fissa.

Price inizia a parlare con precisione meticolosa.

«Cominciamo dalle cose semplici. Abbiamo analizzato urina e sangue per vedere se c'erano tracce di droga. Le analisi dell'urina sono negative per marijuana, cocaina, oppiacei, anfetamine, Pcp e varie altre sostanze. Abbiamo individuato bassi livelli di alcol e metanfetamina, ma la vescica era relativamente piena, perciò non possiamo stabilire quando e in che quantità ha assunto questi stupefacenti per l'ultima volta. Nel caso dell'eroina abbiamo ottenuto invece un risultato positivo più chiaro. Immagino che ne abbia fatto un uso più recente.»

«Il che tornerebbe con tutto quello che abbiamo trovato in casa» dice Jackson.

«Sì. Esatto.» A Price non interessano i particolari della scena del crimine, e gli ci vuole un po' per ripartire. «Le analisi del sangue forniscono un responso più affidabile, perché sono meno influenzate dall'assunzione di liquidi. Queste confermano l'uso di eroina. O una dose molto forte diverso tempo prima della morte, o una dose da moderata a massiccia poco prima della morte. Non è possibile distinguere tra i due casi. Risultano anche un leggero tasso alcolemico – sarebbe stato sotto il limite consentito per la guida, per esempio – e tracce di metanfetamina, ma non elevate e recenti.»

Price parla ancora un po' delle droghe, dello stato di salute generale, della dimensione del fegato e dell'assenza di varie patologie. Io prendo appunti, ma Jackson non vede l'ora che Price arrivi al sodo, e finalmente ci arriva.

«La causa della morte? Incerta. Ci sono solo due modi in cui

una persona può morire: per via del cuore o dei polmoni. Soffo-
camento, ustione, colpo di arma da fuoco. Se smettono di funzionare il cuore o i polmoni è fatta. In questo caso potrebbero essere
entrambe le cause. Il cuore è in uno stato di salute compatibile
con l'età e lo stile di vita della donna. Non ci si aspetta che il cuore
di una ventenne smetta di battere, ma se lo bombardi di droghe,
allora ovviamente non si può escludere la possibilità di un infarto,
anche letale. Le metanfetamine poi sono un fattore di rischio noto.
Inoltre, se mescoli diversi stupefacenti, le conseguenze della loro
interazione diventano imprevedibili.»

Scrivo il più veloce possibile, e la mia grafia comincia a distan-
ziarsi e a essere sempre più disordinata.

«Comunque direi che i polmoni sono la causa più probabile. Insufficienza respiratoria letale, respirazione lenta, disorientamento.
Il problema è l'accumulo di anidride carbonica: se l'acidosi non è
presa in tempo, ti ammazza.» Jackson annuisce e mi guarda per
assicurarsi che io abbia afferrato il concetto, e io l'ho afferrato.
Price però continua. «Se ho capito bene, la donna si trovava in un
ambiente poco familiare, giusto?»

Jackson impiega qualche secondo prima di rispondere.

«Poco familiare? Non lo escludiamo. Non era casa sua, ma non
sappiamo da quanto tempo si trovasse lì.»

«O con persone poco familiari? O in una situazione nuova?»

«Sì, è senz'altro possibile. È probabile, in effetti.»

Price annuisce. «Tanti casi di overdose da eroina non sono affatto overdose. È la stessa dose di sempre che – presa in un contesto
poco familiare – annulla i meccanismi omeostatici del corpo.»

Questa è nuova per me e anche per Jackson. La spiegazione
di Price va per le lunghe. Il nocciolo è il seguente. Quando una
persona comincia ad assumere eroina, il corpo fa tutto il possibile

per contrastare gli effetti della droga. Se la droga viene assunta in un contesto familiare, il corpo è preparato per l'assalto tossico e fa del suo meglio per reagire. Il risultato è che i tossicodipendenti arrivano a tollerare livelli molto elevati di droga. Ma se li allontani dal loro ambiente, i meccanismi di difesa del corpo crollano. Risultato: anche una dose normale – la stessa che il tossicodipendente tollera nel suo ambiente – può diventare letale.

«Quindi,» dice Jackson «lei lascia la casa. Sta passando un brutto periodo – non sappiamo ancora perché –, si fa di eroina, la stessa dose di sempre, ma è un errore madornale. Il corpo non è pronto per la droga. Un attimo dopo, *bang*! È morta.»

Price si agita per il riassunto di Jackson. È tutto troppo chiaro e brutale per lui. Inizia a precisare ogni singola affermazione e poi aggiunge ulteriori commenti alle sue precisazioni. Preferisce la nebbia dell'esattezza alla comprensibilità di un'intuizione discreta. A un'occhiata di Jackson smetto di prendere appunti, e nel frattempo anche la pedanteria di Price si esaurisce. Jackson sembra un idiota con addosso la tuta bianca e gli stivali di gomma, e io non sono certo da meno. Ci scambiamo un sorriso. Quando uno di noi si muove, fruscia come taffetà. Price indossa più o meno la stessa tenuta ma, per qualche strana ragione, a lui sta bene. E poi lui non fruscia.

Price ricomincia a darci informazioni. Di routine, necessarie, noiose. Io prendo appunti. Jackson gironzola per la stanza. Price continua la sua conferenza. Credo si diverta ad annoiarci. È negativa all'Hiv e ad altri virus simili, ma le analisi non sono ancora complete. Non c'è stata violenza sessuale e non è stato ritrovato sperma recente nel o sul corpo.

A questo punto con Janet abbiamo finito. Le copro di nuovo i piedi e la testa, stavolta però non resisto e – mentre le abbasso il telo sulla faccia – con la mano sposto uno dei suoi riccioli ramati.

I capelli sembrano lavati da poco, sono puliti e setosi. Vorrei abbassare la testa per annusarli.

Sulla seconda barella c'è April Mancini. Le hanno fasciato la parte superiore della testa con una benda, per nascondere il cranio e il cervello spappolati. Ma la benda ha ceduto, e dove avrebbe dovuto essere tirata adesso c'è un avvallamento, una cavità al posto della calotta cranica.

«La causa della morte» dice Price, pericolosamente vicino al fare una battuta «è abbastanza ovvia. Nessun uso di stupefacenti. Nessun abuso sessuale, o perlomeno non ne resta traccia. Non abbiamo trovato sperma, dunque possiamo escludere una violenza rilevante – a parte il lavello –, anche se in realtà molte pratiche non lasciano traccia. Le analisi del sangue sono ancora in corso, ma per adesso non risulta alcuna infezione. Non sono sicuro di aver capito cosa altro le serve sapere.»

Price è vicino alla testa di April e tira la benda tentando di rimetterla a posto. Non so se lo fa perché è nervoso, perché vuole salvaguardare la dignità della bambina o solo perché è un maniaco della precisione. Mi sa che è per quest'ultimo motivo, però.

Jackson non guarda nessuno dei due corpi. È in un angolo della stanza, vicino a una lampada con un braccio snodato che sovrasta un tavolo da lavoro. Gira la lampada facendo leva sulle molle.

«Nessun segno di lotta? Sangue sotto le unghie, cose di questo genere?»

«Abbiamo dato un'occhiata, ma le analisi del Dna sono ancora in corso. Forse troveremo qualcosa, ma non molto altro. In ogni caso, non ci sono evidenti segni di lotta.»

Jackson è frustrato, ma Price è solo un patologo, uno che legge le prove. Non vede nel passato più di quanto facciamo noi. Io ho riempito tredici pagine del mio taccuino con una grafia tortuosa che non mi piace. Domattina, per prima cosa, ricopierò tutto al computer e lo caricherò su Groove.

Resta ancora in sospeso un grande interrogativo. Se non sarà Jackson a sollevare la questione, lo farò io, ma il mio capo è un vecchio professionista. Piega la lampada fino a far cigolare le molle.

«Insufficienza respiratoria fatale» dice.

Price annuisce. Sa dove Jackson vuole andare a parare.

«E cosa mi dice dell'insufficienza respiratoria che non è fatale? Presumibilmente i sintomi sono gli stessi. Respirazione lenta, debolezza, disorientamento.»

«Esatto. Ai polmoni non arriva aria a sufficienza da consentire il ricambio. Se la cosa si protrae a lungo, risulta fatale. Ma anche se dura poco, ti lascia disorientato. Forse incosciente, forse no. Sicuramente debole e scoordinato, quasi incapace di stare in piedi e con problemi temporanei alla vista.»

«Quasi un'overdose, in altre parole» dice Jackson. «Ma se nessuno si intromette, la persona vivrà. Si riprenderà.»

Price annuisce di nuovo. «Se però qualcuno si intromette...»

«Chiunque sia, si troverà davanti la vittima perfetta. Se qualcuno voleva ucciderla, bastava tapparle il naso e la bocca, e aspettare.»

«Un minuto o due» dice Price. «Semplice.»

5

Lavoro concluso.

Usciti dal reparto autopsie ci ritroviamo in una piccola reception arredata con una scrivania vuota, una fila di sedie vuote e una di quelle piante da ufficio che sembrano di plastica e sono sempre uguali a se stesse: non crescono, non fioriscono, non muoiono come fanno le piante vere.

Jackson e Price sono davanti allo spogliatoio maschile e discutono sulla data di consegna del referto autoptico completo, del tempo necessario a identificare i Dna eccetera. Discorsi da uomini. Io non sono inclusa. Me ne sto lì accanto a loro con il mio lungo camice bianco e quei ridicoli stivali, e mi sembra di essere una comparsa in un film horror a basso costo, quando mi rendo conto che ho il cuore in fibrillazione. Non è una fibrillazione negativa, come l'attimo di panico a Cefn Mawr, ma è comunque una sensazione molto precisa. Sto attenta a questi segnali, perché spesso la fisicità mi aiuta a capire le emozioni che provo. Un cuore palpitante significa qualcosa, ma non so esattamente cosa. Lascio che la mia coscienza si espanda e vaghi.

Scopre il motivo della fibrillazione quasi subito.

Il lavoro non è affatto concluso. Devo tornare dentro.

Il motivo, quando lo trovo, è subito chiaro. Ha senso. Perché abbia senso non lo so, ma non mi preoccupo quasi mai del perché delle cose. Faccio semplicemente quello che va fatto.

«Oh, un attimo solo. Mi sa che ho dimenticato la penna di scorta» borbotto.

I due uomini non interrompono la loro conversazione. Jackson si limita a guardarmi e annuisce. È alto un metro e ottantacinque, credo, il che vuol dire quasi trenta centimetri più di me, mentre Price è leggermente più basso di lui. È peggio di quanto pensassi. Non sono una comparsa in un film dell'orrore, sono una nana in un film dell'orrore. Torno al reparto autopsie frusciando come taffetà e lascio che la porta si chiuda alle mie spalle.

La pace della sala mi accoglie e inizio a rilassarmi. Sento il battito del cuore che rallenta e smette di agitarsi.

Allungo la mano verso l'interruttore ma mi blocco quasi subito, mi piace la fioca luce violetta che inizia a invadere la stanza.

Prendo l'unica penna che ho e la infilo sotto il telo che avvolge il cadavere di Janet Mancini, in modo da avere qualcosa da «recuperare» nel caso servisse.

A parte questo, non faccio nulla. Tengo una mano sopra l'invidiabile polpaccio magro di Janet, l'altra sulla barella. La pace della stanza mi penetra fin nelle ossa, questo è il posto più pacifico al mondo. Chino il viso sopra i piedi di Janet, quasi a sfiorare il telo azzurro. C'è un leggero aroma di medicinali, gli odori umani sono già svaniti da un pezzo.

Mi piacerebbe stare qui a lungo, immobile, a respirare l'aria vuota che sa di medicine. Ma non ho molto tempo, perciò mi costringo a darmi una mossa. Scopro i due corpi per vedere ancora una volta le loro facce: quella priva di espressione di Janet e la metà sorridente di April. La benda sulla testa della bambina si è di nuovo afflosciata, per cui gliela risistemo.

Qui, senza nessuno a infastidirle, sembrano proprio madre e figlia. Non posso dire nulla degli occhi, ovviamente – April non li ha più –, ma la bocca della piccola è una versione in miniatura di quella della mamma, come anche il mento con la fossetta. Accarezzo la guancia di April e poi quella di Janet. Sono tutte e due morte. Non c'è motivo per fare distinzioni adesso.

Le fisso.

Janet mi fissa a sua volta. Non dice ancora niente, deve abituarsi all'idea di essere morta. April non può guardarmi, sorride però. Non credo che essere morta sarà brutto per lei: ha avuto una vita difficile, la morte – al confronto – dovrebbe essere una passeggiata.

Ci sorridiamo un po', godendo della reciproca compagnia. Mi chino sui capelli di Janet; li annuso, li tocco, li pettino con le dita. Profumano di antisettico e di shampoo alla mela, o una fragranza simile.

Rimango con le dita fra i capelli di Janet, cercando di scoprire l'origine dell'impulso che mi ha spinto a tornare qui dentro. Il cranio della donna è sorprendentemente delicato sotto i miei polpastrelli. Sento la piccola April ridere accanto a me.

Nella nostra interazione manca qualcosa, ma non so cosa.

«Buonanotte, piccola April» dico. «Buonanotte, Janet.»

È la cosa giusta da dire, ma la sensazione di mancanza resta. Mi trattengo ancora qualche secondo, invano. Quello che è rimasto sospeso è ancora sospeso, e non credo di riuscire a sopperire a questa assenza adesso.

Inoltre, non voglio che Jackson e Price pensino che io sia strana, perciò «recupero» la penna, copro le due donne ed esco dal reparto autopsie, brandendo la biro con un'espressione compiaciuta da ebete. Loro due non ci fanno caso, stanno entrando nello spogliatoio.

Mi cambio lentamente. Stivali di gomma in un cestino, gigantesco camice in un altro. La porta dello sgabuzzino per le scope è vicina all'ingresso dello spogliatoio femminile. Disposizione interessante, questa. Perché impaurire gli uomini facendo vedere loro stracci e secchi? Spalanco la porta e osservo l'interno: è grande, spazioso – una piccola stanza, in realtà –, con tutto l'occorrente per fare le pulizie. Non capisco perché sto lì a fissarlo, per cui esco e vado all'ingresso.

I due uomini sono ancora dentro. Non ho motivi per aspettarli, così grido: «Grazie dottor Price. A domani, signore». Spingo la porta per uscire, ma non riesco a muoverla. Né si apre da sola. Cerco di capire se sono porte straordinariamente pesanti o se sono io troppo gracile, quando Price arriva in mio aiuto.

«Devo farla uscire io, con il telecomando» spiega. «È una zona protetta.»

«Oh.»

Sono tutte zone protette di questi tempi. Ma che pensano? Che i cadaveri scappino? Ci auguriamo la buonanotte – lui in modo automatico, io legnoso – ed esco.

Mi sento un po' strana, e finisco per perdermi: avanti e indietro lungo gli interminabili corridoi dell'ospedale alla ricerca dell'uscita. Mattonelle di plastica giallo paglierino cigolano sotto i miei passi e riflettono la forte luce dei neon. Ho la testa piena di termini medici: pediatria, ortopedia, radioterapia, flebotomia. Non me la cavo bene né con la luce né con le parole, e così vago a caso, prendendo gli ascensori in su e in giù, a seconda della direzione in cui vanno di volta in volta. Salgo e scendo al ritmo degli altri.

Ematologia. Immagini diagnostiche. Gastroenterologia.

A un certo punto un'infermiera mi blocca e mi chiede se sto bene. Rispondo: «Sì, benissimo», ma lo dico a voce troppo alta e riprendo a camminare come se nulla fosse, col solito cigolio di sottofondo.

Alla fine mi rendo conto che è l'ospedale a farmi sentire strana. Devo andare via di qui. Mi ritrovo davanti a un incrocio a T e mi domando come raggiungere l'uscita, quando scorgo – proprio di fronte a me – un grosso cartello di metallo su cui è scritto in nero: USCITA →. Lo considero un indizio e proseguo dritto fino all'ingresso principale, dove ad accogliermi trovo folate di aria fresca. L'aria di Cardiff sa di erba o di sale, a seconda della direzione in cui soffia il vento. O, perlomeno, così dicono. In realtà sa soprattutto di fumi di scarico, come in qualsiasi altra città.

Rimango per un po' all'ingresso. Mentre la gente va e viene, io torno in me.

Cerco di ricordare dove ho parcheggiato, quando il cellulare squilla per l'arrivo di un messaggio. Brydon si assicura che io non abbia dimenticato il nostro aperitivo, cosa che invece ho fatto. Devo andare, sono già in ritardo.

Camminando verso l'auto, saluto l'obitorio.

«Buonanotte, April. Buonanotte, Janet.»

Nessuna risposta, ma scommetto che April sorride ancora.

6

In punto significa in punto, e oggi nessuno è più puntuale, sveglio e pimpante di me.

Poco dopo l'inizio della riunione ho il mio momento di gloria.

Jackson riassume l'incontro di ieri all'obitorio e poi aggiunge: «Appena possibile Fiona Griffiths caricherà la sua relazione su Groove. Giusto, Fiona?».

«Già fatto, signore» rispondo.

«Di già?»

Non mi crede.

«Sì, non volevo perdere tempo.»

Jackson inarca le sopracciglia, che sono diventate irsute prima del tempo, e quell'espressione è come un suo marchio di fabbrica. O Jackson è impressionato o – più probabilmente – non pensa che io abbia fatto un buon lavoro. E invece si sbaglia. Stamattina sono arrivata presto e sono stata rapidissima: ho imparato a scrivere al computer a Cambridge e adesso vado veloce come un fulmine.

«Okay. Il che vuol dire che potete leggere tutti i dettagli lì.»

Jackson ci regala qualche altra perla – la più importante delle quali è che su Groove sono disponibili i rapporti dei servizi sociali – e poi passa la parola a Ken Hughes.

Hughes sintetizza i risultati ottenuti dal lavoro porta a porta. Il numero 86 di Allison Street aveva creato un bel po' di ostilità nel quartiere. I vicini lo descrivono come un covo di drogati, un appartamento occupato, un posto frequentato da senzatetto e cose simili.

«Escludendo le idee più bizzarre,» prosegue Hughes con il suo tono di voce deprimente, monocorde e un tantino contrariato «il quadro generale sembra questo.»

La casa è stata affittata a lungo, poi – un paio di anni fa – è rimasta vuota. Il proprietario è irrintracciabile. Col passare del tempo è diventata sempre più umida e malridotta, finché qualcuno ha forzato la porta di servizio – forse dei vandali, forse uno spacciatore che voleva una base operativa o un senzatetto che cercava riparo per la notte. In ogni caso, da quel momento in poi la casa ha iniziato ad attirare guai.

Dall'analisi dell'appartamento è risultato evidente che è stato occupato per un periodo di tempo più lungo delle poche settimane in cui ci ha abitato la Mancini. Molto probabilmente era un ricettacolo di droga e drogati. Si ipotizza che al suo interno sia stata consumata una grossa quantità di stupefacenti e per un tempo considerevole. Se in quel luogo veniva assunta droga, allora veniva anche spacciata. E se veniva venduta e comprata, forse c'erano donne che si prostituivano per averla, anche se la casa era talmente brutta da non assomigliare nemmeno lontanamente al più comune dei bordelli. (A questo punto del discorso, uno dei ragazzi vicini a Hughes borbotta qualcosa, e tutti gli uomini presenti scoppiano a ridere. Hughes sente la battuta e guarda in cagnesco il colpevole, ma noi ragazze – che siamo sedute in fondo e ai lati della stanza – restiamo escluse da quella che quasi sicuramente era un'osservazione esilarante. Peccato!)

Per quanto riguarda l'ambiente è tutto. Passiamo ai dettagli. Janet Mancini è stata vista aggirarsi per il quartiere nelle settimane precedenti alla sua morte. Farideh, la commessa del supermercato con cui anche io ho parlato, ha detto di averla incontrata varie volte. Ricordava la sua capigliatura – il che non significa nulla, perché il colore dei capelli di Janet è stato ampiamente riportato dalla stampa locale – ma ha descritto con cura alcuni vestiti e un gioiello che sono stati ritrovati in casa. Si è anche ricordata, e questo è un dettaglio fondamentale, di averle venduto una pizza surgelata hawaiana, il cui involucro figurava nel lungo inventario di spazzatura che riempiva l'appartamento.

«Hawaiana, signore?»

La domanda è stata posta da Mervyn Rogers, che prende appunti con la penna a mezz'aria e l'espressione seria.

Hughes è sospettoso, perché è convinto che Rogers lo prenda in giro (cosa in effetti vera), ma non abbastanza da farne un dramma, perciò si limita ad annuire e va avanti. Una piccola ondata di divertimento attraversa la stanza, e stavolta tocca anche noi ragazze. Siamo elettrizzati, ve lo assicuro.

«Sì, hawaiana. La Mancini evidentemente aveva April in casa con sé, perché la stessa fonte ha confermato l'acquisto di cibo per bambini, come per esempio cereali al cioccolato e latte alla banana.»

Si rende conto di sembrare idiota mentre lo dice, e ci guarda torvo. Tuttavia questo non è sufficiente a farlo staccare dai suoi appunti, e così procede imperterrito.

«Fonti che riteniamo attendibili e che hanno testimoniato la presenza di Janet Mancini nel quartiere concordano nel dire che *non* hanno mai visto April insieme a lei. Supponiamo che April vivesse nella casa occupata, ma che non volesse o non le fosse permesso uscire.»

Hughes ha qualche altra pagina di appunti da scorrere, ma nessuno di noi reggerà ancora per molto, e Jackson interviene per salvare la situazione.

«Tutto il resto è su Groove. Siete pregati di familiarizzare con questa storia. Ricapitolando: non abbiamo notizie di altre persone che vivessero in casa oltre alle due Mancini. Non abbiamo nessuna notizia di April al di fuori dalla casa, né alcuna notizia affidabile su visitatori regolari o irregolari. Le tende erano sempre tirate, la luce spenta – l'elettricità era staccata, se ricordate – e da dentro non proveniva nemmeno un rumore. La casa era tranquilla.

«Perciò dobbiamo battere altre piste. Le telecamere a circuito chiuso, per esempio. Quelle più vicine in funzione erano a quattrocento e a seicento metri di distanza dalla casa. Molto probabilmente una di queste avrà ripreso Janet Mancini durante le sue ultime settimane di vita. Dobbiamo verificare se era in compagnia di qualcuno. Jon Breakell – dove sei Jon? Eccoti. Te ne occuperai tu.»

Visto che mi sento ai margini dell'inchiesta e voglio rendermi più utile, alzo la mano. Jackson non mi nota, quindi prendo la parola.

«C'è una telecamera a circuito chiuso anche dentro il supermercato, signore. Magari hanno delle registrazioni utili.»

C'è un breve scambio di battute nelle prime file. A quanto pare qualcuno l'ha già notata e ottenere l'accesso ai nastri è già sulla lista di cose da fare.

«Okay. Nel frattempo, Janet, bisogna scavare nel suo passato. Ci sono buone probabilità che conoscesse il suo assassino, perciò dobbiamo individuare le persone che incontrava e capire come e dove le aveva conosciute. Se stava lavorando come prostituta ed è stata uccisa da uno dei suoi clienti, scommetterei che non era la prima volta che ci andava a letto.

«E non dimentichiamo la telefonata anonima, la donna che ci ha fornito la dritta sulla casa. Non sappiamo ancora chi sia. I media se ne sono occupati parecchio, lei sa che vogliamo parlarle, ma non si è fatta viva. Qualunque indizio ci possa condurre da lei è prezioso.

«Dunque, gli incarichi per oggi…»

Jackson comincia a distribuire compiti e responsabilità, e la sala riunioni lentamente si svuota. Nessun importante passo avanti, nessuna facile vittoria. Per adesso, però, nessuno è preoccupato, e tutti sono convinti che l'assassino verrà scovato e incarcerato. Ad ogni modo è palese che non abbiamo la minima idea di chi possa avere ucciso le Mancini. Se non vogliamo che – prima o poi – il nostro ottimismo svanisca, dovremo alimentarlo con nuovo combustibile.

Mi dirigo al piano di sotto, all'ufficio riproduzioni, ma vengo bloccata davanti al distributore del caffè da un capannello di agenti che celebra l'acume di Mervyn Rogers.

«*Ananas*» sta dicendo lui. «Mettere della frutta su una pietanza che di base è salata. Non va mica bene, o no?»

Gli passo davanti a fatica. Loro non mi fanno spazio né cercano di coinvolgermi nel discorso. In parte perché sono minuta, in parte perché sono una novellina, in parte perché sono una donna. E in parte perché la gente pensa che io sia strana.

Proseguo verso l'ufficio riproduzioni, dove il direttore di origini polacche, Tomasz Kowalczyk, si dà da fare per gestire il suo regno di carta.

«*Dzień dobry*, Tomasz» gli dico.

«*Dzień dobry*, Fiona. Come posso esserti utile oggi?»

«Non dovresti usare questa espressione. Sembra che tu stia prendendo l'ordinazione di un piatto di patatine.»

Almeno a Tomasz sto simpatica. Sono qui per alcune immagini e gli mostro su Groove quelle che voglio stampare. Adesso, il nostro server non conta più solo le foto della scena del crimine, ma anche alcune di quelle ritrovate in casa. Non ce ne sono molte di Janet, perché immagino non avesse nessuno che gliele scattasse regolarmente, ma ce ne sono invece tantissime di April. April in ghingheri, April sulla spiaggia a Barry, April sorridente con un'enorme mela caramellata in mano. Aveva gli occhioni azzurri come sua madre e, quando rideva, le si illuminava tutto il viso. April Mancini, la bambina con la mela caramellata.

Scelgo in tutto una dozzina di foto: un po' di Janet, un po' di April. Ovviamente abbiamo delle stampanti al piano di sopra, ma sono in bianco e nero. L'impero di Tomasz comprende tutte le grosse tirature, tutte le stampe a colori, tutte le riproduzioni elaborate, e io voglio delle immagini ad alta qualità. Tomasz mi chiede di riempire dei moduli, ma la cosa mi secca perché non mi piacciono i moduli, mi mandano in confusione. Finisce che li riempie Tomasz al posto mio e, non appena ha concluso, rispolvero uno dei miei sorrisi più eloquenti e glielo sfodero. Mi dice di passare fra quarantacinque minuti.

Ritorno alla mia scrivania. Oltre il lavoro sul caso Penry, oggi mi sono stati assegnati due incarichi relativi all'operazione Lohan: rispondere a tutte le telefonate che arrivano in seguito agli appelli lanciati sui media; e buttarmi a capofitto sui rapporti dei servizi sociali per scoprire qualche informazione utile. Jackson è a caccia di un riepilogo esplosivo. Rispondo a tre telefonate – una folle, due sensate ma probabilmente inutili – e mi butto sulle scartoffie. Sono brava in questo genere di cose. Ecco il vantaggio di aver studiato a Cambridge: la capacità di leggere quintali di roba e di estrarne solo la parte necessaria in modo efficiente ed efficace. Malgrado ciò, preferirei occuparmi dell'indagine sul campo, quindi lavoro velocemente per guadagnare punti.

Ho appena cominciato quando squilla il telefono. È Jackson che mi chiede di raggiungerlo nel suo ufficio, senza darmi altre spiegazioni.

Arrivo ma non entro, indugio sulla soglia. Jackson fa riunioni a porta aperta e riunioni a porta chiusa. Le prime, di solito, sono le migliori. Io mi sono sorbita una bella dose di riunioni del secondo tipo, perciò aspetto un suo cenno per capire a cosa vado incontro. Da come mi guarda, immagino sia a porta chiusa. E io la chiudo.

«Sì, signore?»

«Bel lavoro sull'autopsia. Veloce, accurato. Ben fatto.»

«La ringrazio.»

«Immagino tu stia facendo lo stesso con i rapporti dei servizi sociali.»

«L'idea è questa, sì.»

Mi siedo. Jackson è gentile con me, e questo è un brutto segno. In cosa ho sbagliato?

«Un improvviso attacco di iperattività da parte di Fiona Griffiths, di solito, significa che vuole qualcosa. Perché non mi dici cosa?»

Resto basita: non credevo di essere tanto trasparente.

«Se possibile, signore, mi piacerebbe essere integrata a tempo pieno nell'operazione Lohan. Credo che sarei utile.»

«Certo. Ogni singolo agente del dipartimento *potrebbe* essere utile.»

«Sì, ma attualmente mi sembra ci siano solo due donne nella squadra: l'agente Rowland e il sergente Alexander. Ovviamente sono entrambe detective brillanti, ma credo siano troppo poche. Insomma, so che può utilizzare gli uomini per certi interrogatori, ma non è la stessa cosa, giusto? Voglio dire, se c'entra la prostituzione.»

Non mi sono spiegata in modo chiaro, ma Jackson sa cosa intendo. Va benissimo lasciar condurre ai detective maschi gli interrogatori delle prostitute, ma in alcuni casi è meglio una presenza femminile. E poiché c'è carenza di detective donne, spesso – per ovviare al problema – si ricorre alle poliziotte. Il che va bene, se si esclude il fatto che avere davanti una poliziotta in alta uniforme con tanto di manganello, manette, ricetrasmittente, giacca antiproiettile e stivali non scioglie certo la lingua alle ragazze. Jackson è un vecchio stronzo dai capelli brizzolati e ricorda bene i vecchi tempi, quelli in cui le prostitute venivano sbattute nella stanza degli interrogatori e un'intera squadra di poliziotti che trasudavano avversione, lussuria e disgusto gli urlava contro. Ma è anche un poliziotto intelligente, e sa che i vecchi tempi non erano esattamente l'età dell'oro, e che anche altri approcci hanno i loro vantaggi. Tipo che funzionano, per esempio.

«No» dice. «Non è la stessa cosa.»

Non ho capito se vuole dire che faccio parte della squadra o meno, perciò rimango sulla sedia a cercare di interpretare questi suoi misteriosi segnali.

«Di cos'altro ti stai occupando? Stai preparando il caso Penry per il tribunale, giusto?»

Rispondo che dovrei riuscire a concluderlo entro la fine della settimana, scadenza che sembra inverosimile persino a me.

«E i nostri amici e colleghi Pm sono d'accordo con te? Gethin Matthews è d'accordo con te?»

Pm: Pubblico ministero. E no, né loro né l'ispettore capo Matthews la pensano come me, ma dico a Jackson che entrambi cambieranno idea entro la fine della settimana.

Jackson inarca le sopracciglia irsute come al suo solito e mi guarda. «E se segui a tempo pieno l'operazione Lohan, quale delle due agenti Griffiths dovrei aspettarmi?»

Apro e chiudo la bocca. Non so cosa rispondere.

«Ascolta, Fiona. Avrei bisogno di incrementare il personale femminile, ovviamente. Quando è scoppiato il caso, Gethin mi ha chiesto se volevo integrarti nella squadra. E io ci ho pensato. Volevo rispondere di sì.»

Con le labbra dico di nuovo "La ringrazio", ma ringraziarlo non è il punto adesso. Il punto aleggia all'orizzonte, e sta per colpirmi dritto in mezzo agli occhi.

«Vorrei subito in squadra la brava detective Griffiths. Ma l'altra...? La detective a cui chiedo di fare una cosa che sembra non venire mai fatta. O se viene fatta, è fatta male. O con lentezza, o dopo quindici solleciti, o in un modo che infrange le regole, ci espone a reclami e fa imbestialire i colleghi. La Griffiths che se qualcosa l'annoia, pianta una grana finché non le viene assegnato un altro incarico.»

Faccio una smorfia. Non posso fingere di non sapere di cosa sta parlando. Lo so perfettamente.

«Devo, per esempio, prendere in squadra l'agente che fa crollare la vedova di Brendan Rattigan per una congettura priva di fondamento sulla vita sessuale del suo defunto marito?»

Mi mordo le labbra.

Jackson annuisce.

«Stamattina ho ricevuto una telefonata da Cefn Mawr. Per adesso ho sistemato la faccenda: nessun reclamo ufficiale, la cosa si ferma qui. Ma non avrei voluto ricevere quella telefonata, come non ho voglia di chiedermi di continuo se hai intenzione di usare il buon senso e comportarti da persona matura e intelligente, oppure se hai intenzione di dire e fare la prima cosa che ti passa per la testa.»

«Mi dispiace, signore.»

Jackson non lo menziona – non ce n'è bisogno –, ma sia io sia lui sappiamo benissimo che l'anno scorso c'è stato un altro incidente. Era il mio primo anno nel dipartimento di indagini criminali, stavo ancora finendo il periodo di formazione ed ero in prova a tutti gli effetti. Lavoravamo sulla scomparsa di una persona e stavamo interrogando amici e famigliari. Durante la maggior parte dei colloqui avevo affiancato altri poliziotti, così da imparare dai colleghi più esperti e più anziani. A un certo punto mi era stato affidato il primo incarico da sola, a Trecenydd: avrei dovuto interrogare una persona sostanzialmente estranea ai fatti, per avere la possibilità di acquisire fiducia in me stessa e mettere in pratica tutto quello che avevo appreso. Purtroppo, però, l'interrogato ebbe un'idea geniale e mi poggiò una mano sul seno. Io non reagii in modo maturo e intelligente, e qualche minuto dopo mi ritrovai a chiamare un'ambulanza per fargli sistemare una rotula lussata.

L'intero incidente è stato difficile da inquadrare in una casistica. Da un lato, nessuno dubitava che l'uomo mi avesse molestato sessualmente e che io avessi avuto il diritto di difendermi. Dall'altro, ci si chiese se avessi fatto un uso appropriato e proporzionato della mia forza. Un'inchiesta disciplinare mi ha dichiarato innocente, ma cose come questa lasciano il segno.

Jackson era a capo anche di quella indagine. Gestì bene la situazione, immagino. Mi rimproverò come doveva e poi fece una tirata della serie «aiutaci ad aiutarti», una tirata coerente con il suo pensiero. Discutemmo a lungo della situazione: lui disse tutte cose giuste e io dissi tutte cose giuste – o quasi tutte –, riempimmo i formulari giusti e seguimmo le procedure giuste. Cinque settimane dopo mi ritrovai a Hendon, a seguire un corso sulla gestione di situazioni pericolose e ambigue. C'erano agenti da tutto il paese, e il nocciolo della questione era che dovevi parlare con fermezza alle persone prima di lussargli una rotula. Eravamo in diciotto, e io ero una delle tre donne, l'unica che non avesse l'aria da lesbica. Il corso deve aver funzionato, perché da allora non ho più messo fuori uso nessuno.

«Non si tratta di scusarsi adesso, ti pare, Fiona?»

«Sì, signore.»

Una lunga pausa. Di solito le pause non mi danno fastidio, posso sopportarne anche di molto lunghe, ma questa mi sbalestra perché non so come vuole utilizzarla Jackson.

«Se mi consente,» dico «credo che le testimonianze raccolte sulla presenza di April Mancini in Allison Street siano importanti.»

«Non abbiamo raccolto nessuna testimonianza del genere, nemmeno una parola.»

«Esatto. C'è un divanetto sotto la finestra sul davanti. Uno della Scientifica mi ha detto che hanno trovato molti disegni fatti da April dietro lo schienale. Dev'essere stata a sedere lì per ore, a disegnare. Ore e ore. Alla finestra.»

«Sì, ma a quella finestra ci sono le tende tirate. Sembra che nessuno le abbia mai scostate.»

«È quello che voglio dire. Quale bambina non aprirebbe le tende quando la mamma esce? Si gode di una bella visuale dalla parte anteriore della casa, cioè, bella per Butetown. Si vede tutto quello che succede. Qualsiasi bambino, anche se non avesse il permesso di uscire, si metterebbe a guardare fuori dalla finestra. April no. Credo che fosse terrorizzata, e credo che lo fosse perché lo era sua madre. È stata la paura a condurle in quella casa, e chiunque le stesse spaventando le ha trovate e uccise. So che non possiamo esserne sicuri, ma sembra una teoria sensata.»

Jackson annuisce. «Sì, sì.»

A quanto pare ci siamo arenati in un'altra pausa, ma stavolta decido che tocca a Jackson tirarcene fuori, perciò rimango seduta a bocca chiusa cercando di assumere un'aria professionale da brava detective e sorridendogli a mo' di scusa.

«Fiona, non ti voglio dentro l'operazione Lohan. Non a pieno titolo, non finché ne sono io a capo. Se vuoi continuare a lavorarci come agente di supporto, per me va bene. Purché non riceva più telefonate come quella di stamattina…»

«No, signore.»

«E purché tu non faccia del male a qualcuno, non faccia incazzare l'ispettore capo Matthews e non scateni un casino per qualsiasi incarico che non ti piace. Cerca di andare d'accordo con i colleghi e comportati da brava e capace detective professionista.»

«Sì, signore.»

«Una qualsiasi cazzata e sei fuori dal caso. Ti manca tanto così per diventare un'agente fenomenale.» Apre l'indice e il pollice della mano destra e li tiene a circa cinque centimetri di distanza. «E ti manca tanto così per diventare una perfetta rompipalle.» Solleva la mano sinistra, l'indice è appoggiato sul pollice e resta lì immobile.

«Sì, signore.»

Comincia un'altra pausa, ma ho esaurito le mie entusiasmanti strategie di recupero della parola e mi limito a rimanere seduta in attesa che Jackson concluda il nostro incontro.

«Su April potresti avere ragione, perché nessuno l'ha vista. Povera piccola.»

Già, povera piccola.

La piccola April che disegnava fiori dentro una stanza lurida. La piccola April a cui era stato detto di non scostare per nessun motivo al mondo le tende. La piccola April che Farideh non ha mai visto. La piccola April invisibile per tutti, tranne che per il suo assassino.

Jackson mi fa un cenno con la testa per dirmi di andare, e io scendo giù a prendere le foto da Tomasz.

7

Di ritorno alla scrivania, mi imbatto in Brydon. Il nostro aperitivo di ieri mi ha lasciato perplessa. Quando ho ricevuto il suo messaggio, ho immaginato si trattasse di una serata fra poliziotti: il tipo di serata che capita almeno una volta la settimana, un gruppo di persone che finisce a bere nei pub di Adamstown, gli stessi che – solo poche ore più tardi – daranno lavoro ai nostri colleghi in uniforme. Non mi invitano sempre, ma a volte capita. Io e il mio succo di arancia. Solo dopo ho capito che era una sorta di appuntamento. Niente di ufficiale, più una prova, un appuntamento ritrattabile, un aperitivo pronto a trasformarsi in una serata con fiori e candele, o in una bevuta fra colleghi. Non sono per niente brava a decodificare questo genere di cose. Non mi rendo neanche conto che sono previsti dei codici, perlomeno non finché è troppo tardi.

L'aperitivo di ieri è stato un tipico esempio della mia goffaggine. Dato che non gli avevo dato grande importanza, ero in ritardo e non ho avvertito Brydon. Risultato: quando finalmente sono arrivata, lui si era già unito a un paio di colleghi, e abbiamo trascorso tutti insieme una serata piuttosto noiosa ma carina. Con il senno di poi, credo non fosse quello che Brydon si aspettava – e ora, forse, gli ho fatto capire che non mi interessa una serata romantica insieme a lui. Non era mia intenzione mandare alcun segnale e, nel caso in cui l'abbia fatto, non sono sicura di aver mandato quello giusto.

«Ciao, Fiona» esordisce lui.

«Ciao» rispondo storcendo la bocca. Era un sorriso mal riuscito in realtà: ho in testa il cazziatone di Jackson e nelle mani foto di morti.

«Tutto bene?»

«Sì. Tu? Mi dispiace per ieri.»

«Nessun problema.»

«Ero in confusione. Non volevo. Non stavo cercando di…»

«Nessun problema. Non preoccuparti.»

«Magari possiamo vederci un'altra volta, sempre per un aperitivo. Farò davvero del mio meglio per non incasinare tutto.»

Brydon fa un gran sorriso. «Okay. Se incasini a metà va bene comunque. Possiamo vederci senz'altro una delle prossime sere.»

«Okay. Bene. Grazie.»

Non voglio che Brydon ficchi il naso nella mia pila di foto, perciò le metto a faccia in giù sulla scrivania e mi ci siedo sopra.

«Tutto bene? Non hai la solita aria rilassata e imperturbabile.»

«Jackson mi ha appena fatto un cazziatone. Diciamo, ehm, in una scala da uno a dieci è un cazziatone da sette. No, sei su dieci.» Cerco di valutarlo supponendo che la faccenda della rotula valesse dieci.

«Oh, chi è finito in ospedale stavolta?»

«Molto divertente. No, senti, mi faresti un favore?» Gli infilo in mano dei fogli, quelli su cui ho lavorato per il caso Penry. «Se vado a prendere due tazze di tè, mi sommeresti queste cifre e mi diresti il totale?»

Lo metto a lavorare con matita e calcolatrice, chiudo le foto in un cassetto e vado a prendere il tè. Quando torno, Brydon ha una risposta, lo stesso numero che avevo ottenuto io: circa quarantamila sterline in più di quante dovrebbero essere.

«Qualche problema?» chiede.

«No, non proprio. Solo che il troppo stroppia.»

«Se questi calcoli ti prendono molto tempo, chiama un ragioniere. Non c'è motivo che li faccia tutti tu.»

Io annuisco, sono completamente persa nel mio mondo e nemmeno gli dico che abbiamo già coinvolto alcuni ragionieri, e che vengono domani mattina per una riunione. La carenza di ragionieri non è un problema mio.

«Chi cazzo ruba soldi al proprio datore di lavoro per comprarsi un sesto di un cavallo da corsa?» dico ad alta voce.

Brydon probabilmente mi risponde, ma se lo fa, io non lo ascolto. Sto già allungando la mano verso il telefono.

8

Lavoro come un mulo tutta la mattina. A mezzogiorno e mezza Bev passa davanti alla mia scrivania mentre va a pranzo, e mi invita. Mi piacerebbe andare con lei, ma se voglio avere una chance con Jackson devo sbrigare una montagna di lavoro entro la fine della settimana. Perciò le rispondo che mangerò un panino alla scrivania. Feta e verdure grigliate. Una bottiglietta d'acqua. Consumate con un bel brusio di sottofondo. Riesco a non far cadere sulla tastiera neanche una zucchina carbonizzata, un'impeccabile dimostrazione di come si pranza alla scrivania.

Ho scoperto un sacco di cose che non conoscevo: sui registri dei purosangue, su come funzionano le scuderie in comproprietà, su dove vengono pagate le scommesse. Ho scoperto un sacco di cose che non avrei mai voluto sapere: cose che mi infastidiscono, cose che non mi sarei mai preoccupata di cercare se Jackson non mi avesse dato una strapazzata. A fine giornata non ho fatto nessun progresso nell'analisi dei maledetti rapporti dei servizi sociali, e la mia scrivania è sommersa di stampate di Companies House, il registro di tutte le società gallesi, e di Weatherbys, il registro dei purosangue.

Il telefono squilla e io rispondo, distrattamente.

È qualcuno che chiama per l'operazione Lohan, il quinto oggi. Il caso ha avuto molta risonanza sui media, ma è triste notare che –

malgrado la morte di April – la gente non sia stata scossa da questo duplice omicidio. La morte di una madre e di una bambina, di norma, provocherebbe più di cento telefonate al giorno. Per via del passato torbido di Janet, invece, questo caso non ha sortito quasi reazioni.

La persona al telefono si presenta: Amanda, conosceva appena Janet, chiama solo perché sua figlia era amica di April – stessa età, stessa scuola.

«Non sapevo se telefonare o meno, poi ho pensato che valeva la pena tentare. Spero di essere utile.»

«Sì. Qualsiasi informazione può essere d'aiuto.» Le faccio tutte le domande di rito: conoscenti in comune, roba così. Amanda è disponibile, ma non sa quasi nulla. Gli unici conoscenti in comune sono le altre mamme della scuola, nessuna delle quali sembra essere una lanciatrice di lavelli.

«Janet aveva una cattiva fama?» chiedo. «Insomma… le altre mamme ne parlavano come di una poco di buono, come di una tipa strana?»

Amanda si sofferma un istante. Di solito è un buon segno, e anche in questo caso è così. La sua è una risposta riflessiva e ponderata.

«No, non direi. La scuola è un ambiente misto, e non solo dal punto di vista razziale. Ci sono mamme supercarine, mamme griffate dalla testa ai piedi, mamme normali, mamme di tutti i tipi. Janet, be', non era benestante, giusto? Non veniva mai invitata a prendere un caffè con le mamme supercarine, o cose simili. Ma era una brava persona. Si preoccupava delle cose. Tipo, una volta mi ha chiesto come se la cavava Tilly – mia figlia – con la lettura. Credo pensasse di dover fare di più per April, ma che non sapesse proprio come. E un paio di volte Tilly è andata a fare merenda da April. Non glielo avrei mai permesso se avessi avuto delle preoccupazioni al riguardo.»

«Amanda, sa come sono morte?»

«Mi scusi?»

«Sa come e dove sono morte? Si trovavano in un appartamento occupato, un posto schifoso. C'era un materasso al piano superiore, su cui probabilmente dormivano insieme. Niente lenzuola, solo un piumone, e nemmeno troppo pulito.»

Un'altra lunga pausa. Forse ho fatto di nuovo una cazzata: ho detto troppo e non ho avuto tatto. Forse ho turbato una donna che adesso chiamerà senz'altro Jackson. Credo che Amanda stia piangendo all'altro capo del telefono. Cerco di rimediare.

«Mi dispiace, Amanda. Non volevo…»

«Nessun problema. Insomma, è successo quello che è successo.»

«Glielo raccontavo solo perché…»

«So perché. Voleva vedere se dicevo: "Be', questo dimostra che Janet Mancini in fondo era una buona a nulla".»

«E?»

«E invece no. *Non lo era*. Sa, non mi stava particolarmente simpatica. Non che mi stesse antipatica, questo no, solo non avevamo molto in comune. Lei però viveva per April, di questo sono certa. Se ha portato April in un posto come quello, be', doveva essere terrorizzata. Oppure la sua vita era andata in pezzi per qualche motivo. In ogni caso, mi sarei presa cura *io* di April. Ovvio. Non ci posso credere. Mi scusi.»

Amanda adesso piange apertamente, si scusa di nuovo e poi ricomincia. Io la ascolto e dico le cose che vanno dette in queste occasioni. A un certo punto forse mi scappa anche un «Okay, okay», che è alquanto cafone, ma sembra che ad Amanda non crei problemi, come ogni cosa fino a ora.

Da quando lavoro in polizia non ho mai pianto. In effetti, detta così non si capisce bene. Non piango da quando ho sei o sette anni, secoli fa in ogni caso, e pochissimo anche allora. L'anno scorso mi sono occupata di un incidente stradale, un brutto scontro sulla Eastern Avenue, dove l'unica vittima grave era un bambino che aveva perso entrambe le gambe e riportato numerose ferite al viso. Per tutto il tempo che hanno impiegato a tirarlo fuori dall'auto e a metterlo sull'ambulanza, il bambino ha continuato a piangere tenendosi stretta al collo una tigre di peluche. Non solo io non ho pianto, ma sono addirittura passati un paio di giorni prima che mi rendessi conto che invece avrei dovuto farlo, o almeno provare qualcosa.

Rifletto su tutte queste cose mentre Amanda piange e dice: «Nessun problema», come un giocattolo meccanico. Sento il desiderio di trovare – prima o poi – lacrime mie.

Alla fine, Amanda smette.

«Le andrebbe di venire al funerale? Non sappiamo ancora quando sarà, ma potrei farglielo sapere.»

Amanda scoppia di nuovo in singhiozzi, ma questa volta si riprende in fretta e dice: «Sì, sì, grazie. Qualcuno dev'esserci».

«Io ci sarò» dico. «Ci sarò senz'altro.»

La telefonata si conclude, lasciandomi un po' turbata. Davvero andrò al funerale? È la prima volta che lo dico, e che lo sento. Continuano a ronzarmi nelle orecchie i commenti dell'ispettore capo Jackson. Sono stata la brava detective Griffiths, quella capace di condurre un interrogatorio alla grande? O sono stata la cattiva detective Griffiths, quella che per un pelo non fa scattare l'ennesima telefonata di lamentele? Non ne ho idea e in questo momento non mi interessa.

Mi passano troppe cose per la testa e non so da dove cominciare. Il cavallo da corsa di cui Penry aveva acquistato una quota aveva altri cinque padroni. Quattro su cinque erano persone fisiche. Il quinto era una società offshore, a capitale privato. Non sono riuscita a risalire all'ultimo proprietario, ma ho trovato i nomi di due direttori e una segretaria: D.G. Mindell, T.B. Ferrers e una certa signora Elizabeth Wilkins, rispettivamente direttori e segretaria anche di una società di spedizioni, quest'ultima appartenente a Brendan Rattigan. Uno dei contitolari del cavallo era un alto dirigente delle acciaierie Rattigan. Un altro era il padrino di uno dei figli di Rattigan, informazione che ho scovato facendo una ricerca su Google. Non ho rintracciato alcuna relazione fra gli altri due proprietari e Rattigan, ma questo non vuol dire che non esista.

E poi, anche i collegamenti che ho scoperto sembravano implicare qualcosa di più. Una società, quasi sicuramente di proprietà di Rattigan, possiede una quota di un cavallo da corsa, e così pure uno dei più vecchi amici del defunto imprenditore e uno dei suoi dirigenti.

E Penry.

Forse si tratta solo di una coincidenza. Forse Penry non aveva nulla a che vedere con Rattigan ed era lì per fare numero.

O forse no. Penry ha speso circa quarantamila sterline in più di quante ne abbia rubate, una cifra inspiegabile per uno con il suo stipendio. È possibile che abbia trovato un sistema per incassare in un solo colpo tutta la sua pensione da poliziotto, e finanziare così i suoi acquisti folli. Ma chi diavolo l'avrebbe mai fatto? E perché?

Perché, perché, perché?

Forse è più verosimile che Penry avesse una fonte di contanti altrove. C'era forse Rattigan all'origine di quella fonte? Se è così, e se Rattigan ha avuto qualche legame con Janet, non significa forse che Penry è in qualche modo coinvolto nel doppio omicidio delle Mancini?

Se, se, se.

Sono le cinque.

Visto che non ho fatto alcun progresso sui rapporti dei servizi sociali, decido di portarmeli a casa. Miss Perfezione ha però un piccolissimo scrupolo di coscienza: i rapporti sono confidenziali, e – in quanto tali – siamo tenuti a non farli uscire dall'ufficio, ma questa è una regola che viene infranta di continuo, e io voglio tornare a casa ragionevolmente presto. La mia serata dovrebbe essere dedicata a fare ginnastica, stirare e rimettere a posto casa, ma ho la netta sensazione che non sarà così.

Prima di andarmene sento il bisogno di contatto umano. Mi metto a caccia di una preda e mi imbatto in Jane Alexander, che è appena tornata dagli interrogatori porta a porta. Jane mi fa un po' paura, a dire il vero. È il tipo di persona capace di trovare sempre la mise giusta: classica e alla moda, ma anche pratica e a buon mercato, professionale e al tempo stesso capace di esaltare il suo fisico tonico. E poi ha sempre una messa in piega perfetta. E non ha mai macchie di cibo sui vestiti. E non fa piangere – senza motivo – testimoni assolutamente disponibili a collaborare. Scommetto che riesce a far passare anni e anni senza lussare una rotula a un depravato. Non mi vede di mal occhio, ma neanche di buon occhio, e io ho sempre un briciolo di paura quando sono insieme a lei.

D'altro canto, in questo preciso istante Jane sembra proprio felice di incontrarmi. Si lamenta della giornata che ha avuto e del fatto che deve ancora caricare la sua relazione su Groove. Io sono molto più veloce di lei a scrivere al computer, per cui mi offro di aiutarla in cambio di una tazza di tè. Affare fatto. Lei porta i tè. Io inizio a battere al computer, e lei si siede alla scrivania e interpreta la sua scrittura tutte le volte che faccio fatica a decifrarla. Nei momenti di pausa spettegoliamo, ma – se passa un collega – abbassiamo di colpo la voce o ci zittiamo. È un modo carino di trascorrere il tempo.

Alla fine della mia impresa dattilografica, le dico: «È piuttosto poco, non credi?».

Per un attimo Jane pensa che io stia criticando i suoi appunti, allora faccio di tutto per spiegarle cosa volevo dire. Non ce l'ho con i suoi appunti, ma con la mancanza di indizi che emerge da tutto il nostro lavoro.

«La Scientifica ci fornirà un bel po' di nomi su cui lavorare. E magari anche le telecamere a circuito chiuso, qualche altro interrogatorio. Prima o poi salterà fuori una pista. È così che funzionano le cose.»

A questo punto Janet distoglie la sua attenzione. Si infila la giacca e, con un movimento degno della pubblicità di uno shampoo, si scosta i capelli dal colletto. Poi verifica che ogni piega del tessuto sia al suo posto. Borsa, cellulare, portafoglio? Al loro posto. C'è tutto quello che serve per uno stile di vita perfetto. La navicella spaziale Alexander è pronta al lancio.

«A domani» le dico, di nuovo un po' impaurita.

Lei mi scocca un sorriso smagliante, più aperto di quanto esiga il galateo, un sorriso che peraltro sfoggia denti bianchi e regolari, in elegante contrasto con il rossetto.

«Sì, a domani. Grazie, Fiona. Senza di te sarei rimasta bloccata qui una vita.»

«Mi ha fatto piacere aiutarti.»

E mi ha fatto davvero piacere. Jane si incammina dritta verso la sua serata, ovunque decida di andare. Ha un marito e un figlio piccolo. Io no, e me ne torno alla scrivania a prendere le mie cose. Il computer è ancora acceso. Un ultimo raggio di sole illumina la Visa Platinum di Brendan Rattigan.

Janet Mancini era talmente impaurita da portare sua figlia in quella casa che puzzava di morte.

Brendan Rattigan amava fare sesso selvaggio con le prostitute. Sua moglie non me lo ha detto a parole, certo, ma lo ha fatto in qualsiasi altro modo le è stato possibile.

Brendan Rattigan è morto in un incidente aereo, ma il suo corpo non è mai stato ritrovato.

È stato denunciato lo smarrimento della sua carta di credito, che però era in casa di Janet Mancini.

Brian Penry ha acquistato la quota di un cavallo usando soldi rubati, e Brendan Rattigan – a quanto pare – era uno dei comproprietari.

Cinque pensieri che mi ronzano in testa come mosche in un vaso di vetro. Nessuno tranne me sembra preoccuparsi di queste cose, ma non per questo le mosche volano via.

Faccio qualche ricerca su Google e recupero i nomi di alcuni fotografi che si occupano di ippica e lavorano spesso all'ippodromo di Chepstow. Ne trovo anche un altro a Ffos Llas, nel Carmarthenshire, e un paio a Bath. Faccio alcune telefonate, mi rispondono quattro segreterie telefoniche e lascio dei messaggi. Riesco a parlare con una sola persona: Al Bettinson, uno di Chepstow, e fisso un appuntamento per domani.

Non ho una bella sensazione su nessuna di queste cose, ma c'è almeno una mosca che penso di poter schiacciare, per cui faccio del mio meglio per schiacciarla. Il dipartimento per le indagini sugli incidenti aerei stila un rapporto su ogni singolo caso del Regno Unito, non importa quanto sia piccolo l'aeroplano o minuscolo l'incidente. Tutti i rapporti sono disponibili su internet, perciò li cerco, li stampo e li infilo in borsa insieme al portatile, alle foto e a un mucchio di altri documenti.

È stata una giornata lunga.

E non è ancora finita.

9

Casa. Cielo azzurro e luce dorata.

Abito in un edificio di nuova costruzione a Pentwyn. Una moderna villetta a schiera in un moderno complesso residenziale di moderne case bifamiliari. Ognuna ha il suo vialetto asfaltato, il suo garage e il suo minuscolo giardino recintato. Conigliere per umani.

Entro.

Il giardino si affaccia a ovest e la luce inonda il retro della casa. Esco fuori e fumo, seduta su una sedia di metallo con il sole in pieno viso. Quando è stata l'ultima volta che è piovuto? Non me lo ricordo.

Perché ero tanto sicura di andare al funerale delle Mancini? Non lo so.

Rimango così finché il sole mi accarezza il viso, poi vado alla serra a controllare le piante, la chiudo a chiave e torno dentro. Non c'è granché in frigo e sono tentata di fare un salto dai miei, che vivono a neanche dieci minuti di distanza ma in un altro mondo, o quasi. I primi tempi che mi sono trasferita qui lo facevo di continuo, tanto che – a un certo punto – mi sono resa conto che praticamente non ero andata via di casa. In questo periodo lavoro sodo per essere più indipendente, e il frigo è l'unica cosa su cui devo ancora migliorare. Un cespo di lattuga, qualche pezzo di sushi scaduto da un giorno e un'insalata di fagioli – scaduta ormai da tre – che sta fermentando. Decido che i fagioli effervescenti non mi uccideranno, così li rovescio dentro un piatto e li mangio.

Dopo qualche minuto passato a vegetare, mi do una mossa. Recupero da qualche parte un po' di patafix e lo sfrego tra le mani per riscaldarlo. C'è uno specchio sopra il camino del salotto. Non capisco a cosa servano gli specchi: ti dicono quello che sai già.

Lo stacco e lo appoggio al camino che, a proposito di cose inutili, non è mai stato usato. Tiro fuori dalla borsa le foto delle Mancini e le spargo sul pavimento e sul divano. Una dozzina di facce che mi fissano. Facce che l'ultima volta ho visto all'obitorio.

Sistemo e risistemo le foto, cercando di capirci qualcosa.

Quelle di Janet sono belle. Ce n'è una che abbiamo trovato nell'appartamento occupato. Uno scatto di lei viva, col viso rivolto alla macchina fotografica e la luce decente. Un'immagine carina, chiara, utile, perfetta per chiedere alle persone di identificarla. Peccato sia insulsa: non cattura la mia attenzione, non mi piace.

Preferisco molto di più una foto scattata sulla scena del crimine. Non c'è più alcuna espressione, gli imprevisti della vita sono stati spazzati via: rimane solo la persona. Starei a guardarla per ore, e lo farei davvero se non fossi così affascinata da April. April Mancini, un amore di bambina, una bambina morta. Ho sei foto sue, tutte di venti per venticinque centimetri.

In un improvviso attacco di decisionismo, butto le foto di Janet di nuovo dentro la borsa e con il patafix attacco quelle di April sopra il camino, in due file di tre. È una presenza pacifica. Non mi sorprende che fosse una bambina benvoluta da tutti. Mi piace averla in casa. La bambina con la mela caramellata.

«Cosa devi dirmi, piccola April?» le chiedo.

Lei mi sorride, senza dire nulla.

Lavoro sodo per il resto della serata. I rapporti dei servizi sociali, i verbali degli incidenti aerei, gli appunti sul caso Penry da passare domani ai ragionieri. Nomi. Numeri. Date. Domande. Collegamenti. All'una meno un quarto mi fermo, sfinita e sorpresa al tempo stesso.

Il volto di April mi fissa sei volte. Lei continua a non dirmi nulla, così le do la buonanotte e vado a letto.

10

Di questi tempi i ragionieri viaggiano a coppie. Un uomo di mezza età in abito scuro, dal viso ricoperto da un velo di sudore, e la sua giovane socia, una donna che probabilmente ha l'hobby di mettere le cose in fila e ad angolo retto.

Non so se riuscirò a convincere Jackson a farmi lavorare a pieno titolo all'operazione Lohan. Ha detto di no, ma si è anche preso la briga di convocarmi nel suo ufficio per comunicarmelo. Non posso fare a meno di pensare che il nostro incontro sia stato per tre quarti una strigliata, e per il quarto restante un incoraggiamento, o qualcosa di simile. In ogni caso, è chiaro che non mi sarà permesso finché non avrò concluso il caso Penry. E non potrò farlo finché i ragazzi e le ragazze dell'ufficio del Pm non diranno all'ispettore capo Matthews che sono felici come una Pasqua. Questo succederà solo quando i ragionieri avranno stilato un rapporto con tutte le informazioni di cui i Pm hanno bisogno.

«C'è un buco di circa quarantamila sterline, giusto? Le spese ammontano a quarantamila sterline in più delle entrate, anche considerando i soldi che ha rubato.»

«Sì, quarantatremila e settecentocinquantaquattro sterline» dice il ragioniere più anziano, dandomi la cifra esatta come se fossi incapace di leggerla. «Ovviamente, è solo una stima. Ci manca la maggior parte delle ricevute.»

Lo fisso. *Ci mancano le ricevute? Penry è accusato di sottrazione indebita, che cazzo. Ti aspetti che tenga le ricevute?* Lo penso ma non lo dico, chiedo invece: «Quando può consegnarci il rapporto?».

«Se non erro abbiamo programmato la consegna per la seconda settimana di giugno. Karen…»

La giovane socia ha un nome, a quanto pare. E adesso anche un obiettivo. Trovare una data precisa, eliminare l'incertezza numerica. Si tuffa nel mare di carte per dirmi la data esatta.

Io la interrompo.

«Scusate. Così è inutile. Dobbiamo spiegare un buco di quarantamila sterline. Il rapporto ci serve subito, anche se è solo una versione provvisoria.»

Battibecchiamo un po', ma io non mollo. La metto giù come se l'ammanco fosse colpa loro, come se l'ispettore capo Matthews fosse arrabbiato, anche se non è vero. Tanto per essere più convincente – e per provocare la socia – butto all'aria tutti i documenti che ho davanti. Non ci sono più angoli retti adesso, non ci sono più file. La donna freme per il nervoso.

Alla fine riesco ad averla vinta. Consegneranno ai Pm un rapporto provvisorio entro la fine della settimana, e la versione definitiva a giugno. Gongolo, ma faccio del mio meglio per nasconderlo. E per festeggiare, mentre accompagno i ragionieri alla porta, do alla socia una stretta di mano lunga e calorosa che non la fa sentire a suo agio. «Grazie *tante* per il suo aiuto» le dico guardandola negli occhi. «Grazie *tante*.» Quando la donna ritira la mano, io le tocco il braccio e le sorrido in modo confidenziale. A quel punto lei si precipita o quasi verso l'uscita.

Di nuovo alla scrivania, organizzo gli impegni della giornata.

Gli agenti devono dimostrare spirito di iniziativa, ma so per esperienza che a nessun capo piace se ne dimostri troppo. Ho la netta sensazione che Jackson gradirebbe che io mi attenessi a questa consuetudine ma, d'altro canto, lui ha passato meno tempo di me sul registro dei purosangue. E un indizio è pur sempre un indizio.

Perciò fisso un appuntamento con i Pm. Avviso Matthews che sarò io ad andare da loro, e dico a Ken Hughes (perché Jackson non è in ufficio) che deve trovare qualcuno che mi sostituisca al centralino dell'operazione Lohan.

Appena ho fatto, prendo i documenti, salgo in macchina, esco dal parcheggio e chiamo l'ufficio dei Pm. Invento un imprevisto e chiedo se è possibile posticipare l'incontro. Prendiamo un nuovo appuntamento per le quattro del pomeriggio. Sei ore intere da usare come meglio credo.

Guidando alla velocità massima consentita mi dirigo verso Chepstow, cittadina gallese dall'aria inglese. Uno dei castelli di Edoardo che svetta sul fiume ci ricorda come stanno le cose: ci sono invasori e invasi, gli inglesi che fottono e i gallesi fottuti.

La casa di Bettinson è un edificio di mattoni rossi degli anni settanta, tutto porte scorrevoli e moquette marrone. Ma io non lo vedrò: l'ufficio è in garage. Niente luce naturale, solo lampade alogene al soffitto e sulle scrivanie. Due computer fissi e un portatile, una stampante. Attrezzatura fotografica e luci nascoste in un angolo.

Bettinson ha l'aria che ha ogni fotografo. Sembra un ragazzino con la barbetta rada, i postumi di una sbronza e completamente libero dalle interferenze femminili. Indossa una maglietta nera e un paio di pantaloni stile militare, e c'è un gilè pieno di tasche appeso allo schienale di una sedia. Ha i capelli castani e non usa il deodorante.

«Caffè?»

«No, grazie. Se non le dispiace, comincerei subito.»

Bettinson è sorprendentemente premuroso. Sta uscendo per un servizio, ma è felice di lasciarmi frugare nel suo archivio. Mi fa accomodare davanti a uno dei due computer fissi e mi mostra come è organizzato il materiale: le cartelle sono nominate in base alla data e contengono tutte le foto scattate in una giornata, le foto sono individuate da una serie di numeri, tutto qui. Su un foglio di calcolo è registrato quale servizio è stato fatto e in quale giorno, più alcune informazioni sui costi e le fatture. Mi mostra come fare per vedere le foto in miniatura o a schermo interno.

«Sono in ordine cronologico, per cui se lei non ha una data…»

«Lo so. E no, non ce l'ho.»

«Se mi vuole dire cosa cerca…»

Esito. «Sto cercando di trovare un collegamento fra due uomini. Avevano tutti e due una passione per le corse e vivevano tutti e due in zona. Una loro foto insieme all'ippodromo potrebbe stabilire la connessione che cerco.» Non voglio aggiungere altro. Sono in paranoia perché ho paura che Jackson scopra che sono qui.

«Be', allora delle date le ha.»

Bettinson mi dà un paio di vecchi calendari dell'ippodromo con le date delle gare, mi chiede di nuovo se voglio un caffè e poi se ne va portando con sé la sua attrezzatura fotografica.

A giudicare dal suo portfolio, Bettinson scatta foto di tutti i tipi. Matrimoni, scolaresche, corse. Anche qualcuna di cronaca. I servizi più importanti, però, sono quelli per gli ippodromi: più o meno il quaranta per cento del totale. Moltissime immagini, inevitabilmente, sono di cavalli, ma quasi la metà – ovvero il dieci per cento dell'intero archivio – sono foto di proprietari di cavalli e scommettitori, di quotidianità all'ippodromo.

Non mi viene in mente un sistema migliore, per cui comincio

dalla settimana precedente la morte di Rattigan e vado a ritroso. Dopo quaranta minuti di lavoro ho coperto un mese. Forme colorate si muovono dietro le palpebre non appena le chiudo. Infinite foto di uomini in giacca di tweed, musi di cavalli, coccarde, trofei d'argento, premiazioni, pubblicità sulla vita in campagna, donne appassionate di corse con gilè imbottiti, e sorridenti bambini alla moda che indossano scarpe da ginnastica. Di Penry niente di niente. Qualche foto di Rattigan in occasione della vittoria di uno dei suoi cavalli, ma nulla che sia utile.

Mi chiedo se ho sbagliato qualcosa.

Controllo la segreteria telefonica, preoccupata di trovare un messaggio di Hughes o di Jackson. Non c'è.

Riprendo a lavorare. Ancora cavalli, giacche di tweed e coccarde. Più vedo foto che non mi interessano, più il mio pessimismo aumenta. Quando Bettinson rientra, sono a un punto morto e comincio a dubitare che quel collegamento esista. Devo andarmene.

Bettinson mi chiede se ho trovato quello che cercavo e io rispondo di no.

«Ma sta provando a rintracciare delle persone specifiche?»

«Sì.»

«E mi può dire chi sono?»

«Be', non lo gridi ai quattro venti, ma sì, Brendan Rattigan è uno dei due. Ho...»

«Rattigan? Avrebbe dovuto dirmelo. Ho un milione di foto di Rattigan!»

Bettinson digita qualcosa sull'altro computer, quello su cui non ho lavorato, e lo fa uscire dallo stato di ibernazione in cui si trovava.

«Credevo di lavorare su tutto l'archivio. Il suo archivio, no?»

«L'*archivio*, sì, quello è l'archivio. I progetti e i servizi in corso sono qui. Non troverei nulla altrimenti.» Clicca varie volte e tira fuori un elenco di file. Apre il primo della lista e mi mostra una foto di Brendan Rattigan sorridente e appoggiato a un cavallo baio. «Ho fatto un sacco di lavori per Rattigan. Ho perso il mio migliore cliente quando è caduto quell'aereo.»

Mi chiede se ho un portatile e, visto che ce l'ho, lo collega al suo e mi copia tutta la raccolta di immagini. Cinquecentosessantatré megabyte.

Arrivo quaranta minuti prima all'appuntamento con l'ufficio dei Pm.

11

La riunione con l'ufficio dei Pm va piuttosto bene. Concludo meno di quanto avrei voluto, ma più di quanto mi sarei aspettata. C'è comunque una sorta di piano predisposto, e loro sono soddisfatti del materiale che i ragionieri stanno preparando.

Non è strettamente necessario, ma dopo l'incontro torno in ufficio per finire un po' di cose. Ovviamente non riesco a non sbirciare nel portatile. Nel giro di cinque minuti, trovo quello che cerco: Penry e Rattigan insieme all'ippodromo. Con bicchieri di champagne in mano, ridono di gusto guardando qualcosa che è fuori dall'obiettivo. Dall'aria che hanno si direbbe che stiano festeggiando una vittoria. Sembrano amici, non semplici conoscenti. Continuo a scorrere tutta la raccolta di immagini. Forse mi perdo qualche scatto – li guarderò con più attenzione prossimamente –, ma riesco a registrare almeno sette date in cui Bettinson ha scattato delle foto di Rattigan e Penry insieme a Chepstow. Sette date in quindici mesi. Il milionario e il malversatore.

Una delle date è a marzo 2008. Questo mi dice qualcosa, ma non riesco a capire perché. Rimango a fissare la lista finché non arrivo alla conclusione che fissare non è una tecnica investigativa efficace. Mi rendo anche conto di non aver fatto nessuna delle cose che ero venuta a fare in ufficio, perciò mi do una mossa e le finisco alla svelta.

Lavoro fino alle otto, poi vado a cena dai miei. È la prima volta questa settimana, per cui non mi sembra di infrangere le regole che mi sono imposta. Abitano a Roath Park, una zona con grandi edifici, vecchi alberi, anatre che ti volano sopra la testa in direzione del lago e pendolari che tornano a casa dal lavoro. Mi basta girare in fondo a Lake Road per sentirmi più tranquilla. Questo posto mi calma. Lo ha sempre fatto e sempre lo farà.

Papà non è a casa, l'enorme villa in finto stile Tudor, perché è fuori per lavoro, la mamma invece c'è, e c'è anche Anto-abbreviazione-di-Antonia, ovvero mia sorella minore, che sta per compiere tredici anni ed è alta quasi quanto me. Io sono la nanerottola di casa, naturalmente.

Mangiamo prosciutto cotto, carote e patate lesse mentre guardiamo uno chef in tv che ci spiega come cucinare l'orata alla spagnola.

Anto deve fare i compiti e vuole che l'aiuti, perciò salgo di sopra con lei. Impieghiamo in tutto una quindicina di minuti: Anto aspetta che io le dia le risposte e poi scrive quello che le dico. Ascolta la radio, giocherella con i capelli e mi racconta una storia complicata sul cane di una sua amica, che si è fatto male alle zampe anteriori e adesso va in giro spingendo una specie di carrello. Anto è distesa a pancia in giù sul letto e dondola i polpacci per aria. Ha quell'età in cui si è una via di mezzo tra una bambina e una ragazza. Mi domando se, a tredici anni, anch'io stavo così: distesa a pancia in giù a dondolare i polpacci per aria. Con la sensazione di essere normale, di essere al sicuro. Tre anni prima che la mia vita esplodesse.

«Si è fatto male alle zampe?»

Anto mi guarda come se fossi un'idiota e continua a parlarmi con quel tono di voce che trasforma ogni frase in una domanda.

«*Già*, le zampe davanti? Non le ha perse del tutto, ma aveva dei problemi alle articolazioni? Perciò non riusciva più a camminare?» Anto continua il suo racconto. Io non mi preoccupo di ascoltarla, né lei si aspetta che lo faccia. Vuole un televisore in camera sua e cerca di assicurarsi il mio sostegno per convincere la mamma.

«Non chiederlo alla mamma, Anto. Chiedilo a papà.»

«Lui dice: "Chiedi alla mamma".»

«Lo so. E lei non ti dirà mai di sì, giusto? È papà che ti devi lavorare.»

«Kay ce l'ha.»

Kay è l'altra mia sorella, quella diciottenne. Torbidamente sexy e con sporadici bronci da adolescente, immagino lasci dietro di sé lunghe scie di cuori infranti.

«Non ne ha avuto uno fino a sedici anni. Dimenticati della mamma, lavorati papà.»

«Ma tu glielo dici, vero? Lei ti ascolta.»

Non so se la mamma mi ascolti veramente, ma mi lusinga il fatto che Anto lo pensi. In ogni caso, dubito che la sua vita migliorerà con un televisore in camera.

«Però puoi guardare tutto in streaming.»

Anto fa una smorfia e mi fissa. La sua espressione rivela delusione, spaesamento da teenager e una certa sofferenza esistenziale. Passo ancora un po' di tempo insieme a lei, poi scendo a prendere una tisana con la mamma, che nel frattempo si è messa a guardare un telefilm in dvd, tratto da un romanzo di Trollope, e spegne a malincuore.

«Lo hai già visto? È bello.»

«Ancora no.»

«Te lo presto quando ho finito, se vuoi.»

Sorrido alla mamma in modo da farle credere che guardare un

telefilm in costume renderebbe completa la mia vita. Mi tolgo le scarpe e le appoggio i piedi in grembo per farmi fare un massaggino, una nostra vecchia tradizione.

«Mi sa che Anto vuole una tv.»

«Perché ce l'hanno le sue amiche. Non le piace granché la televisione»

«Però la terrebbe lontana dal computer, immagino. Dio solo sa cosa trovano i ragazzi in rete di questi tempi.»

Mamma fa un'espressione del tipo: le cose andavano meglio quando le donne indossavano i corsetti.

«Si possono dare delle regole, sai. Per esempio impedire di guardare la tv dopo una certa ora la sera, cose del genere.»

Al che mamma mi tira gli alluci. «Sei tremenda come tuo padre.»

Le sorrido. Il televisore di Anto è già a metà strada, credo.

«Devo andare, mamma. Grazie per la cena.»

«Non essere sciocca, amore.» Esita un attimo, ma non mi invita a restare a dormire, cosa che invece ha fatto puntualmente per i primi nove mesi dopo che me ne ero andata di casa. A volte lo fa ancora. «Vieni il fine settimana? A papà farebbe un gran piacere vederti.»

«Forse.»

«Oh, non fare così, amore. Lo sai che è vero.»

Rido e, infilandomi di nuovo le scarpe, mi spiego meglio. Il mio «forse» voleva dire *forse* vengo il fine settimana, non *forse* a papà farebbe un gran piacere vedermi. Ma il fraintendimento di mia madre è stato istruttivo. Quando ho iniziato a lavorare come poliziotta, papà si è un po' arrabbiato con me. Io che sceglievo di fare un mestiere simile, visto quello che aveva scelto di fare lui – non era tradimento, non esattamente, ma lui non riusciva proprio a concepirlo. Tutto questo aveva creato un'atmosfera pesante fra noi, che è degenerata quando mi sono trasferita al dipartimento di indagini criminali. Papà lo riteneva fuori luogo e lo ha detto chiaramente. Io pensavo che non fossero affari suoi e gliel'ho fatto presente, in modo energico. Abbiamo avuto il nostro primo scontro, in effetti, uno scontro che credevo fosse acqua passata ormai. Forse la reazione della mamma dimostra il contrario.

«Mi piacerebbe tanto venire, se lui c'è» dico. «È via tutto il fine settimana, vero?»

«No, probabilmente inizia a lavorare sabato. Sono stati impegnati quest'anno.»

Io rido. «Ottimo. Fa bene essere impegnati.»

La mamma mi guarda in modo strano. È una brava donna metodista, sposata a un uomo che non è mai stato un brav'uomo metodista, e non ha mai apprezzato il genere di affari in cui è coinvolto il marito.

O almeno così dice. Avrebbe dovuto sposare un direttore di banca.

Auguro alla mamma di divertirsi con il suo Trollope, e lei mi promette di nuovo di prestarmi i dvd non appena li avrà visti. La saluto e le dico di non alzarsi, ma lei invece lo fa e mi accompagna alla porta. È una casa grande, senza papà.

Vado a casa mia.

Mi ero dimenticata delle foto di April, per cui mi colgono alla sprovvista. Non accendo la luce in salotto e mi metto a fissarle nella penombra dei lampioni e del lampadario dell'ingresso, che filtra dalla porta socchiusa.

Sei piccola, April. Nessuna risposta.

C'è una risposta che posso trovare da sola però. Accendo il portatile e controllo gli appunti che ho preso sui vari siti web sulle corse di cavalli. Marzo 2008, il cavallo di Penry ha avuto un problema fisico che gli ha impedito di correre per otto settimane, un problema a una zampa. È stata la storia di Anto sul cane con il carrello a rinfrescarmi la memoria. Eppure Penry e Rattigan erano sempre là, all'ippodromo, a fare gli amiconi tra champagne e sterco di cavallo. Amici di corse di cavalli, ma senza cavallo.

Sono stanca. Chiudo il portatile e sorrido a April. Ricevo di nuovo sei sorrisi.

«È stata una giornata lunga» le dico.

Nessuna risposta, ma non era una cosa intelligente da dire. Lei ha davanti a sé solo la notte che si estende all'infinito.

«So dove ti mettevi a disegnare» continuo, cambiando tattica.

Nessun commento.

«Da bambina disegnavo tanto anch'io. Probabilmente facevo fiori come te.»

Di nuovo nessun commento moltiplicato per sei, un silenzio enorme in un piccolo salotto.

Non so se disegnavo tanto da bambina. Per via della malattia che ho avuto durante l'adolescenza, la mia infanzia mi sembra distante. Mi tornano in mente dettagli, ma non so da dove arrivino né se siano reali. Ho una storia sul mio passato più che dei veri e propri ricordi, ma – per quanto ne so – siamo tutti nella stessa situazione. Forse l'infanzia è fatta di cose che abbiamo vissuto e che poi ricostruiamo con la nostra fantasia. Forse nessuno ha l'infanzia che crede di aver avuto.

«Pensi troppo» dice April, o almeno, è quello che avrebbe detto se non fosse così omertosa.

«Buonanotte, tesoro. Ci vediamo domani.»

Dormo bene e sogno Anto che si pettina all'infinito i capelli davanti a uno specchio. Nel sogno desidero che i miei capelli siano come i suoi, ma so che non lo saranno mai.

12

Le cinque, la mattina dopo.

Febo e un'alba dalle dita rosee stanno già rischiarando il cielo sopra Llanrumney, Wentlodge e tutte le altre zone a oriente. Dopo un paio di minuti che sono sveglia capisco che per stanotte non c'è più nulla da fare.

Mi siedo sul letto per qualche minuto. È strano. Abito in un complesso residenziale moderno pieno zeppo di esseri umani e non sento quasi nessun rumore umano. Ho una strana sensazione fisica, una specie di formicolio, ma non riesco a descriverla a parole e non so perché ce l'ho. Quando stavo uscendo dalla malattia, i dottori mi hanno dato degli esercizi da fare. Erano per lo più stronzate e avevano poco a che vedere con la mia guarigione, ma sono una risorsa che utilizzo ancora adesso. Cercare di definire la sensazione. Paura. Rabbia. Gelosia. Amore. Felicità. Disgusto. Desiderio. Curiosità.

I medici che mi curavano avevano un'immaginazione ristretta, al pari della loro istruzione, e non sono mai riusciti a elencare più di sette o otto emozioni in tutto. Io ho più immaginazione di quanto sarebbe necessaria e ho anche troppe parole. Eccesso. È una sensazione, no? Desiderio di semplicità. Invidia dei capelli di mia sorella. Ho cento nomi per cento sensazioni e mi sembrano tutti rozzi e inappropriati, come monete di legno. Abiti adatti a un corpo diverso.

La mia incapacità di affrontare con determinazione qualunque cosa provi mi manda fuori di testa. Respiro nel modo che mi hanno insegnato. *Inspiro*, due, tre, quattro, cinque. *Espiro*, due, tre, quattro, cinque. Respiri lunghi e lenti, per ridurre il battito cardiaco. Un buon esercizio. Quando il respiro e il battito cardiaco diventano regolari, mi prendo un altro paio di minuti, poi mi infilo una vestaglia sopra il pigiama ed esco in giardino. Fumo, bevo un tè e mangio una tazza di muesli e mezzo pompelmo.

Il mattino diventa lentamente più rumoroso. Si sente il traffico, la tv a colazione nell'appartamento accanto, i bambini che giocano a pallone fuori, un furgoncino. Mi piace. Vorrei continuare a starmene seduta in vestaglia, a osservare il mio stupido pezzo di giardino fumando senza pensare a nulla, ma il dovere mi chiama. Gli ultimi due giorni sono stati positivi e voglio conservarne lo slancio. Non voglio perdere la sicurezza di fare le cose in un modo che mi fa guadagnare il rispetto dei miei colleghi. In un mondo ideale, guadagnerei anche il rispetto dei miei capi, ma non si può avere tutto.

Faccio la doccia e mi vesto piuttosto di fretta, perché sono riuscita a far tardi, ovviamente, e rischio di perdere la riunione del mattino, alle otto in punto-significa-in-punto. Uscendo di casa, noto i vestiti che ho indossato. Pantaloni beige, stivali marroni, camicia bianca, giacca color cachi. La versione da ufficio della tenuta da combattimento. Ah bene. Non ho tempo per cambiarmi e forse non lo farei neanche se ce l'avessi. Raggiungo un compromesso: mi metto un rossetto neutro, quasi color carne, usando lo specchietto retrovisore della macchina. Non fa una grande differenza, ma scommetto che Anto e Kay approverebbero.

Forza! Guido, troppo veloce, in direzione dell'ufficio e arrivo nella sala delle riunioni alle otto e diciotto: sono solo il quarto poliziotto presente. Sento ancora quello strano formicolio, anche se più debole, ma decido di considerarlo una cosa buona, un'energia positiva. Un'energia che ho intenzione di sfruttare.

Quando mi connetto al sito web di Weatherbys, so cosa cerco e non mi sorprende trovarlo. Brian Penry possiede solo una quota di un cavallo da corsa, quella di cui sono già a conoscenza, quella sulla cui esistenza ho già fatto un riscontro incrociato. Ma Brian Penry ha un alter ego, un alter ego gallese, Brian ap Penri, che possiede quote di altri quattro cavalli. Due dei quali hanno Rattigan come comproprietario. Un altro, invece, ha come comproprietari due soci di Rattigan. L'ultimo non ha nessun collegamento palese con Rattigan, ma scommetto che c'è in ogni caso. Uno dei cavalli di Brian ap Penri ha vinto a Chepstow il giorno in cui il cavallo di Brian Penry è rimasto bloccato nella scuderia senza poter correre.

Cinque cavalli, non uno.

I due uomini erano amici, non conoscenti.

E ieri il buco di quarantamila sterline è diventato un abisso, più scuro di almeno dieci tonalità. Mi domando quali cadaveri giacciono sul fondo.

Mi alzo e prendo le chiavi della macchina senza nemmeno disconnettermi.

13

Rhayader Crescent, una traversa di Llandaff Road.

L'ordinarietà del posto è sconcertante. La strada è moderna, nell'accezione positiva del termine, per lo più si susseguono villette a schiera. Lo stile architettonico è delicatamente rassicurante – rifiniture in massello scuro, mattoni costosi screziati e anticati dal processo di combustione, piastrelle di cemento che sembrano di pietra o argilla. È il tipo di strada che i politici tentano di evocare quando parlano delle famiglie lavoratrici della borghesia britannica. Una strada per insegnanti sposati con infermiere, manager di medio livello e avvocati piuttosto giovani. E anche, salta fuori, una strada per ex poliziotti corrotti.

Suono il campanello del numero 27. C'è un'auto – una vecchia Toyota Yaris – nel parcheggio. Nessuno spazio destinato al prato e ai fiori, nessun vaso. I vicini hanno almeno tentato di piantare qualcosa. Fa di nuovo caldo oggi, e c'è un'afa opprimente. Le distanze sfumano nella foschia, mentre gli oggetti a portata di mano sembrano eccezionalmente nitidi. Al mondo intero serve una bella tempesta per svegliarsi. O per lo meno serve a me.

Sto per suonare di nuovo il campanello, quando sento dei rumori dall'interno: una sagoma fa capolino dietro una finestra appannata – poi il tintinnare della catenella e la porta che si spalanca.

«Signor Penry, sono il detective Griffiths. Ci siamo conosciuti sei settimane fa, a Cathays Park.»

Glielo dico per rinfrescargli la memoria. Ci siamo conosciuti quando lui era sotto interrogatorio, ma io non ero – senza ombra di dubbio – la principale attrazione della giornata, quindi non mi aspetto che mi riconosca. Uso il termine «Cathays Park», e non questura, in primo luogo perché è il termine che userebbe qualsiasi poliziotto, e in secondo luogo perché non sono qui per far spettegolare i vicini.

Penry è un cinquantenne dall'aria tosta. Ha i capelli ancora scuri, portati piuttosto lunghi e arruffati, e il viso quasi senza rughe, anche se quelle che ha sono profonde. È il tipo di poliziotto che sarebbe stato perfetto in un telefilm anni settanta, tutto giacche di pelle e pugni. Indossa un paio di jeans, senza scarpe né calzini, e una vecchia maglietta scalcinata che pubblicizza un circolo di vela. I piedi sono coriacei e scuri, le unghie sembrano di corno.

Penry non mi risponde subito, non apre di più la porta, non fa niente. Si limita a guardarmi e a sorridere compiaciuto tra sé e sé.

«Be', dev'essere importante se hanno mandato te.»

«Posso entrare?»

È una domanda vera, questa, come Penry ben sa. Se dice di no, significa no. La legge inglese «Casa mia è il mio castello», legge consacrata dalla Magna Carta e da tutto quello che ne è scaturito, significa che il suo «no» è «no». Penry si sofferma a lungo prima di rispondere.

E poi fa: «Vuoi un caffè?».

La sua domanda sembra un invito, la sua postura indica tutt'altro. È sempre attaccato alla porta e si gratta il torace sotto la maglietta, mostrandomi addominali, pettorali e peli. Oh, eccoci qua.

Di solito non reagisco bene agli atteggiamenti da macho, ma

sono molto professionale adesso e – in ogni caso – Penry conosce tutti i trucchetti della polizia, perciò rimango calma.

«Non bevo caffè, ma se ha una tisana, la prendo volentieri.»

«Dovrai lavare i piatti prima. Le tazze sono nel lavello.»

Ah, ora ci sono i piatti da lavare? Continuo a comportarmi in modo professionale. «Be', se lei si occupa delle cose che servono per la tisana, io lavo le tazze.»

Davanti a questa risposta, Penry rimane ancora un paio di secondi nella stessa posizione, poi spalanca la porta e si incammina verso la cucina. Io lo seguo.

La casa è in disordine, non il disordine dei bassifondi, ma quello da single. O forse, per essere più precisi, il disordine da single che non si aspetta di rimorchiare. Sulle tazze però non scherzava. Il lavello della cucina è pieno di stoviglie sporche, e c'è uno strato di schiuma oleosa sulla superficie dell'acqua. Il coperchio del bidone della spazzatura è sparito e il sacchetto dell'immondizia è pieno di lattine di birra, cartoni di succhi di frutta e involucri di cibo già pronto.

Con fare plateale Penry sposta l'interruttore del bollitore da off a on. Ha fatto quello che doveva fare, mi sta dicendo. È dietro di me, troppo vicino, e mi toglie deliberatamente spazio. Non voglio toccare le tazze né le altre stoviglie, figuriamoci se voglio infilare le mani nella melma arancione del lavello. Scendo a un compromesso scegliendo le due tazze meno repellenti, apro il rubinetto e faccio un rapido e approssimativo lavoro di decontaminazione. Porgo a Penry le due tazze, mi lavo le mani sotto l'acqua corrente e chiudo il rubinetto un attimo prima che la melma arancione minacci di rovesciarsi sullo scolatoio. Ci sarà un tubo di troppo-pieno da qualche parte, ma non sta scaricando molto velocemente, ammesso che scarichi.

Penry mette del caffè liofilizzato nella sua tazza e ci versa l'acqua calda. Niente latte, niente zucchero.

«Tisane non ne ho, no.»

Mi fa un gran sorriso per sfidarmi e provocare una mia reazione.

«Bene. Allora questa non mi serve.» Prendo la tazza inutilizzata e la lancio nella pattumiera aperta. «Parliamo adesso?»

Penry lascia la tazza dov'è. Sembra davvero contento di questa interazione e cammina a piedi nudi verso il salotto, che è in disordine ma non squallido. Da qui si vede il retro della casa, e la serra in stile georgiano che si protende verso i sobborghi di Cardiff come una goletta alle regate della Cowes Week. Mi fermo e osservo con attenzione. La serra è vuota, ci sono solo dei teli di plastica e un po' di calcinacci, spazzati e messi in un angolo. Un paio di chiavi è appeso a un chiodo attaccato al telaio della porta. Il pianoforte è lì, pieno di polvere per via dei lavori, ma non riesco a vedere nessuno spartito.

Penry si siede in quella che ovviamente è la sua poltrona – vista perfetta sulla tv – e io mi accomodo sul divano, da dove ho una visione leggermente angolata della sua faccia.

«Pensavo le interessasse sapere a che punto è il nostro caso. E ho anche un altro paio di domande da farle. Ovviamente, più collabora più la sua collaborazione sarà tenuta in conto al momento della sentenza.»

Penry mi osserva ancora un po', poi sorseggia il caffè. Non dice nulla. È stata una ferita alla schiena a costringerlo alla pensione, e noto che la sua poltrona è uno di quei brutti oggetti ortopedici. C'è una scatola di paracetamolo sul tavolo. Quando un poliziotto va in pensione per una ferita alla schiena, in genere si tratta del tributo richiesto dal proprio lavoro. Troppi anni di grattacapi e la pensione è la scelta più semplice. Il paracetamolo suggerisce altro, però.

Riassumo rapidamente dove siamo arrivati nella preparazione dell'impianto accusatorio, che procede a gonfie vele dopo le riunioni di ieri con l'ufficio dei Pm e i ragionieri. Propongo una probabile data per il processo.

Penry risponde con una domanda.

«Quanti anni hai?»

Rimango in silenzio abbastanza a lungo per dimostrargli che rispondo perché lo voglio, non perché sono cascata in uno dei suoi stupidi giochetti.

«Ventisei.»

«Sembri più giovane. Sembri una bambina.»

«Mi prendo cura della mia pelle.»

«Con chi lavori?» Io non rispondo subito, e lui in tono provocatorio continua: «Gethin Matthews probabilmente. Lui o Ceryl Howells, direi».

«Matthews.»

Penry accoglie la mia risposta con un lieve grugnito, ma ha già sacrificato un po' della sua autorità. Ha capito che io ho le risposte che lui vuole e ha realizzato che l'agente Griffiths, con la sua faccia da bambina, rappresenta il vecchio e brizzolato ispettore capo Matthews. È la mia prima minuscola vittoria. Penry dentro di sé lo ha capito, perché si zittisce di nuovo. Per la prima volta, capto il sibilo leggermente asmatico del suo respiro, l'unica cosa che si sentiva sui nastri dell'interrogatorio.

Lascio che la pausa continui. È la mia pausa adesso. La gestisco io e la sfrutto al massimo. Quando parlo, dico: «Il fatto è che siamo tutti e due poliziotti, perciò sappiamo entrambi come stanno le cose. Lei ha rubato dei soldi. Noi l'abbiamo scoperta. Lei andrà in carcere. L'unica domanda è: per quanto tempo? Questo è l'unico fattore che lei può influenzare.

«E sappiamo tutti e due che meno collabora più ci rimette. In un certo senso, la sua vita è incasinata comunque, e lei ha la possibilità di scegliere quanto incasinarla. In una scala che va da pochissimo a tantissimo. Dai normali truffatori non mi aspetto molto, non collaborano perché non si comportano in modo razionale, perché non sopportano di darci una mano o per qualunque altro motivo. Lei non è come loro. Lei è un professionista, perciò sarà accorto nel gestire queste cose. E il fatto che non ci dica niente mi fa incuriosire su due o tre punti. Se vuole sapere di cosa sono curiosa, glielo dico».

Il silenzio che adesso è calato nella stanza è talmente glaciale che il ghiaccio si potrebbe spezzare se fosse calpestato. Penry non può dirmi di morire dalla voglia di avere informazioni perché sarebbe un affronto ai suoi giochetti di potere del cazzo. D'altro canto, non può dire niente perché vuole sentire cosa ho da dire io. Ancora una volta lascio che il silenzio svolga la propria funzione.

«Numero uno, da dove venivano i soldi? Un po' venivano dalla scuola, d'accordo, ma ne ha spesi più di quanti ne abbia rubati, o in ogni caso lo ha fatto il suo amico, il signor ap Penri.

«Ora, tiro a indovinare e le dico qual è la risposta. Credo che i soldi venissero da Brendan Rattigan. Questo ci porta alla domanda numero due: quali servizi gli rendeva in cambio dei soldi? Per quanto ne so, i multimilionari non hanno l'abitudine di dare senza ricevere niente in cambio.

«E numero tre: di preciso cosa ne sapeva di questa?»

Tiro fuori dalla mia ventiquattrore la busta dei reperti con dentro la Visa Platinum di Rattigan. Penry allunga una mano per prenderla, la osserva e me la restituisce. Adesso non finge neanche di essere disinteressato. I suoi occhi castani rivelano una complessità che prima non avevano.

«Potrebbe anche interessarle sapere dove l'abbiamo trovata. L'abbiamo trovata al numero 86 di Allison Street. Dove abbiamo scoperto anche una donna morta assieme a sua figlia, che è stata uccisa. Forse è stata uccisa anche la madre. Non possiamo dirlo ancora con certezza.

«Perciò adesso capisce il motivo della mia curiosità. Se fosse solo la carta di credito e il fatto che guarda caso lei condivideva la passione per le corse con il titolare della Visa, allora direi che è tutto una coincidenza. Magari una cosa su cui vale la pena indagare, ma non il tipo di cosa su cui Gethin Matthews investe delle risorse. Visto come stanno le cose, però, il suo silenzio in un certo senso la collega a quella casa, no? Qualsiasi ex poliziotto ragionevole, nella sua posizione, collaborerebbe per avere uno sconto della pena. Lei invece non collabora. E più cose non ci dice, più implicitamente ci suggerisce di indagare. Il che trasforma una banale accusa di peculato in qualcosa di molto più interessante. Qualcosa che forse è a un passo dall'omicidio.»

Ho finito.

Io non aggiungo altro. Penry non dice nulla. Come sistema per raccogliere informazioni, questa spedizione non ha prodotto esattamente un raccolto abbondante, ma non tutti i raccolti sono uguali o maturano in fretta.

Mi alzo. Dalla mia valigetta tiro fuori il cartello CERCASI INFORMAZIONI che era attaccato sulla vetrina del supermercato in cui lavora Farideh e in altri posti a Butetown. Lo butto sul tavolino, ma da lì scivola sul pavimento. Né Penry né io ci chiniamo per raccoglierlo.

«Questa è la donna uccisa. Questa è la figlia uccisa. E questo è il numero che deve chiamare per darci informazioni.»

Chiudo la valigetta e mi dirigo verso il portone di casa per uscire. Penry non si muove. «A proposito, questa casa è uno schifo» grido dall'altra parte del salotto. «E poi dovrebbe farsi vedere da un dottore per l'asma.»

Arrivata fuori, in una strada troppo luminosa, faccio il punto della situazione. Penry probabilmente mi sta guardando dal salotto, ma a me non importa.

Ha una Yaris blu scuro. C'è un po' di ruggine sul parafango destro, e alla macchina servirebbe una bella lavata. Che razza di persona possiede una serie di quote di purosangue e guida una macchina che, se non è proprio uno schifo, non è neanche una gran bellezza? Gli unici cd che ho visto in casa di Penry erano di rock contemporaneo e un paio di compilation di musica classica. Gusti musicali simili magari ti spingono a comprare un pianoforte, magari no. Penry però ne ha comprato uno. Un pianoforte verticale, una serra georgiana e un lavello pieno di melma arancione.

Mi giro verso la casa. Penry è alla finestra e mi sta osservando. Sorrido, gli faccio un rapido cenno di saluto con la mano e raggiungo la mia macchina.

Sulla strada del ritorno verso l'ufficio, il cellulare mi segnala l'arrivo di un messaggio.

Visto che sono un pilota esperto e addestrato, ho la capacità di controllare i messaggi mentre guido senza mettere a repentaglio la sicurezza e l'incolumità degli altri utenti della strada. O le cose stanno così, oppure sono un'idiota egoista. E questo messaggio è interessante. Dice: JAN NON E MORTA, BUGIARDI. SE E MORTA E PIÙ FORTUNATA DI ALTRE. Il mio primo pensiero è che sia uno scherzo di un collega, il secondo è che sia una risposta all'annuncio che ho appeso alla vetrina del supermercato.

Accosto e infilo la macchina in uno spazio disponibile su

Cowbridge Road. Rispondo al messaggio: COSA LE È SUCCESSO ALLORA?

E aspetto. Ho parcheggiato vicino a un chiosco di *fish and chips*. Una giovane mamma, sovrappeso, esce insieme ai suoi due bambini, altrettanto sovrappeso. Uno dei due, un ragazzino con un viso rosso tondo, comincia a mangiare delle patatine, tenendole lontane dal fratello e infilandosele in bocca con ingordigia.

Obesità. Violenza. Droga. Prostituzione. Un milioni di modi diversi di incasinarsi la vita. Brian Penry ha scelto il peculato, la sua dolce via verso l'autodistruzione. Cosa lo ha portato a quella svolta? Come si spiegano la Yaris scassata e la serra signorile ma vuota?

Poi, proprio mentre penso di non avere le risposte che cerco, arriva un altro messaggio. Dice: I RICHI NON ANNO CASINI CON LA POLIZIA. E GENTE COME JAN CHE CE L'A.

Ci sono due modi di interpretare questi sms. Quello ovvio è come li leggerebbero i miei colleghi. Sono opera di una persona fuori di testa. Come prova valgono zero. O forse anche meno, visto che l'accusa contenuta nel primo messaggio è ovviamente falsa. I miei colleghi potrebbero anche farmi notare che c'è un motivo per cui le richieste di informazioni vengono indirizzate ai numeri verdi ufficiali e non ai cellulari degli agenti.

Ma questo non è l'unico modo di leggere i due messaggi. Intanto, chiunque sappia cosa è successo a Janet Mancini è molto probabilmente una prostituta tossicodipendente di scarsa istruzione, per cui gli errori di ortografia e la totale assenza di grammatica potrebbero in realtà indicare che il mittente è nella posizione giusta per sapere qualcosa. E poi il secondo messaggio è strano. Fa un collegamento – per quanto bizzarro – tra la morte di Janet e i «richi». Non significherebbe nulla se non fosse per il fatto che, nell'appartamento occupato da Janet, è stata trovata la carta di credito di

Brendan Rattigan. E anche questo di per sé non significherebbe nulla se non fosse per il fatto che Charlotte Rattigan ha lasciato intendere che a suo marito piacesse il sesso selvaggio e scabroso. E anche questo potrebbe non significare assolutamente nulla, se non fosse che il silenzio glaciale calato tra me e Brian Penry mi ha fatto capire che c'era qualcosa di importante che aleggiava nell'aria, qualcosa passato sotto silenzio.

Non arriva nessun altro messaggio, per cui ne mando uno io. Scrivo che non farò alcun tentativo di prendere contatti, ma chiunque sia dovrebbe sentirsi libero di chiamarmi o mandarmi altri messaggi in qualunque momento. VOGLIO AIUTARE JAN TANTO QUANTO LO VUOLE LEI, scrivo e premo invio.

Niente ha senso.

È il motivo per cui sono diventata poliziotta, l'ambizione di dare un senso alle cose. Come se le sfide e i misteri della mia vita fossero resi più comprensibili dalla soluzione ripetitiva degli enigmi altrui. Mi rintano nel mio mondo e do la caccia al nulla, potreste dire, ma anche questo mi intriga. Nascondersi da un lato. Il nulla dall'altro. Un mistero in cerca di una soluzione.

Troppe cose mi frullano per la testa. Immagino ci sia un modo per sciogliere la tensione, ovvero assicurarsi che Rattigan sia morto per davvero. Frugo nel bagagliaio della macchina per cercare il rapporto del dipartimento sugli incidenti aerei. Trovo un numero e faccio una telefonata.

Mostrando una straordinaria mancanza di burocrazia, mi passano velocemente la persona con cui devo parlare.

«Robin Keighley.» Voce inglese. Il tipo di voce che gli americani adorano imitare. Il tipo di voce che associano all'effeminata aristocrazia di fine Impero. Ma è cordiale e competente. Va più che bene per me.

Mi presento e spiego il motivo della mia chiamata. Gli chiedo dell'incidente aereo. Keighley è disponibile e mi fornisce risposte chiare, coerenti col rapporto ufficiale. L'aereo era partito da Birmingham ed era diretto verso il sud della Spagna, dove Rattigan possedeva una casa. Hanno trovato brutto tempo, e il pilota ha riferito un problema non meglio identificato al motore destro. Ha chiesto all'aeroporto di Bristol il permesso per un atterraggio di emergenza e il permesso gli è stato accordato. La rotta è stata debitamente modificata, poi il silenzio, poi una breve raffica di parole dalla radio che non erano altro che due brevi imprecazioni del pilota, poi più niente.

Parlo con Keighley una ventina di minuti. L'aereo era un Learjet, un aereo solido, la cui manutenzione era stata effettuata in modo appropriato. Fino alla fine del volo sono state seguite le procedure corrette. Ho notato però una lieve esitazione nel tono di voce di Keighley mentre parlava del pilota. Quando glielo domando, mi dice: «Be', nulla di che. Il pilota aveva sufficiente esperienza, ma non aveva lavorato nella Royal Air Force, né in nessuna grande compagnia aerea.»

«Ha qualche importanza?»

«Non proprio. I piloti della Raf sono ovviamente addestrati a lavorare in condizioni estreme. In modo analogo, qualsiasi pilota di una grande compagnia aerea – come la British Airways, per esempio – viene infilato in un simulatore di volo ogni sei mesi e scaraventato in mezzo a ogni genere di disastro. I piloti devono sopportare tutto e superare i test, altrimenti sono costretti a restare a terra.»

«Per cui magari era un pilota con meno esperienza di quella necessaria?»

«Con meno esperienza di quanta è necessaria, *per me*. Ma io mi occupo di sicurezza aerea. Il pilota di Rattigan era pienamente qualificato per volare sull'aereo su cui stava volando.»

«Nessun indizio di irregolarità nell'incidente? Niente di niente? Neanche un dettaglio che non ha potuto inserire nel rapporto perché non era necessario a portare avanti questo caso?»

«No, niente. Ma quasi tutta la carcassa dell'aereo è in fondo al mare, perciò non potrei escludere irregolarità. In realtà non ho ragioni per sospettarle.»

«Era un tipo di aereo che di solito ha problemi? L'incidente rispecchia uno schema noto?»

«Sì e no. No, nel senso che in questo caso si trattava di un aereo perfettamente a posto...»

«Ma?»

«Ma, d'altra parte, se c'è un errore umano o di manutenzione, è più probabile che capiti con piccoli velivoli di società che non hanno la profonda conoscenza tecnica e la cultura della sicurezza della British Airways, diciamo, odi una qualsiasi compagnia di pari livello. È questo il motivo per cui la maggior parte degli incidenti sono, e sono sempre stati, in quel settore dell'aviazione.»

«Per cui, mettendo da parte ogni rapporto ufficiale, la sua sensazione è che magari qualcuno abbia fatto una cavolata. Se l'aereo non si fosse inabissato chissà dove nella baia di Cardiff, potreste avere l'opportunità di individuare il colpevole. Ma, vista la situazione, siete costretti a scrollare le spalle e ad archiviare l'incidente nella lista delle cose che capitano.»

«Mettendo *decisamente* da parte ogni rapporto ufficiale, allora sì.»

«Posso farle un'ultima domanda? Un'ipotesi confidenziale, non ufficiale, azzardata.»

«Spari.»

«Okay. Attribuisce una qualche importanza al fatto che il corpo di Rattigan non sia mai stato ritrovato?»

Sento che inspira profondamente dall'altro capo del telefono. Keighley è còlto di sorpresa dall'improvvisa svolta della conversazione, e risponde con cautela. «Importanza in che senso?»

«Supponiamo che esista una teoria in base alla quale Rattigan ha in qualche modo organizzato l'incidente aereo. Lui è scappato e il suo pilota è morto. O magari l'incidente c'è stato veramente, e Rattigan ha còlto l'occasione per sparire, perché guarda caso per qualche motivo ne aveva voglia. Esiste un qualunque dettaglio nelle circostanze dell'incidente che, in quest'ottica, acquisirebbe maggior senso?»

Keighley rimane in silenzio per dieci secondi buoni. Poi dice: «Scusi, devo pensarci», e rimane in silenzio per altri quindici secondi.

«Okay, la risposta è no. Non mi viene in mente nulla, tranne forse... be', il corpo di Rattigan non è mai stato ritrovato. Il pilota indossava un giubbotto di salvataggio ed è stato identificato rapidamente, e il suo corpo è stato recuperato. Se Rattigan avesse indossato un giubbotto di salvataggio, allora anche il suo corpo sarebbe venuto a galla. Ma non ce n'era traccia, ed è strano. Contrario al regolamento, se vuole. Ma anche per questo ci sono milioni di spiegazioni innocue, ciascuna delle quali più verosimile della sua teoria. Se, per esempio, Rattigan fosse stato preso dal panico e semplicemente non fosse riuscito a sganciare la cintura di sicurezza, allora sarebbe stato trascinato in mare insieme al relitto. O se si fosse rifiutato di mettere il giubbotto di salvataggio, anche se il pilota glielo aveva suggerito, potrebbe essere un'altra spiegazione. Sono successe cose più strane.»

Continuiamo a parlare, e Keighley è sempre disponibile, ma io non ho ancora niente di definitivo in mano. Sono un passo avanti rispetto a prima. Un passo avanti nel nulla.

Riattacco.

Il formicolio carico di energia che mi ha svegliato stamattina c'è sempre, e per la prima volta prendo in seria considerazione il fatto che potrebbe essere paura. Provo a ripetere la parola. È paura. È paura. Non ne sono sicura però, perché non riesco a definire il perfetto incastro tra parola e sensazione. Non so di preciso cosa sia. Non ho ancora abbastanza indizi.

Guido lentamente verso l'ufficio respirando a pieni polmoni lungo il tragitto di ritorno.

14

Il pomeriggio alle quattro c'è una riunione. Tutti a rapporto. Sono arrivati i risultati del Dna dal laboratorio e si vocifera che alcuni di questi siano abbinati a dei nomi.

Al limite della baraonda, si respira un'agitazione, un fremito, un'energia intensa, che deriva dalla convinzione generale che l'indagine stia per produrre risultati concreti. Per la prima volta potremo collocare persone precise in quella casa della morte. Tutta l'archiviazione dei rapporti, la raccolta delle dichiarazioni, lo scalpitio sui marciapiedi e le telefonate a cui abbiamo risposto finora, a dire il vero, non hanno prodotto un solo indizio valido e indiscutibile.

Alle quattro meno dieci la centrale operativa è già in fermento. Io sono scesa munita di una tisana alla menta e di una barretta energetica integrale. Jim Davis è al distributore del caffè e ci sta attaccato come un cucciolo alla mammella.

«Ehi, Jim» gli dico con una certa cautela. Davis non è il mio più grande ammiratore, ma in effetti nel dipartimento di indagini criminali il fan club di Fiona Griffiths è un gruppo piuttosto ristretto. Avevo più successo quando ero in uniforme, probabilmente perché avevo meno occasioni per esprimermi.

Davis mi fa un cenno di saluto, ma è occupato a lamentarsi con alcuni amici. Si mormora che i tagli al budget significhino niente promozioni: niente più avanzamenti da sergente a ispettore, né da agente a sergente.

«Più lavoro e meno stipendio. Non cambia mai nulla, cavolo, no?»

Questo è il verdetto di Jim Davis. Personalmente non capisco come una carenza di posti da ispettore possa influenzare più di tanto le sue opportunità di carriera, ma non dico nulla. Jim adesso ha in mano un caffè e sta per immergere i suoi denti gialli in un altro bagno di caffeina. Non voglio vedere questa scena e passo oltre. Uno dei suoi amici borbotta qualcosa – forse su di me – e io capto la reazione di Davis: una risata cinica, ah-ah ah-ah, accompagnata da svariati ed energici movimenti del capo.

I miei cari colleghi.

A questo punto la sala è piena. Non appena Hughes e Jackson sfilano con fare professionale verso la parte anteriore della stanza, tutti tacciono.

Jackson dà una scorsa ai risultati del Dna. Il laboratorio ha esaminato più di cento campioni prelevati nella casa. È stato possibile estrarre il Dna da trentadue di questi campioni, e sono stati isolati sette profili, due dei quali erano di April e Janet.

Jackson si ferma un secondo, godendosi l'attimo di suspense, e poi dà la notizia.

«Degli altri cinque profili, nella banca dati abbiamo trovato i nomi di quattro. Il che significa che possiamo collocare queste quattro persone dentro la casa. Non sappiamo *quando* sono state lì, né *perché*. Ma almeno possiamo andare a chiederglielo.»

La riunione prosegue. Il primo dei quattro nomi è Tony Leonard, trentotto anni, tossicodipendente e spacciatore di piccola taglia – ecco perché conosciamo la sua fedina penale –, ma senza nessun coinvolgimento noto con il mondo della prostituzione. Il campione di Dna in questione proviene da un capello trovato sul divano di velour in salotto.

Karol Sikorsky è il secondo. Quarantaquattro anni, è stato processato tre anni fa per detenzione illegale di armi da fuoco. Il processo però è andato a monte, per via di un casino con la gestione delle prove. In seguito, è stato invece incarcerato per una semplice accusa di rissa. Nato in Russia, ha un passaporto polacco, altrimenti sarebbe stato espulso. La squadra mobile sospetta sia coinvolto in questioni di droga, prostituzione e forse anche di estorsione. Un campione di saliva di scarsa qualità è stato trovato su un bicchiere in cucina. Un campione valido invece – tanto da poter essere esibito in tribunale – è un pezzo di pelle rimasto su un chiodo che sbucava dal telaio della porta del salotto. Sikorsky si dev'essere graffiato mentre era appoggiato alla porta, su cui è rimasto abbastanza tessuto da lasciare una traccia di ottima qualità. «Questo è un fantastico esempio delle tecniche di indagine della Scientifica» commenta Jackson. «Notare l'unghia, esaminarla, estrarne efficacemente un campione. Fantastico.» Applaudiamo tutti la squadra della Scientifica, anche se è assente.

Il terzo nome è Conway Lloyd. Trentun anni, arrestato per resistenza a pubblico ufficiale a poco più di vent'anni. Non è mai stato processato, ma da allora il suo Dna è rimasto nella nostra banca dati. Grazie mille, Grande Fratello. E poi, chi gode più del diritto alla privacy? È stato trovato uno schizzo di sperma sul materasso al piano di sopra, e anche dei peli, della saliva e altre macchie di sperma sulla moquette al piano inferiore. Non è un ragazzo preciso, il nostro Conway. Scommetto che sua mamma lo adora, però.

Il quarto e ultimo nome è Rhys Vaughan. Ventun anni, il gemello mancato di Lloyd. Oltre a della saliva e a dei capelli, è stato ritrovato dello sperma in quattro punti diversi, inclusi – sentite un po' – un preservativo annodato dentro un piccolo posacenere di porcellana, accanto al materasso al piano superiore. Bel tocco, questo.

«E,» dice Jackson alzando una mano per zittirci «abbiamo anche un altro nome ricavato dalle impronte digitali. I risultati preliminari sono arrivati ieri sera, ma ho voluto aspettare di avere anche il Dna per pianificare meglio la nostra strategia.»

L'altro nome è Stacey Edwards. Trentatré anni, condannata un paio di volte per adescamento quando ne aveva una ventina. In totale, nel corso degli anni, ha avuto cinque contatti con gli agenti della squadra mobile, ma si presume che batta ancora. Le sue impronte digitali erano sparse in tutto il piano inferiore. «Incluso,» dice Jackson «l'unico punto in cui pensavamo di non trovare nulla.» Pausa teatrale a effetto. «La spugna per lavare i piatti.» Risata e un paio di applausi servili.

«Adesso,» continua «ecco come ci muoveremo.»

Jackson è un tipo in gamba. Un approccio impulsivo consisterebbe nel mettere sotto torchio i soggetti individuati, tentare di farli confessare. Ma il guaio è che – molto probabilmente – chiunque sia andato in quella casa per uccidere ha preso delle precauzioni. Anche se l'omicidio non era premeditato – e la scelta di un lavello come arma del delitto fa supporre che il livello di pianificazione fosse ridotto al minimo –, qualunque assassino vagamente competente cerca di difendersi dalle indagini della Scientifica. In effetti, il nostro killer qualche precauzione l'ha presa: non c'era nessuna impronta sul lavello.

Vaughan e Lloyd, d'altro canto, non si sono curati di questi dettagli. E neppure Stacey Edwards. Forse Leonard ha tentato di pulire dopo il suo passaggio, ma suppongo che Jackson non creda sia lui il nostro assassino. Fra tutti, Sikorsky è il più papabile, l'unico che può sembrare il killer o comunque qualcuno che ha un collegamento con il killer. Insomma, il principale sospettato.

La conclusione di Jackson – la stessa a cui sarei arrivata io – è che dobbiamo trattare almeno quattro dei cinque nomi con un po' di delicatezza. Trattarli non come assassini, ma come testimoni, persone che possono fornire informazioni utili. Magari usando anche un po' di strafottenza, ma non il tipo di atteggiamento in cui Brian Penry – probabilmente – eccelleva. Jackson comincia a distribuire gli incarichi, mentre Hughes scrive una nuova lista sulla lavagna.

La riunione si conclude. Mi precipito dall'altra parte della sala per afferrare Jackson ma non sono la prima ad accaparrarmi la sua attenzione. Non mollo e, quando Jackson alla fine riesce a tornare in ufficio, io lo seguo passo passo ed entro dietro di lui.

Mi sono preparata un discorsetto piuttosto spiritoso, ma il capo ha l'aria stanca e il modo in cui dice: «Sì?», non è esattamente incoraggiante. Decido di cambiare approccio.

«Stacey Edwards, signore. Se posso essere d'aiuto…»

«Fiona. È Jane Alexander che si occupa di questo. Lavora insieme a…» controlla gli appunti «Davis. Insieme, quei due avranno un milione di anni di esperienza. E Jane Alexander è una donna – non so se lo hai notato –, per cui abbiamo il tocco femminile che ci serve.»

Non ho argomenti con cui ribattere, solo un desiderio pressante che non capisco appieno. Uso quello che ho. «Signore, lei è una prostituta, magari un'amica della Mancini. Probabilmente ha paura della polizia ed è in possesso di prove cruciali. Preferirebbe parlare con Jane e me, oppure con Jane e Jim Davis? Queste ragazze sono…»

«Donne. Non sono ragazze.»

«Non so perché, signore, ma questo caso mi interessa molto. Credo di poter contribuire. Voglio davvero contribuire.»

«Stai *contribuendo*. Contribuisci facendo quello che ti viene chiesto di fare. È questo il tuo lavoro.»

«Lo so. Io…»

Non so cosa dire perciò resto in silenzio, ferma.

La pausa sembra sortire l'effetto desiderato, però. «A che punto sei con il caso Penry?»

Lo aggiorno rapidamente. Mi ascolta a metà, e usa il resto della sua attenzione per controllare i resoconti che ho caricato su Groove. Con l'analisi dei rapporti dei servizi sociali sono molto più avanti di quanto Jackson abbia diritto di aspettarsi, e noto che ne rimane colpito. Non dico niente degli altri cavalli di Penry, né di quegli strani messaggi, né della mia chiacchierata con Keighley. Niente gioco duro né complicazioni. Come farebbe la brava detective Griffiths, o come immagino farebbe lei.

Jackson distoglie l'attenzione dal computer e allontana scocciato la tastiera con un colpo delle dita. Andando verso la porta, grida il nome di Davis e Alexander. Non sono nei paraggi, ma i tirapiedi di Jackson si precipitano a eseguire i suoi ordini e a cercarli.

Ritornando a sedere, mi dice: «Fai una cazzata, anche la minima cazzata, e non ti affiderò mai più un incarico delicato».

«Sì, signore.»

«Chiederò a Jane Alexander di farmi dei resoconti dettagliati su come ti comporti con Stacey Edwards. Alexander conduce, tu prendi appunti. Lei decide, tu prepari il tè.»

«Sì, signore.»

Come al suo solito aggrotta le sopracciglia irsute e mi scruta per qualche secondo.

«Devi aver lavorato fino a tardi per fare così tante cose.» Gesticola davanti al computer.

Io annuisco. I vari «Sì, signore» hanno cominciato a stancare i muscoli adibiti all'obbedienza, e così li lascio riposare.

La nostra conversazione viene interrotta dalla comparsa di Davis e di Alexander.

«Entra, Jim. Sono arrivato alla conclusione che ci serve una squadra di sole donne per la Edwards. Jane, voglio che sia tu a condurre l'interrogatorio. Avrai Fiona come supporto. Jim, vai da Ken Hughes e fatti assegnare un incarico alternativo. Tutto chiaro? Okay, allora datevi una mossa. Fuori di qui.»

Uscendo, Davis mi lancia una delle occhiate più torve che gli abbia mai visto fare. Mentre si affretta a cercare Hughes, borbotta qualcosa sottovoce e l'unica parola comprensibile è «vaffanculo». Nessun dubbio stavolta. Si riferisce a me. Mi domando se Jackson mi abbia messo di proposito in una simile posizione, se volesse far capire a Davis che ero stata io a tagliarlo fuori da uno degli incarichi più importanti.

Jane rimane a guardare Davis che batte in ritirata. È piuttosto chiaro che è còlta alla sprovvista dalla sua reazione ma, girandosi verso di me, si ricompone e non mostra nei miei confronti altro che competenza e gentilezza. Il perfetto superiore del dipartimento di indagini criminali. Ma tra l'osservare scioccata l'ostilità di Davis e il ricomporsi per me, il suo viso lascia trapelare qualcos'altro. Una microespressione che non dura abbastanza perché io la decifri appieno. Se dovessi tirare a indovinare, però, direi che Jane non è entusiasta di avermi come compagna di interrogatori. Il che è fantastico, proprio l'effetto che speravo di provocare.

«Andiamo a…»

Jane mi fa segno che dobbiamo andare a parlare alla sua scrivania. Niente uffici per quelli come noi.

«Sì, signora.» Cerco di far sembrare il mio «signora» confidenziale ma rispettoso. Non so se sono riuscita nel mio intento. Lei non assegna punti.

Arrivate alla scrivania – lei al suo posto, io di fronte – dico: «Suppongo che tu voglia farmi preparare uno schema riassuntivo per l'interrogatorio. Per vedere cosa possiamo ricavare dalla Edwards prima di andare a trovarla».

È chiaramente un pensiero nuovo per lei. Non è il modo in cui Jim Davis era abituato ad affrontare le cose.

«Uno schema? Credi che ci sia abbastanza materiale?»

«Ha avuto cinque contatti con la nostra squadra mobile nel corso degli anni. E quasi sicuramente qualcuno fra loro si è fatto un'idea ragionevole del tipo di persona che è. Probabilmente ha avuto contatti anche quelli della StreetSafe – sai, l'associazione di volontariato che si occupa di prostituzione. Sono sicura che faranno volentieri una chiacchierata con noi, purché mettiamo in chiaro che la Edwards non è tra i sospettati.»

«Okay, ma è venerdì pomeriggio. E dobbiamo sbrigarci, perché Jackson vuole…»

«Vado subito a controllare i verbali della squadra mobile. Poi stasera parlo con quelli della StreetSafe, lavorano di notte, ovviamente. Stanotte posso battere al computer gli appunti. E domattina chiedo il parere di uno qualsiasi dei ragazzi della squadra mobile, il primo che riesco a trovare. Dovremmo essere in grado di incontrare la Edwards verso mezzogiorno. Non ha senso passare da lei prima, in ogni caso.»

La Alexander aggrotta le sopracciglia e mi guarda come per chiedere: «Perché?».

«Perché è una lucciola, lavora di notte. Mezzogiorno potrebbe essere anche troppo presto.»

La Alexander ascolta sorpresa e divertita.

«Fai sempre così?» mi chiede.

«Così come?» Mi domando se ho già fatto una cazzata. Nel caso, sarebbe la più veloce in assoluto. Assumo un'espressione umile, ansiosa, e mi sento davvero così.

«Come se tu fossi un mostro capace di fare tutto da sola. Se credi di riuscirci, splendido. Altrimenti non importa, possiamo semplicemente andare da lei e interrogarla.»

Jane è carina, una cosa a cui non sono abituata, perciò rispondo: «Di solito non faccio così. È solo che mi sento molto coinvolta in questo caso.»

«È il primo omicidio di una bambina per te?»

«Sì, ma non credo si tratti di questo. O forse sì.»

«Sicuramente.» Jane mi sorride. È bionda, sempre fonata e perfetta, ma penso di aver appena intercettato il suo lato umano. «Perché non ti prendi una pausa? Jim e io avevamo semplicemente intenzione di andare a trovare la Edwards. Improvvisando. Ed è quello che farebbe chiunque altro.»

«Ti dispiace se faccio quello che ho proposto? Preferirei che preparassimo l'interrogatorio così.»

«Okay. Ma stai attenta, Fi. Se ti fai coinvolgere troppo, prima o poi crolli. Succede sempre.»

Avrei voglia di chiederle se parla per esperienza personale, ma non ho abbastanza coraggio, perciò mi limito ad annuire.

«Sì, sergente.»

«Okay, Fiona. In gamba, eh!»

Di ritorno alla scrivania, trovo in segreteria un messaggio di Robin Keighley. Una postilla alla nostra conversazione. Riflettendo, c'era qualcosa di strano nell'incidente. La doppia imprecazione del pilota, e poi il silenzio. «Durante un incidente, grave o meno che sia, questo tipo di comportamento è inconsueto. Di norma ci aspetteremmo un contatto radio prolungato, anche nei casi in cui il pilota non sa bene cosa stia succedendo. Ma non ne farei una gran questione, potrebbero esistere dozzine di spiegazioni diverse. Visto che mi ha chiesto se c'era qualche incongruenza, alla luce di questo, devo dire di sì. Niente di che, ma qualcosa c'è.»

Ascolto il messaggio tre volte di seguito, poi mi connetto al sito del *Financial Times* e cerco la Rattigan Industrial & Transport Ltd. Non si legge mai abbastanza né abbastanza a fondo, suppongo. Faccio ricerche per tre quarti d'ora.

15

Bryony Williams indossa un giubbotto imbottito sopra una felpa e un paio di jeans. Ha i capelli piuttosto corti e ondulati. È dura, ma dura nel modo giusto: il tipo di persona che non esclude a priori la tenerezza. Si sta rollando una sigaretta, ed è seduta su un muretto che delimita il giardino di una casa sigillata con assi di legno sulle finestre e sulla porta.

«Ne vuoi una?» Mi offre la sua sigaretta.

«No, grazie. Non fumo.»

Mi siedo accanto a lei.

«Serata piena?»

«Per ora no.»

Accende la sigaretta e butta il fiammifero per strada. Vedo l'argine del fiume Taff, sono quasi le nove di sera. Al crepuscolo i lampioni arancioni sono più luminosi del tramonto che sta lentamente morendo sul Mare d'Irlanda, invisibile alle nostre spalle. Blaenclydach Place scende a incontrare il fiume. Dietro di noi, una fila di case in stile edoardiano. Davanti, una striscia di prato. E poi il fiume. L'erba è stata tagliata da poco e l'aria sa di erba rasata e di fango di fiume.

Una bella scena. Tranquilla, piacevole. Se non fosse per il fatto che siamo nel cuore del quartiere a luci rosse di Cardiff e, come le stelle nel cielo sopra di noi, cominciano ad apparire le prime prostitute. Ne vedo una – giubbotto di pelle, piercing al naso, minigonna, tacco dieci – che cammina in su e giù lungo la striscia di prato davanti a noi. Solo al suo terzo passaggio ho capito chi fosse. Poco più avanti, un paio di ragazzi escono da un pub, superano la ragazza, si girano e le fischiano dietro. Lei mostra il dito medio, e loro riprendono a camminare.

«Lo sai perché sono qui, giusto?»

«Sì. Gill mi ha detto che saresti venuta.»

Gill Parker: la coordinatrice del progetto StreetSafe. Dirige l'associazione dal 2004. Santa, eroina, angelo, matta. Scegliete pure. Bryony è della stessa razza.

«Stacey Edwards. Gill mi ha detto che la conosci.»

«Già. Ci conosciamo benissimo, purtroppo.»

«E sai perché vogliamo parlarle?»

«Non esattamente.»

Il tono di voce di Bryony Williams non è ostile, ma neanche accogliente. La StreetSafe è un'associazione di volontariato che distribuisce pasti, preservativi e informazioni sanitarie alle prostitute. Quando possono aiutano le squillo a lasciare il marciapiede, la droga e tutto il carosello autodistruttivo annesso e connesso. Hanno buoni rapporti con la polizia, ma quello che facciamo noi e quello che fanno loro vanno in direzioni diverse. Far rispettare la legge è una sorta di sfida, offrire amicizia e solidarietà è tutt'altro.

Le dico: «Janet Mancini, tossicodipendente e prostituta part-time, è stata ritrovata morta, probabilmente uccisa. Anche la figlia di sei anni è stata uccisa. Le Mancini, forse, erano impaurite e per questo si sono nascoste, prima di morire. Non sospettiamo di Stacey Edwards». Le racconto delle condizioni in cui era la casa e delle impronte digitali della Edwards sulla spugna per lavare i piatti. «Sembra piuttosto che la Edwards fosse un'amica che cercava di dare una mano.»

«Probabile. Le donne di solito si sostengono fra loro.»

La Williams non pare molto propensa ad aiutarmi, perciò forzo un po' la situazione. «Bryony, devi mantenere il segreto sulle confidenze che ricevi, lo so. Ma i miei colleghi vogliono partire in quarta, sfondare la porta e farle un interrogatorio tipo "Dove diavolo eri al momento della morte di Janet?". Una cosa del genere certo non l'aiuterà. E probabilmente non aiuterà né noi, né le due Mancini che sono morte.»

«E quindi cosa vuoi?»

C'è un'altra lucciola che lavora nella zona davanti a noi, adesso. Le due ragazze si salutano, dopo di che si dividono la strada a metà e ciascuna lavora nel proprio pezzo. Con quei tacchi non è facile camminare, per cui si appoggiano spesso ai lampioni in attesa di potenziali clienti dagli occhi vacui. Mi accorgo che stanno qui perché c'è la Williams. Lei rende più sicuro il loro mondo.

«Voglio sapere… tutto. Di Stacey Edwards, di Janet Mancini e delle persone con cui può aver lavorato. Di chi controlla queste ragazze, di chi ci guadagna. E di chi potrebbe aver avuto una ragione per uccidere Janet.»

La Williams mi guarda di sbieco, con un mezzo sorriso sulle labbra. «Mi sembra una domanda da due sigarette.»

«Ne metterei in conto una terza, se fossi in te.»

Il sorriso della Williams si apre in una vera e propria risata. «Okay.» Si rolla un'altra sigaretta e comincia a confidarsi.

La domanda su «chi ci guadagna» è quella dalla risposta più semplice. Alla fine tutto si riduce alla droga. Il novantotto per cento delle prostitute di Cardiff fa uso di droghe pesanti, e i soldi che fanno con i clienti vanno direttamente in tasca agli spacciatori.

«E che mi dici dei magnaccia? Immagino prendano una percentuale.»

«Più o meno. Molti di loro sono spacciatori. È così che convincono le ragazze a battere. È difficile distinguere le due realtà.»

«E questi tizi – magnaccia e spacciatori – sono gente di qui o sono…»

«Entrambi. Prima erano soprattutto prostitute locali e magnaccia locali. Ora ne arrivano sempre di più dall'Europa dell'Est, nello specifico dal meridione dell'Europa dell'Est. Romania, Bulgaria, Albania. Direi che probabilmente la maggioranza delle ragazze è straniera adesso.»

«Costrette dai trafficanti?»

«Non lo so. Cosa significa costrette? Se trovi una ragazza albanese che si fa di eroina e le dici che a Cardiff guadagna di più, probabilmente sceglie di trasferirsi qui. Nessuno le punta una pistola alla testa. È costretta o no? Dimmelo tu.»

Parlando con me, Bryony non ha mai smesso di tenere gli occhi sulla strada. Senza dire una parola, all'improvviso si alza e cammina per un centinaio di metri fino all'ansa del fiume. La vedo parlare con una terza ragazza, una che io non avevo notato. Rimane lì cinque, dieci minuti e poi torna. Mentre lei non c'è, un paio di ragazzi appena usciti dal pub mi passano davanti.

I ragazzi mi fissano. I loro sguardi forse non significano nulla, ma io ho la netta sensazione che mi stiano prezzando. Mi accorgo anche che la strada è illuminata male, peggio di quanto avessi pensato all'inizio. Tutto questo è terrificante. Faccio un cenno ai ragazzi, e loro contraccambiano il saluto. Forse non sono clienti. Non tutti lo sono.

La Williams ritorna.

«Le ragazze volevano sapere chi sei. Ho detto che sei un contatto della polizia.»

«Più o meno.»

«Già. Tra poco però devi sloggiare. Le innervosisci.»

«Io?»

«Sì, lo so, lo so. C'erano delle panchine qui, poi il comune le ha tolte perché pensavano che incoraggiassero la prostituzione. Ma che razza di analisi è? Arredamento urbano in eccesso. Già, è proprio questo il problema.»

«Janet Mancini?» le chiedo.

«Non l'ho mai conosciuta. Non ne ho mai sentito parlare... voglio dire, non finché non ho letto i giornali. Non lavorava a tempo pieno, altrimenti l'avremmo incontrata. Non per forza io, magari Gill, o qualcuna delle altre.»

«Era una specie di prostituta occasionale?»

«Sì, diciamo così. Si faceva, hai detto, no?»

«Sì, ma voleva uscirne. Aveva alti e bassi.»

«Avrebbe dovuto venire da noi.»

«Era seguita dai servizi sociali. Secondo loro era una che non si dava per vinta. E questo dettaglio complica la situazione.»

La Williams annuisce. «Abusi domestici?»

«Era single.»

«Avrà subìto qualche abuso. Lo subiscono sempre.»

Esito un attimo. Il messaggio di Jackson – «Non fare cazzate» – mi rimbomba nella testa, ma non mi sembra ci sia niente di sbagliato in quello che sto per dire.

«Bryony, abbiamo la sensazione – ma niente di più – che la Mancini fosse specializzata in sesso violento. Stava in un appartamento occupato e lurido. Magari si faceva dare qualche sculacciata, cose di questo tipo.»

«Qualche sculacciata? Parli di violenza contro le donne.»

«Lo so, lo so. La penso come te, Bryony.»

«Sì, forse. Le perversioni rendono di più, il pericolo pure. Se aveva una figlia, per qualche ragione contorta, magari credeva di proteggerla lavorando con meno clienti ma facendo più soldi.»

«Sapresti dirmi a quale tipologia di clienti piace questo genere di cose?»

Bryony ride. «Cazzo, no. A quasi tutti, direi.»

«Riconosci nessuno di questi uomini?»

Le mostro le foto di Brendan Rattigan e Brian Penry. Scommessa azzardata.

La Williams li osserva bene prima di restituirmele. «No, no. Però, sembra proprio un bel tipo…» intendendo Penry.

«Sì, lo è.»

«Non li riconosco. Ma noi lavoriamo con le donne, non con gli uomini. Perché? Chi sono quei due?»

Le dico i nomi. Brian Penry, ex agente di polizia. Brendan Rattigan, ex riccone.

Lei scuote la testa. «Mi dispiace.»

«Proprio nulla? Anche le voci sono utili in questa fase.»

«Non necessariamente… oh, merda, non mi ricordo come ti chiami.»

«Fiona. Gli amici mi chiamano Fi.»

«Fi. Fi, Fi, Fi. Sono un disastro con i nomi. Mi dispiace. Ascoltami, in questo campo si sentono voci dappertutto. Le ragazze che spariscono non hanno mai cambiato vita e basta, accade loro qualcosa di misterioso, puntualmente. C'era una donna – non ti dirò chi –, e tutti mormoravano che era stata uccisa da un paio di tuoi colleghi della squadra mobile. E che questi ne avevano buttato il corpo dentro un magazzino incendiato.»

«Eh?»

«In realtà si è trasferita a Birmingham e vive con sua sorella. Ho ricevuto un suo biglietto di auguri per Natale.»

Rido, ma senza allegria. Chissà come dev'essere fare un lavoro del genere. Costantemente a contatto con la violenza, e ossessionati dalla paura, che travolge tutto quello che fai, dici e conosci. Janet Mancini forse riusciva a convivere con tutto questo, ma desiderava di meglio per April.

Gli occhi della Williams sono di nuovo sulla strada. Più avanti, lungo il fiume, una delle ragazze parla con un tizio. Vanno via insieme, lontano da noi. Sotto la luce fioca della strada, l'unica cosa che vedo sono le sue lunghe gambe bianche che camminano vicino all'argine.

«Tra poco mi metto in moto. Devo controllare il mio gregge.»

«Certo.»

«Cos'altro vuoi sapere?»

«Domani incontrerò Stacey Edwards. Non puoi dirmi proprio niente di lei?»

«Stacey è una a posto. Ha problemi di droga, ovviamente. Ma ha collaborato con noi ed è seriamente intenzionata a smettere di battere. È stata un contatto utile, ha sparso la voce sulla nostra associazione. Il problema è vincere la dipendenza. Non è solo una questione chimica per queste donne, è un qualcosa che coinvolge tutto. Abusi durante l'infanzia, violenza domestica subita dai compagni e dagli spacciatori, "sculacciate" dai clienti. Un approccio ostile da parte della polizia, spesso e volentieri.»

«Ma per te era un'evangelizzatrice. Secondo te è andata là per aiutare la Mancini a fuggire?»

«Sì. Da quanto dici, la Mancini non era così persa. Aveva altre opportunità. E poi…» Si interrompe domandandosi se concludere o meno la frase.

«Sì?»

«Be', non so se può servire, ma la Edwards ha un problema con gli immigrati. Non credo sia particolarmente razzista – la sua migliore amica è caraibica –, è il lato economico della faccenda che non le va giù. Secondo lei, tutte queste donne che arrivano dai Balcani hanno reso il mestiere più pericoloso. La droga è di qualità peggiore, dice. C'è più eroina che arriva dalla Russia, di provenienza afgana, ma arriva pur sempre dalla Russia. E nel frattempo le donne vengono costrette a lavorare di più. La violenza è diventata più comune.»

«Da parte dei clienti?»

«No, da parte dei magnaccia e degli spacciatori. È tutto più organizzato, più rischioso. Comunque se la Mancini avesse avuto qualcosa a che fare con la combriccola degli albanesi, Stacey avrebbe fatto tutto il possibile per convincerla a starne alla larga.»

«Stiamo cercando persone che potrebbero aver conosciuto Janet Mancini. Ovviamente Stacey Edwards è una di queste. Sai di altre? Magari degli amici di Stacey?»

La Williams riflette sulla mia domanda, poi scuote la testa. «No, non posso aiutarti. Insomma, so chi bazzica Stacey, ma ho l'obbligo della segretezza.»

«Janet Mancini è morta. È per questo che te lo chiedo.»

«E Stacey Edwards è viva. È per questo che non ti rispondo.»

Va bene.

Le dico: «Ti mostro un numero di telefono. Non mi serve che tu mi dia un nome o un indirizzo, dimmi solo se riconosci il numero».

Le mostro il numero del cellulare da cui ho ricevuto i messaggi stamattina.

Lei tira fuori il cellulare e scorre la rubrica per cercarlo.

«Sì.»

«Avrei ragione a pensare che appartiene a una prostituta che potrebbe aver conosciuto Janet Mancini?»

«Non so se si conoscevano, ma ti rispondo di sì alla prima parte della domanda, e molto probabilmente alla seconda.»

«E non è Stacey Edwards?»

«Questo non puoi chiedermelo, ma no. Non è Stacey.»

È scesa la notte. Gli arbusti lungo l'argine del fiume proiettano ombre dense. La Williams con il suo giubbotto sta bene, ma io comincio a sentire il freddo. La notte e il pericolo. Non mi piace stare qui e voglio andarmene.

«Buona fortuna, Bryony. Grazie per la chiacchierata.»

«Mi dispiace non averti potuto aiutare di più.»

«Non lo sai quanto mi hai aiutato. *Io stessa* non lo so. A volte le piccole cose sono quelle più utili.»

«Lo spero.» Con i suoi occhi di lince la Williams controlla qualche scambio che avviene più su, lungo il fiume. I miei occhi non sono abbastanza allenati da notarlo. Si alza anche, pronta a buttarsi nella mischia.

«Un'ultima cosa» le dico. «Quando la Mancini è morta, siamo stati avvisati da una telefonata anonima. Non hanno chiamato la centrale di polizia di Cardiff, però. Hanno chiamato Neath. Non abbiamo capito perché proprio loro. Era una donna.»

La Williams storce la bocca. «La sorella di Stacey vive a Neath. È lì che si rifugia Stacey quando scappa. Se fosse stata sconvolta per qualche motivo… be', sarebbe andata a Neath.»

«*Grazie*. Fantastico. *Grazie*.»

«Figurati.»

La Williams allunga una mano verso di me e io gliela stringo. Ci stiamo simpatiche.

«Prendi lo stronzo che le ha ammazzate» mi dice.

«Senz'altro. E tu salva le tue ragazze da tutto questo.» Agito la mano verso la riva del fiume e l'oscurità.

«Donne, Fiona. Sono donne.» Mi sorride mentre lo dice, e io osservo i suoi denti bianchi e la sua sigaretta scomparire nella notte. Santa, eroina, angelo, matta.

Torno alla macchina e inserisco la sicura. Di solito non la metto mai quando sono dentro, ma adesso sì. Non mi è piaciuta la riva del fiume, e il suo fetore mi è rimasto addosso. Sa di violenza.

Il piano – così efficacemente stabilito alla scrivania di Jane – prevedeva di andare a parlare con un altro paio di volontarie della StreetSafe, ma adesso non sono più sicura di farcela. Ho voglia di chiamare i miei, e di parlare con papà più che con la mamma, ma ora lui è al lavoro e chiamarlo lì è sempre un incubo. Grida di continuo e non mi presta mai attenzione.

Forse preferisco chiamare Brydon. Non abbiamo ancora programmato un altro aperitivo, ma questo non mi preoccupa. L'operazione Lohan consuma un sacco di energie all'interno del dipartimento, e Brydon ne risente quanto me. Non ce la faccio a chiamarlo, però. Lui è una creatura solare, e io adesso mi trovo in una zona d'ombra. Da quando questo caso mi ha preso. Non saprei cosa dirgli.

Muovo il cellulare in su e in giù, sono in cerca di qualcosa, ma non ho capito bene cosa.

Poi scrivo un messaggio. CIAO, LEV. SEI IN GIRO? SOLO PER CU-RIOSITÀ. FI.

Premo invio. Da dove ho parcheggiato riesco a vedere la casa su Blaenclydach Place, dove ero seduta insieme a Bryony, ma quello che si nasconde dietro mi è precluso. Accendo il motore e mentre faccio manovra ricevo un messaggio di risposta.

POSSO ESSERCI SE HAI BISOGNO. PERCHÉ? SEI NEI GUAI?

Non so cosa rispondere. Sì, mio caro amico Lev. Sono nei casini e ho paura di stare per commettere qualcosa di terribile. E invece sdrammatizzo.

NO, NON CREDO. ERA TANTO PER SAPERE. FI.

Mi sento meglio sapendo che c'è in giro Lev, nel caso servisse. L'idea mi entusiasma a tal punto che chiamo altre due volontarie della StreetSafe. Le informazioni che mi danno completano il quadro di Bryony, ma fondamentalmente non apportano nessuna modifica. La notizia su Neath è formidabile. Anche Jackson mi vorrà bene se scopro chi ha fatto la telefonata anonima.

Alle dieci e quarantacinque ho finito gli interrogatori. Sfreccio verso casa. Per fortuna in macchina ho il navigatore satellitare, che mi avverte della presenza degli autovelox. Non c'è granché da mangiare in frigo. Mi sono dimenticata di mangiare e di fare la spesa. Riempio una tazza di frutta e muesli e aggiungo una barretta energetica a pezzi. È un pasto, no? Lo divoro. Poi, mentre rimetto in ordine – la mia versione di rimettere in ordine, voglio dire – trovo una confezione di salame stantio e mangio anche quello, assieme a qualcosa che assomiglia a un pomodoro. Un banchetto.

Batto al computer i miei appunti a ritmo forsennato. A mezzanotte e un quarto ho finito e spengo tutto. I sei volti di April mi guardano sorridenti.

«Ci siamo vicini, tesoro.»

April non mostra alcun segno di interesse. Io sono sveglia dalle cinque e sono sfinita.

16

Il giorno dopo, che dire? Mi sveglio di nuovo esageratamente presto. È sempre il tipico risveglio che cancella ogni speranza di riaddormentarsi. Uno strano formicolio mi scuote, ma è reso più sopportabile dal pensiero che Lev è a disposizione se serve. Vado a fumare in giardino, tanto ormai ho già infranto da un pezzo il limite settimanale che mi sono imposta. Poi faccio colazione e corro in ufficio. Un'altra riunione. È sabato, ma non si direbbe. L'operazione Lohan è la bestia che divora i fine settimana e stritola gli straordinari. Siamo tutti stanchi. Stiamo tutti lavorando sodo.

Quando arrivo a Cathays Park, Ted Floyd, sergente in uniforme e caro amico di Jim Davis, è fuori e sta fumando una sigaretta al volo. Floyd è stato uno dei primi colleghi che ho affiancato durante la formazione in polizia, ma adesso mi ignora, e secondo me lo fa di proposito. Fantastico.

E poi questo.

Jane Alexander e io arriviamo nell'appartamento di Stacey Edwards un attimo prima delle undici e mezza. Stacey abita in una brutta zona di Llanrumney. Casermoni sulla sinistra e case sulla destra. Il tipo di case che hanno i calcinacci in giardino, calcinacci rimasti lì da talmente tanto tempo che ci sono cresciute le erbacce. E frigoriferi rotti e materassi fatiscenti. Gli appartamenti dei casermoni sono anche peggio.

Mi sono vestita casual di proposito, Jane Alexander invece indossa un tailleur di lino verde chiaro, una maglia color crema con lo scollo rotondo e le scarpe abbinate al vestito. Nessuno qui ha un look come il suo, neanche quelli dei servizi sociali.

Stacey Edwards vive in un appartamento al piano terra in uno dei casermoni. Il campanello non funziona. Provo un paio di volte, è un appartamento abbastanza piccolo e schifoso, e se il campanello suonasse lo sentiremmo.

Qualcuno scende rumorosamente le scale e ci fa entrare nell'ingresso. La porta di Stacey Edwards è un inconsistente pannello di compensato lucido. Busso. Poi bussa Jane.

Ancora nulla.

Sono riuscita a convincere Gill Parker della StreetSafe a darmi il numero di cellulare di Stacey. La chiamo. Il telefono squilla dentro casa, ma non risponde nessuno. Jane e io ci guardiamo. Davanti al casermone c'è un parcheggio con sei posti auto. Solo due sono occupati. C'è una Skoda argento e una Fiat blu scuro.

Chiamo Bryony Williams e le chiedo se sa se Stacey ha una macchina, e se sì quale. Le sembra che abbia una Fiat blu scuro, dice. La ringrazio, riattacco e lo riferisco a Jane.

«Magari ha fatto un salto da un'amica» commenta lei.

Magari. Questo posto non mi sembra la zona adatta per fare un salto da nessuno. Dubito che Stacey Edwards abbia lo stesso tipo di vita sociale di Jane Alexander. Più in giù lungo la strada, un sentiero che porta verso la campagna è circondato da inferriate a punta ricoperte di filo spinato. È un posto del genere, questo.

«Aspettiamo mezz'ora e poi riproviamo?» propongo esitante.

Jane annuisce e torniamo alla macchina, quella di Jane, non la mia. Fosse per me, la sposterei un po', per non dare la sensazione di essere qui a controllare la casa, ma sto cercando con tutta me stessa di non essere prevaricante. Al momento cerco di essere il tipo di agente che l'ispettore capo Jackson vuole che io sia.

La mezz'ora passa per lo più in silenzio. Jane ha un paio di capelli sulla spalla della giacca, e io glieli tolgo, distrattamente, e poi liscio il tessuto. Lei si gira verso di me e sorride. Mi domando come sarebbe baciarla. Piuttosto piacevole probabilmente. Quando ero a Cambridge, mentre cercavo di riprendermi, non ero sicura di essere etero e ho avuto una breve fase lesbica. Sperimentazioni. Mi piaceva baciare le donne, tutto qua. Il sesso saffico non ha mai funzionato con me. Non mi manca.

Non condivido questi pensieri con Jane. Non sono sicura che sarebbe un incentivo per la nostra amicizia.

Dopo ventisei minuti, siamo tutte e due nervose. Io provo a richiamare Stacey sul cellulare, ma non ottengo risposta. Davanti all'appartamento non è successo niente, e quando bussiamo di nuovo alla porta nessuno ci apre.

È il momento di prendere una decisione.

Ispezioniamo l'appartamento da fuori, sbirciando dentro dove possibile, ma le finestre luride sono oscurate da pesanti tende di tulle e non riusciamo a vedere granché. Dal retro invece abbiamo una vista nitida su una piccola cucina – più pulita di quella di Penry, ma su quel genere – e nient'altro. Una finestrella con il vetro smerigliato – presumibilmente il bagno – è accostata, forse per arieggiare la stanza. La finestra è ad altezza d'uomo e, aperta al massimo, lascia un varco di circa quindici centimetri.

È uno spazio troppo stretto perché un adulto normale riesca a passarci, ma Jane ha la mia stessa idea. Guarda me e poi la finestra come per valutare la situazione.

Entrare in una casa senza permesso e senza un mandato è un affare serio. Ovviamente esistono delle regole, ma questo non significa che non siano una seccatura. Ci rendono la vita più difficile, ed è esattamente questo il loro scopo. In ogni caso non si può entrare in una proprietà privata senza un mandato di arresto o un ragionevole motivo come la necessità di salvare una vita o di impedire gravi danni a persone o cose.

«Chiamo una delle volontarie di StreetSafe» dico.

Telefono a Bryony Williams e cerco di farle ammettere che è preoccupata per Stacey Edwards. Bryony è preoccupata, ma non lo dice con chiarezza.

«Bryony, ho bisogno che tu mi dica che temi per l'incolumità di Stacey Edwards, e che vuoi che entriamo in casa sua. Ho bisogno che tu lo dica esplicitamente.»

Lei ci pensa un attimo e poi lo fa. Tengo il telefono fra Jane e me, in modo che ascoltiamo entrambe. Poi ringrazio Bryony e riattacco.

Jane annuisce. «Sento prima il parere di Jackson.» E lo chiama. Lui è d'accordo e domanda persino se vogliamo rinforzi. Jane inarca le sopracciglia e mi guarda. Rinforzi significa che se abbiamo bisogno di un paio di corpulenti poliziotti per sfondare la porta, li possiamo avere.

«Me la caverò» dico.

Jane riattacca.

«Credo» aggiungo.

Sul retro c'è un orribile tavolo da picnic tutto sgangherato, uno di quegli oggetti multiuso con tanto di panche incorporate. Lo trasciniamo sotto la finestra. Jane si guarda le mani, domandandosi dove lavarsele. Non è lei che sta per infilarsi dalla finestra del bagno.

Mi arrampico sul tavolo, che traballa un po' ma non troppo. La mia versione «casual» sfoggia un'ampia gonna di cotone grigio, scarpe basse e maglia a maniche lunghe. Non riesco a capire in che modo io e la mia gonna riusciremo a varcare contemporaneamente la finestra, perciò me la tolgo. Jane la prende e mi ripete che possiamo chiamare rinforzi. Troppo tardi, in realtà. Quando una ragazza è mezza nuda su un tavolo da picnic traballante sotto la finestra di un bagno, non ha più molta dignità da perdere.

Apro la finestra fin dove arriva e ci infilo dentro la testa e le spalle. Vedo un water, un piccolo lavandino con sopra uno specchio e un po' di confusione. Immagino ci sia una tecnica precisa per fare queste cose, ma non so quale. Agito le gambe e spingo con le braccia, e in breve mi ritrovo in equilibrio sulla pancia sopra il telaio della finestra. Riesco a vedere la mia faccia rossa nello specchio e la sagoma di Jane attraverso il vetro smerigliato che ho alle spalle.

Continuo. Passando dalla finestra sfrego le cosce e mi faccio male. All'improvviso ho paura di perdere la presa sul davanzale interno e di schiantarmi per terra. E invece no. Non so bene come, ma scivolo giù senza combinare guai. Sono dentro. Ho la parte anteriore delle cosce rossa, graffiata e irritata. Jane mi passa la gonna dalla finestra e io la indosso. Ho polvere e macchie nere di muffa su tutta la maglia e anche i capelli pieni di schifezze. Jane non vorrebbe certo baciarmi adesso.

Mi lavo le mani e apro la porta del bagno, poi sblocco la porta di servizio per far entrare anche Jane.

Proviamo prima in salotto. Niente. O meglio, qualche ago, un po' di carta di alluminio, candele e fiammiferi. E mezzo limone rinsecchito. Una parte della carta di alluminio è annerita dal fumo della candela. Jane e io ci scambiamo un'occhiata, ma non siamo qui a caccia di droga.

Poi la camera. Pareti bianche e tende rosse volgari, un grosso piumone viola, uno specchio. E Stacey Edwards. Ha le mani legate dietro la schiena con dei cavi, sulla bocca del nastro adesivo. Niente battito, niente respiro. La pelle è a temperatura ambiente. L'unica espressione nei suoi occhi è una totale assenza di espressione. Nessuna paura né rabbia, angoscia o amore. Nessuna speranza.

Jane va all'ingresso e telefona. Vogliamo rinforzi adesso. Vogliamo tutti i rinforzi possibili.

Mentre Jane è al telefono, io mi siedo sul letto e appoggio la mano sulla pancia di Stacey. È completamente vestita e gli abiti non sono in disordine. Non so cosa voglia dire, ma forse che – prima di essere uccisa – non è stata violentata.

Mi frullano cento pensieri per la testa, ma uno prende il sopravvento. Jane Alexander e Jim Davis sarebbero andati a interrogare Stacey Edwards subito dopo la riunione di ieri pomeriggio. Non avrebbero aspettato di stilare uno dei miei fantastici schemi. Jim Davis avrebbe fatto un interrogatorio di merda. Dubito che Stacey avrebbe detto qualcosa a nessuno dei due ma dei poliziotti le avrebbero fatto visita prima della sua morte. Le avrebbero dato un'opportunità, un avvertimento, una via di fuga. Molto probabilmente non l'avrebbe presa in considerazione, perché le prostitute tossicodipendenti con autostima pari a zero di solito non lo fanno. Ma la via di fuga sarebbe stata comunque lì, a portata di mano. Noi non abbiamo nient'altro da offrire.

Ma io sono stata davvero furba. Ho tagliato fuori Davis e ho preso il suo posto. Ho convinto Jane a prepararci prima dell'interrogatorio. Siamo arrivate, oh che colpo di genio, proprio al momento giusto, in tempo per trovare Stacey Edwards che faceva colazione. E invece l'abbiamo trovata morta. Nessuna via di fuga. Solo nastro adesivo, cavi e – ci scommetterei la macchina – una dose massiccia di eroina e un assassino che le ha tappato il naso. Una minuscola pressione tra l'indice e il pollice. Un minuto, due, cinque al massimo. Poi lui, a lavoro concluso, ha proseguito per la sua strada, mentre la piccola anima frustrata di Stacey Edwards volava fuori dalla finestra, lontano dal suo assassino.

17

Sono le sette e trenta di sera e la riunione è conclusa. L'operazione Lohan adesso è partita in quarta. Quando Janet Mancini è morta, quasi tutti i poliziotti sostenevano – giustamente – che queste cose succedono se mescoli droga e prostituzione. Non intendevano dire che devono succedere o che non è un problema se succedono, ma che succedono e basta. È vero, l'omicidio di April ha peggiorato tutta la faccenda, ma sembrava una sorta di danno collaterale. Non drogarti, non prostituirti. Succedono brutte cose se infrangi queste regole. Se a tua figlia capita di venire uccisa, be', consideralo un promemoria su quanto sia importante seguire la retta via.

Ma la morte di Stacey Edwards non è stata una coincidenza. L'ipotesi di Jackson – che io e tutti gli altri condividiamo – è che il modo in cui è morta intende lanciare un segnale. Ovvero che la morte della Mancini è un omicidio, non un'overdose accidentale, che non è un caso isolato e che adesso potrebbero esserci altre donne minacciate. L'assassinio di Stacey Edwards è presumibilmente un avvertimento. Tieni la bocca chiusa, altrimenti...

Non appena i poliziotti si allontanano, Jackson punta un dito verso di me e poi verso il suo ufficio. Ha il viso emaciato e inespressivo. Non riesco a decifrarlo, ma presumo mi darà un'altra strigliata, visto che sembra averci preso gusto.

«Siediti» mi dice. «Io voglio un tè. Tu?»

Il distributore fa tè e caffè. Le mie tisane devo prepararle in uno dei cucinotti. Non posso chiedere a un ispettore capo di prepararmi una tisana, per cui dico semplicemente: «No, cerco di evitare la caffeina».

«Niente sigarette. Niente alcolici. Niente *caffeina*?»

Scrollo le spalle a mo' di scusa, senza particolare convinzione.

«Sei vegetariana?»

«No, no, la carne la mangio.»

«È già qualcosa.» Jackson aggrotta le sopracciglia irsute e mi lancia un'occhiata che la direbbe lunga se sapessi come interpretarla. Ma non lo so. «Vuoi una tisana o qualcos'altro?»

Mentre cerco la risposta giusta, immagino che il mio viso parli al posto mio: sono indecisa. Jackson risolve il problema aprendo la porta e urlando a qualcuno di portare un tè per lui «e qualcosa che sappia di fieno umido per l'agente Griffiths». Poi la richiude.

«È la prima volta che trovi un cadavere?»

«Sì»

«È piuttosto spiacevole, no? Io ne ho trovati quattro nella mia carriera. Non è per nulla divertente.»

«Ero insieme al sergente Alexander. Sarebbe stato peggio se non ci fosse stata lei.»

«Avete fatto la cosa giusta. Non avrei dovuto assegnare Jim Davis a quell'interrogatorio. Avete fatto bene a prepararvi. Mi sa che dobbiamo dare per scontato che è stata Stacey Edwards a fare la telefonata anonima.»

«L'avremmo trovata viva se fossimo andate subito là.»

«Forse. Non puoi dirlo con sicurezza. Magari non la trovavate.

Non sai dove sia stata ieri sera. E non avevamo motivi per pensare che fosse in pericolo. Anche se foste andate da lei ieri, magari l'avrebbero uccisa lo stesso stamattina.»

«Lo so.»

«Hai bisogno di parlare con uno psicologo?»

«No, credo di no.»

«Se vuoi è disponibile. Basta che tu lo dica.»

Arrivano il tè e la tisana. La mia è una camomilla senza più bustina, perciò probabilmente sarà stata in infusione dieci secondi invece che cinque minuti. Sa di acqua calda leggermente aromatizzata al fieno, per cui gli ordini di Jackson sono stati eseguiti alla lettera.

«Forza, allora» dice lui trangugiando un po' di tè. «Spara. So che ti passano per la testa un sacco di teorie e muoio dalla voglia di conoscerle.»

«Teorie no. Niente di così avanzato.»

«Okay. Be', la mia teoria – e quella di tutti gli altri – oggi è andata in pezzi. Secondo questa teoria un cliente ha ucciso Janet Mancini – omicidio volontario o colposo, chissà? – e poi ha ucciso la figlia per tapparle la bocca. Nessuna premeditazione o pianificazione. Nessun senso. Nessun seguito. Direi che questa teoria è crollata, cazzo!»

«Io una teoria non ce l'ho. Davvero.»

«Ma…?»

«Ma ecco come la vedo io. Uno, la Visa di Brendan Rattigan era in quella casa. È un posto parecchio strano per la carta di credito di un uomo ricco. Due, sua moglie praticamente mi ha detto che gli piaceva il sesso selvaggio. Lei ovviamente non condivideva i suoi stessi gusti, non approvava la situazione, ma lui continuava a farlo.»

«Questa è una speculazione.»

«È tutta speculazione, a dire il vero. Nessuna di queste cose è una prova valida da esibire in tribunale.»

«Okay, andiamo avanti. Diciamo che Rattigan conosceva la Mancini e andava a trovarla. In un modo o nell'altro lei si è procurata quella carta di credito.»

«Esatto. Numero tre, Brian Penry. Speculazione azzardata, non se lo dimentichi.»

«Continua.»

«Okay, la cosa che mi faceva scoppiare la testa in quel caso era che Penry sembrava aver rubato più soldi di quanti la scuola fosse a conoscenza. Non riuscivo a capire come avesse fatto a comprare tutta quella roba.»

«Non c'entra poi molto.»

«Sì, lo so. Abbiamo prove sufficienti a incarcerarlo per peculato. È più che altro per curiosità che ho continuato a indagare. E perché avevo la sensazione di aver sbagliato i conti.»

«Ma non avevi sbagliato.»

«No. O meglio, li avevo sbagliati perché non sapevo che Penry possedesse quote di più cavalli. Aveva preso accorgimenti molto semplici per camuffare il suo nome. Tutti i suoi cavalli sembrano essere in comproprietà con Brendan Rattigan o i suoi amici. Deduzione logica: Rattigan pagava un ex poliziotto corrotto per qualche motivo a noi sconosciuto. Doveva essere una cosa piuttosto grossa, visto che i pagamenti erano grossi.»

«Perché non hai fatto rapporto?»

«Ehm, per varie ragioni. Uno, ho il quadro completo da poco. Due: in realtà l'ho fatto. È nella mia ultima relazione e sarà nel prossimo rapporto che presenterò all'ispettore capo Matthews. Tre, è difficile investigare su un crimine quando non sai neanche che è stato commesso, e quando abbiamo già abbastanza prove per sbattere dentro Penry per peculato. Credevo che se avessi tirato fuori questa cosa, lei e l'ispettore capo Matthews mi avreste detto di lasciar perdere.»

«Forse. E poi non *sai* se era Rattigan a fare i pagamenti. Potrebbe essere stato chiunque altro.»

«Sì, è vero. Se non fosse per la strana coincidenza della comproprietà dei cavalli. E per i soldi. Non ho ancora avuto il tempo di scoprire il valore degli altri cavalli, ma la quota di Penry doveva valere decine di migliaia di sterline, come minimo. Devi essere ricco per buttare via così tanti soldi.»

«Ma Rattigan è morto, e questo direi che lo cancella dall'elenco dei sospetti.»

«Presunto morto. Ho parlato con il dipartimento per gli incidenti aerei e ho chiesto se avessero notato qualcosa di strano nella dinamica dell'incidente.»

«Ti sei data da fare, eh?»

«E la risposta è stata no, non proprio, ma forse sì.»

Jackson riflette un attimo e poi dice: «No. La gente non svanisce nel nulla in questo modo. Soprattutto se hai un patrimonio di circa cento milioni di sterline. Hai altro da aggiungere?».

I messaggi del chiosco di *fish and chips* non contano. L'espressione sul viso di Penry non conta di certo. Il fatto che la sua Yaris abbia un po' di ruggine sul parafango o che non ci sia nessuno spartito sul pianoforte neanche.

«No. No, non credo.»

Due altre cose a dire il vero ce le avrei, ma talmente piccole che non sono importanti. Uno: l'ultimo acquisto esagerato di Penry – la serra – risale a tre mesi e mezzo dopo la denuncia della morte di Rattigan. Il che significa molto tempo dopo l'ultimo prelievo illecito dai fondi della scuola. Due: anche se Rattigan era ricco, i suoi affari stavano attraversando un brutto periodo. Nel 2006 aveva ottenuto il suo piazzamento più alto nell'elenco degli uomini più ricchi del Regno Unito, quando il suo patrimonio aveva raggiunto un valore di circa novantuno milioni di sterline. Ma le sue attività erano l'acciaio e le spedizioni, tra le industrie più colpite dalla recessione. Al momento della morte, nel dicembre 2009, entrambi i settori erano in perdita e lui stava cercando di riscadenzare parte del debito relativo alla sua acciaieria. Visto l'andamento dei mercati era stato come chiedere ai creditori di picchiarlo prima e derubarlo poi. Una volta passato l'uragano, il *Financial Times* aveva stimato quel che restava del suo capitale fra i ventidue e i ventisette milioni di sterline. Non so cosa ne pensereste voi, se foste dei tipi alla Rattigan. Sareste tristi per la perdita di sessantacinque milioni di sterline? O felici perché ve ne sono rimasti venticinque e siete ancora in ballo? Niente di tutto ciò vi avrebbe fatto venire voglia di simulare un incidente aereo? E in che modo questo si collega all'uccisione di Janet Mancini, di sua figlia e di Stacey Edwards? Non lo so.

Poi mi viene in mente un'altra speculazione e la condivido.

«Le volontarie di StreetSafe sostengono che Stacey Edwards nutrisse una particolare avversione per gli uomini dei Balcani, che da qualche tempo hanno preso il controllo del racket della prostituzione in città. E la sua morte sembra nello stile della malavita organizzata. Inoltre, la società di spedizioni di Rattigan aveva a che fare soprattutto con la zona balcanica, qualunque cosa questo significhi. Dalla Russia al Regno Unito in entrambi i casi. Magari esiste un collegamento fra queste due cose. Chissà? Se uno vuole contrabbandare droga, avere una compagnia di navigazione sarebbe un modo ingegnoso per farlo.»

«Sembra piuttosto complicato, non trovi?» Jackson ride di me, ma la sua è una risata cordiale. «Darsi tanto da fare per diventare milionario per poi contrabbandare droga?»

«Lo so. Niente di tutto questo ha senso.»

«Okay, grazie. È tutto utile. Molto speculativo, ma mi avevi avvisato. Potremmo sempre ottenere qualche altra informazione su Stacey Edwards dalla Scientifica. Nel frattempo dobbiamo parlare con tutte le prostitute che riusciamo a trovare. Ti trovi bene con la Alexander?»

«Sì, signore.»

«Okay. Allora continuerete a lavorare in coppia. Cercherò di coinvolgere qualche altra agente. Per quanto riguarda Brian Penry, cosa pensi che dovremmo fare? Potremmo trascinarlo qui e metterlo sotto torchio.»

«Non servirebbe a niente. Ci ha mandato tutti a quel paese l'ultima volta. E non possiamo collegarlo a questa indagine in un modo che sia sensato.»

«No.»

È un no grande, rotondo, da ufficiale superiore gallese. È un no che pone fine alla nostra conversazione e che significa vai a casa a riposarti un po'. Un no che non si preoccupa di capire perché mai una certa agente Griffiths si sveglia tutte le mattine alle cinque con uno strano formicolio che le attraversa il corpo, quasi fosse una premonizione di omicidio.

Jackson controlla la tazza per la terza volta e scopre che è sempre vuota. La sbatte sul tavolo.

«Dimentichiamoci di Rattigan. È morto. Lui non c'entra. Dimentichiamoci di Penry. Non abbiamo nulla per collegarlo a questo caso e ci darà comunque del filo da torcere, il bastardo. Come sostieni tu, l'omicidio della Edwards sembra nello stile della malavita. Da qualche parte là fuori, c'è qualcuno – probabilmente delle prostitute – che sa cosa sta succedendo. Troviamole. E facciamo lavorare sodo la Scientifica. Troviamo il nostro assassino. Okay?»

«Sì, signore.»

«Sì come a dire "Ho sentito quello che ha detto e ho intenzione di ignorarlo" o come "Sì, signore"? Sai, alla vecchia maniera.»

Sorrido. La mia tazza è ancora piena. Non mi piace questa brodaglia che sa di fieno. «Direi più un sì alla vecchia maniera, okay?»

«Bene. Bene. Che giorno è domani? Cavolo, già domenica? Ti sei presa un po' di tempo libero questa settimana?»

«No.»

«Okay. Domani sei libera. Vai a casa, fai qualunque cosa fai di solito per rilassarti, dormi fino a tardi. Se te la senti di tornare lunedì, allora ben venga. Ma abbi cura di te. Devi trovare il ritmo giusto. In casi grossi come questo, ci si deve prendere cura di se stessi.»

«Sì, signore.»

Mi alzo e gli auguro la buonanotte. Perché è così che funziona la vita. Si può solo andare avanti.

18

Prendo le mie cose, mi dirigo al piano di sotto, apro la macchina con il telecomando e salgo. Sto lì seduta, con lo sportello aperto e la mente e il corpo vuoti. Fai qualunque cosa fai di solito per rilassarti. Cosa faccio per rilassarmi? Fumo sostanze illegali nel mio giardino è una risposta ovvia, ma non vale perché è un'attività solitaria e lascia alla mia mente troppo spazio per combinare guai. Ho bisogno del contatto con gli altri.

Non è caldo come nei giorni scorsi. Nel pomeriggio ci sono state leggere folate di vento da occidente e improvvisi scrosci di pioggia. Grosse gocce che colpivano la strada come se fossero grandine. Le nubi sono svanite adesso e il parcheggio si è asciugato, ma nell'aria si percepisce il cambiamento. La sera sembra più pungente e luminosa delle ultime che abbiamo avuto.

Non posso fare a meno di ricordare la notte passata lungo il Taff a osservare le prostitute che scomparivano nell'oscurità. Non riesco a immaginare di vivere quella vita. Non riesco a immaginare di morire quella morte.

La gente va e viene. Alcuni – quelli che mi conoscono e a cui non sto antipatica – fanno un cenno di saluto con la mano, e io contraccambio.

Non voglio andare a casa. Non voglio fare un salto dai miei. Non voglio passare una serata fuori con un collega. Ho alcuni parenti – zie e cugini – che vivono in una fattoria fuori città. Il vero Galles. Il vecchio Galles. Quello che si affaccia su questa folle e affollata striscia di terra costiera senza capirla. Questo sì che mi piacerebbe. Svegliarmi per un giorno o due all'ora della mungitura. Camminare sulle colline con le poiane che volteggiano in aria e i pivieri che camminano impettiti fra i mirtilli. Riparare le staccionate e dare da mangiare ai polli.

Un'altra volta, forse. Non avrei tempo per rilassarmi lì. Allora chiudo lo portiera e ingrano la prima. Esco dalla città, ma mi spingo solo fino a Penarth. A St. Vincent Road.

La città dei pendolari. Case vittoriane, giardini ordinati, arbusti marittimi che non mi piacciono per niente: viburno, evonimo e – quella che mi piace meno – escallonia. Per loro sembra una questione di sopravvivenza, non di bellezza. Preferirei avere qualcosa che vive poco e muore nel pieno della bellezza. Un gelsomino profumato che si accascia per le raffiche della prima tempesta di dicembre. Almeno ci avrà provato, non avrà tenuto duro e basta.

Parcheggio e faccio una telefonata.

«Pronto?»

«Ehi, Ed. Sono io, Fi.»

«Ciao, Fi. Che piacere sentirti. Come stai?» Ha un tono di voce entusiasta, pieno di energia.

«Be', non c'è male. Cosa fai?»

«In questo preciso istante, stasera o nella mia vita in generale?»

«Le prime due.»

«Mi verso del whisky e mi preparo a vedere una replica dell'*Ispettore Morse* in tv.»

«Quale episodio? Lo hai già visto?»

Mi dice quale episodio e che no, non l'ha ancora visto. Rivelo il nome dell'assassino, l'indizio cruciale e il modo in cui Colin Dexter gestisce lo sviamento delle indagini. In sottofondo sento la tv che viene spenta con rabbia.

«Grazie, Fi. Be', per merito tuo adesso ho la serata libera.» Non sembra felicissimo di questo.

«Bene. Speravo di poter passare da te. Ma non avevo voglia di guardare *L'ispettore Morse*.»

«Ma dove sei?»

«A sbirciare dentro casa tua dalla finestra sul davanti. È nuovo il divano?»

Lui si gira di scatto, mi vede e fa un'espressione strana ma accogliente. Va bene. Butta il telefono sul divano probabilmente nuovo e va al portone ad aprirmi. Ci baciamo, guancia contro guancia, ma in modo affettuoso.

«Non è una delle puntate migliori, comunque. La parte centrale è moscia.»

Mi strofina la schiena, nel modo in cui farebbe qualcuno con cui sei stato a letto. «Entra. Hai l'aria stanca. Qualcosa da bere?»

«Sono sfinita, ma non riesco a dormire. Ho un grosso caso per le mani, grosso e insolito.»

«È una richiesta disperata di un po' di whisky?» Con le mani indugia su una collezione di bottiglie e bicchieri.

Io esito. Prima evitavo del tutto gli alcolici. La mia mente era talmente fragile che non assumevo niente che potesse danneggiarla. Negli ultimi tempi, però, sono stata un tantino più audace, solo un tantino a dire il vero. In questo istante però la mia mente non è molto stabile.

«Mmm. Troppo alcolico. Vorrei qualcosa che sa di alcol ma non lo è.»

«Gin e acqua tonica, con tanta acqua e appena un goccio di gin?»

«E ghiaccio e limone. Mi sembra perfetto.»

Bravo Ed. Mi prepara un drink perfetto. Sa di dovermi chiedere se ho mangiato, non si sorprende che io non lo abbia fatto, tira fuori dei tortellini con ricotta e spinaci e me li serve caldi con un filo di olio d'oliva, e una ciotola di insalata verde.

«Fatti in casa» dice Ed indicando i tortellini. «Mi sono messo a giocare con la mia nuova macchina per la pasta.»

«Dio, adoro la borghesia inglese» commento a bocca piena. «Chi altro ha dei tortellini fatti in casa per i randagi che si presentano alla porta?»

«Gli italiani?»

«Dettagli. Le loro case sono piene di nonne e di bambini urlanti. Preferisco mille volte la borghesia inglese divorziata.»

Ed è passato dal whisky al vino rosso, forse per rispettare certe regole dell'etichetta inglese che lui conosce e io no.

Abbiamo uno strano rapporto, io e lui. Ci siamo conosciuti quando io ero un'adolescente svitata e imbottita di medicine, affidata alle cure di strizzacervelli convinti che il loro lavoro fosse farmi ingurgitare sempre più pillole non appena mostravo il minimo segnale di pensieri, movimenti, emozioni oppure obiezioni autonome. Soprattutto obiezioni. Ed – il signor Ed Saunders – era uno psicologo clinico convinto che forse i ragionamenti autonomi erano un segnale positivo in una paziente, anche se quei ragionamenti tendevano a suggerire che i professionisti della salute mentale, e gli psichiatri in particolare, avrebbero dovuto essere trascinati a forza in mezzo al mare su una grande barca, possibilmente circondata dagli squali. E, ovviamente, lasciata colare a picco.

Quanto a Ed, be', lui trascorreva del tempo insieme a me. Non so quante settimane o ore, perché il tempo all'epoca mi sembrava qualcosa di molto vago. Ma, a differenza degli altri, lui mi trattava come un essere umano. E alla fine sono tornata a esserlo anch'io. Non è stato solo il suo aiuto a farmi riprendere e non è stato soprattutto grazie a lui. Lo devo più alla mia famiglia e alla mia tenace caparbietà. Ma di tutto il personale psichiatrico, Ed era l'unico che avrei aerotrasportato in sicurezza lontano da quella barca. Lui era fiducioso, si fidava di me. È stata una cosa preziosa per me allora, e lo è tuttora.

Dopo che sono guarita ci siamo persi di vista. Io sono andata a Cambridge, e lui ha continuato a essere la pepita di oro massiccio nel mucchio di spazzatura che è il dipartimento di salute mentale del servizio sanitario del Galles del Sud. È un ragazzo che viene da una contea vicino Londra – padre avvocato e fratello un po' noioso che fa un lavoro redditizio nella City –, lui però è finito nel Galles del Sud e ci è rimasto. Ci siamo visti di nuovo perché ha fatto un dottorato di ricerca a Cambridge, per un paio di semestri. Ci siamo incontrati per caso, in strada, e una cosa ha tirato l'altra. Il suo matrimonio era praticamente agli sgoccioli, ma si stava ancora trascinando. Abbiamo cominciato con l'essere amici, poi – visto che funzionava bene – abbiamo pensato di andare a letto insieme. E lo abbiamo fatto, a intermittenza, per qualche mese. È stato bello. E lui era un bravo amante: non sapevo che nell'Hertfordshire crescessero uomini passionali. Ma non eravamo assolutamente fatti per essere amanti. Il sesso era stato solo una parentesi della nostra amicizia, perciò ci siamo dati una calmata e siamo tornati al punto in cui eravamo prima e in cui siamo praticamente rimasti da allora. Ci vediamo meno di quanto dovremmo, perché lui è impegnato e io sono impegnata, ma anche perché lui si sente un po' a disagio per aver avuto una storia di sesso con una sua ex paziente.

Mangio tutto come una brava bambina. Si vede che stavo morendo di fame – quando è stata l'ultima volta che ho mangiato un pasto caldo? – perché gli faccio fuori tutta la scorta di tortellini, intacco in modo consistente le sue riserve di insalata e provoco un notevole danno alla torta di mele che ho trovato in frigo. Ed si è fatto l'idea che io sia una che mangia di continuo. E questo dimostra che è un pessimo scienziato. Se sperimentasse cosa significa non avere cibo in casa tranne un po' di salame stantio e dei pomodori ammuffiti, avrebbe una visione più equilibrata delle mie abitudini alimentari.

Ed sistema qualche formaggio su un piatto – Cheddar, un caprino gallese, uno francese a pasta morbida – e torniamo in salotto. Ha avuto due figli dalla ex moglie, un bambino di dieci anni e una bambina di otto. Ha foto di tutti e due a varie età sparse per la casa, e io ne sono affascinata. Ce ne sono alcune di Maya – la bambina – più o meno alla stessa età di April al momento della morte. Quelle in particolare catturano la mia attenzione. C'è una differenza vitale tra queste foto di Maya e quelle che ho io di April. C'è una fondamentale discrepanza che mi assilla e, a quanto pare, mi sfugge anche.

«Che succede?»

«Niente. Sto solo cercando di risolvere una cosa, tutto qui. Come stanno i bambini?»

Ed comincia a raccontare. Stanno bene. Sono bravi a scuola. Hanno problemi con il compagno della madre, un costruttore di Barry. Bla, bla, bla.

Pilucchiamo i formaggi, chiacchieriamo un po', ci coccoliamo sul divano e finiamo per guardare l'ultima mezz'ora dell'*Ispettore Morse*. Gli racconto tutti i momenti cruciali della trama prima che saltino fuori e lui mi arruffa i capelli o, se sono particolarmente antipatica, mi tira le orecchie finché non dico: «Ahi!». Quando finisce il telefilm, guardiamo le inchieste di *Newsnight*.

Terrorismo. Tagli. Un dibattito sulla riforma dell'istruzione. Discutiamo se Jeremy Paxman, il conduttore, si sia fatto sbiancare i denti.

Quando *Newsnight* diventa troppo noioso anche per noi, mi giro e mi stendo sul petto di Ed.

«Se io ti chiedessi di riprovarci, tu che faresti?» domando.

Mi bacia delicatamente sulla fronte.

«Probabilmente ti direi di sì.»

Mi siedo a cavalcioni su di lui. Sento che sotto di me si sta eccitando. Salto per un po' in su e giù, per vendicarmi delle tirate d'orecchie. Lui mi tiene in modo da non farmi provocare troppi danni, ma in fin dei conti mi lascia fare.

«Io non credo che dovremmo, ma mi piace sapere che non diresti per forza no.»

«Non direi per forza no.»

«Perché non passi mai a trovarmi?»

«Non lo so. Sono impegnato, suppongo.»

Questa non è una risposta, e mi libero dalla sua presa per fare un salto più energico, forte abbastanza da farlo sussultare.

«Dammi una risposta appropriata» dico in tono esigente.

«Okay. Credo che se passassi a trovarti, finiremmo per andare a letto insieme. Finiremmo di nuovo insieme.»

«E tu non vuoi?»

«No, non è questo. Non sono sicuro che tu lo voglia. Non voglio stare ad aspettare che tu prenda una decisione, ad aspettare che tu scopra chi sei.»

«Pensi che non lo sappia?»

«Sono strasicuro che non lo sai. Sei un lavoro in corso, tu.»

Mi viene voglia di saltare un altro po', ma arrivo alla conclusione che ha ragione su tutta la linea, e che se uno ha ragione non deve essere punito. Gli do una strizzatina affettuosa, scivolo via e cerco a tastoni le mie scarpe sul pavimento. «Questa è la cosa che mi piace di più di lei, signor Edward Saunders. Lei non è affatto un lavoro in corso. Lei è un articolo finito, incellofanato e pronto per la spedizione.»

Ed sorride dolcemente e mi guarda mentre mi preparo ad andarmene. «Lo prenderò come un complimento.»

«Lo è. Da parte mia, lo è.»

Vado in cucina per cercare una busta di plastica dove infilare il formaggio.

«Cosa stai facendo?»

«Ti rubo il formaggio.»

Me lo lascia prendere. Ci baciamo sulla guancia, come quando sono arrivata, ma ci diciamo anche di vederci presto, e secondo me lo pensiamo davvero. Uscendo, guardo ancora le foto di Maya, e questa volta capisco. Capisco cosa mi aveva lasciato perplessa. Rido per come sono idiota.

Guido verso casa, rispettando i limiti di velocità una volta tanto, accompagnata da un altro rovescio di pioggia che dipinge la strada davanti a me di nero. Nel lettore cd ho le suite per violoncello di Bach e le ascolto a un volume abbastanza alto da coprire il rumore del tergicristallo. Vorrei dover guidare di più. Come quel giorno in cui andammo a Paradise passando da Kensal Green.

Arrivo a casa. Non c'è l'escallonia, ma nemmeno molto altro che mi scaldi il cuore. C'è tanta magnolia, a casa mia. Magnolia, bianco e acciaio inox, e nessuna di queste cose mi piace.

Mentre mi ricordo di mettere il formaggio in frigorifero, i sei volti di April mi fanno un gran sorriso. Prendo un bicchiere d'acqua e mi siedo davanti a lei.

Guardando le immagini di Maya, alla fine ho capito cosa c'era di strano nelle foto di April che avevo fatto stampare. Erano tutte della scena del crimine. April senza la parte superiore della testa. April che sorride ma è senza occhi. Sei piccole April morte, neanche uno scatto di lei da viva. Ci ho messo tanto a notare che erano tutte foto di April morta.

Sorrido tra me e me e sento che sorride anche lei. Sette sorrisi. Arrancando vado di sopra, preparo la vasca da bagno e mi concedo una lunga immersione domandandomi se staccare le foto o lasciarle appese, e aggiungerne magari altre in cui April è in maschera, sulla spiaggia, o ha in mano una mela caramellata.

Rimando le risposte a un altro momento, ma forse terrò le foto che ho. Non mi sono mai preoccupata dei morti. Non sono loro che combinano guai.

19

Mi sveglio dopo le sei, ancora esageratamente presto, ma almeno adesso me lo aspetto. Sgattaiolo di sotto in vestaglia, prendo una tazza di tè e una ciotola di cereali e torno a letto a mangiare. Poi, visto che la casa mi sembra troppo silenziosa, vado in macchina, sempre in vestaglia, a prendere il cd di Bach. Lo metto a un volume abbastanza alto da sentirlo al piano di sopra e continuo a fare colazione a letto. Beata domenica mattina, anticipata di tre ore però.

Rimugino sulla conversazione che ho avuto con Jackson. Ha ragione lui, ovvio. I miei sospettati sono un uomo morto e un uomo che finirà comunque in prigione. E poi non credo che nessuno dei due abbia concretamente ucciso le Mancini o Stacey Edwards. Però senza dubbio sono coinvolti. Il che significa che oltre ad avere un sospettato morto e un sospettato futuro detenuto, mi manca anche un crimine a cui collegarli. Non ricordo ogni singola parola del corso di formazione del dipartimento di indagini criminali, ma sono praticamente sicura che prima di poter arrestare una persona, viva o morta che sia, è necessario che questa abbia commesso un crimine.

Il guaio è che intuizioni come le mie sono totalmente in contrasto con il modo in cui funzionano le indagini della polizia. C'è una vecchia barzelletta sugli irlandesi che tentano di scalare l'Everest. L'impresa fallisce perché finiscono i ponteggi. Ah, ah.

Ma è esattamente il modo in cui noi poliziotti scaleremmo quella maledetta montagna. L'unica differenza è che noi non finiremmo i ponteggi. Continueremmo ad andare avanti, paletto dopo paletto, un passo dietro l'altro. Interrogatori. Dichiarazioni. Analisi del Dna. Stampate. Un milione di bit di dati. Migliaia di ore di analisi serrate e pazienti. Spietate, metodiche, inevitabili. E un giorno, mentre con le dita congelate stai tirando su un altro ponteggio, ti accorgi che sei arrivato in cima alla montagna. La luce del sole ti arriva orizzontale. Hai raggiunto la vetta.

Ecco come Jackson programma questa particolare scalata, e non ha tutti i torti. Prenderà il suo assassino.

Ma io prenderò il mio? Non ho fatto nessuna promessa a Jackson. Quando lui mi ha chiesto un «Sì, signore» alla vecchia maniera, il tipo di sì che in effetti indica obbedienza, io gli ho risposto con una domanda. Per come la vedo io, questo dà spazio alla mia libera iniziativa. E lui è una vecchia volpe. Forse era addirittura contento di lasciare le cose così come stavano. In ogni caso, chi ha tempo non aspetti tempo.

E non c'è altro tempo tranne il presente, se è per questo. Un pensiero spaventoso, se ci rifletti.

Mi vesto alla svelta. Solitamente indosso jeans e maglietta, più qualsiasi altra cosa richiedano il tempo o l'occasione. Ma è troppo caldo per i jeans oggi. Siamo sui venticinque gradi e la temperatura sta salendo. Per cui scelgo una mise più adatta alla stagione: una gonna svolazzante rosa antico e una maglia a strisce pistacchio e marrone scuro. Una mise estiva, che mette di buon umore.

Scendo al volo, prendo il cd di Bach e schizzo dall'altra parte della città. Eastern Avenue è quasi completamente deserta oggi, per cui raggiungo rapidamente la mia meta, anche senza viaggiare a velocità eccessiva.

Rhyader Crescent. Gli insegnanti, le infermiere, i manager di medio livello e i giovani avvocati sono ancora a letto, o magari sbadigliano mentre stanno per farsi un toast, o si preparano a passare una giornata comandando a bacchetta figli iperattivi. Il poliziotto corrotto che vive al numero 27 è inattivo. La Yaris c'è e il cofano è freddo. Le luci in casa sono spente. Nessun cenno di vita.

Il poliziotto corrotto che vive al numero 27 sta quasi sicuramente russando al piano di sopra. È uno che si sveglia tardi.

Non ho un piano, e questo è un dato di fatto positivo. Non c'è niente che possa andare storto. Un viottolo laterale conduce al giardino sul retro e io passo di lì, per attirare meno l'attenzione. Una signora nel giardino dall'altro lato della strada sta stendendo la biancheria. Mi osserva senza dire né fare niente. Non ne avrebbe motivo. Non ho l'aria di una ladra e non è certo l'ora in cui un ladro si darebbe da fare. I gabbiani volteggiano sopra Victoria Park cercando qualcosa da fare.

Mi metto a sedere su uno scalino e aspetto che la signora torni in casa.

Le chiavi di Penry mi hanno creato qualche grattacapo. La casa è fatta a L e l'ampliamento della cucina forma il braccio della L. Nell'angolo della L c'è la serra. Le chiavi della serra si vedevano molto bene dalla casa – e perché non avrebbero dovuto? –, ma si vedevano altrettanto bene dal giardino. Un ladro munito di un mattone poteva tranquillamente rompere un vetro, prendere le chiavi ed entrare. È l'abc della sicurezza, e Penry era un poliziotto.

Questa è la prima cosa che mi ha dato da pensare.

Ora, io non sto per rompere nessun vetro, ma scommetto che Penry non ha amici in questa strada. Persone che saluta forse sì, ma non gente con cui andare al pub a bersi una birra. È una strada troppo borghese per una cosa del genere, una strada dove si vive con la moglie e 2,4 bambini a testa. Quindi non c'è nessun vicino a cui lasciare una chiave di scorta.

Poi c'è il lavello della cucina. Penry non è un tipo sciatto, ma non è neanche uno preciso o fanatico della pulizia. È un vero uomo, lui. Lattine di birra nel secchio della spazzatura, altra birra al pub. Questo genere di uomo ha bisogno di una moglie, o di una chiave di scorta. E lui la moglie non ce l'ha.

La signora di fronte rientra in casa, per cui io posso concentrami sulla porta sul retro. Quella della cucina, non quella della serra.

Giro la maniglia con estrema delicatezza. È chiusa a chiave.

Nessun vaso di fiori. Un paio di mattoni e qualche asse di legno marcita, senza niente sotto. Il telaio della porta è incassato nella parete, per cui non è possibile nascondere qualcosa lì sopra o ai lati. *Nada*.

Maledizione. Vengo travolta da un attacco di frustrazione, che però viene rapidamente sostituito da una sensazione di sicurezza. Non ho torto. Lo so. La mia visione di Penry è corretta. Ci deve essere una chiave di scorta da qualche parte. Ci *deve* essere.

Poi capisco. La serra è stata l'ultimo acquisto, non il primo. Le chiavi sopra il telaio della porta infrangono l'abc della sicurezza, e Penry le ha attaccate lì quando aveva già sottratto così tanto denaro da essere sicuro che lo avrebbero preso. Il suo è stato un gesto strafottente, ma non da lui.

Mi giro e ispeziono il giardino. Sono Penry. Sono appena andato in pensione. Ho avuto una carriera onorevole nella polizia, conclusasi per una ferita alla schiena. Ho una pensione da poliziotto e sono single. Ho bisogno di un mazzo di chiavi a portata di mano, ma non voglio fare fesserie. Non ho neanche concluso la mia immedesimazione che mi ritrovo a camminare verso una zona lastricata di vecchi mattoni, con tanto di panca, gazebo traballante e barbecue. Controllo la panca, poi il barbecue e infine il lastricato. Nel lato più vicino alla staccionata c'è un mattone allentato. Lo tiro via insieme a un po' di vecchia malta sbriciolata e una chiave d'ottone scintillante mi strizza l'occhio dal suo nascondiglio.

20

Portone di casa o porta di servizio?

La chiave sembra più quella della porta di servizio, così la provo e funziona. Sono in cucina. È ancora squallida, ma la tazza che ho buttato nel secchio della spazzatura è stata tolta e messa in un angolo della credenza. La getto di nuovo nel secchio della spazzatura. Per ricordargli di essere più preciso.

Scalza e con le scarpe penzoloni in mano, mi inoltro nella casa. È ancora presto, non sono neanche le sette e un quarto. Sono sicura che Penry non sia uno che si sveglia di prima mattina, ma non so se ha il sonno leggero. Non mi piacerebbe proprio che si svegliasse e mi trovasse qui. Non ho esattamente paura, perché ho la testa un po' troppo fra le nuvole per provare una sensazione così specifica, ma ne riconosco i sintomi. Batticuore, respiro accelerato, irrequietezza da eccesso di attenzione. Non va bene.

Voglio rimanere qui, però.

La serra è ancora vuota. D'istinto vorrei sollevare il coperchio del pianoforte e suonare un brano, portare un po' di rumore in questo posto. Ma ovviamente non lo faccio. Continuo a non vedere nessuno spartito e ho la subdola sensazione che Penry non sappia neanche suonare. Un pianoforte senza la musica. Una serra in cui non si coltiva nulla.

Il salotto sembra più o meno uguale all'ultima volta. Il cartello CERCASI INFORMAZIONI è stato piegato e messo sul tavolo. Lo apro di nuovo, perché gli sia più facile leggerlo e fare un cerchio sul numero di telefono da chiamare per dare informazioni.

Nell'angolo della stanza accanto allo stereo c'è un cellulare in carica. Ringrazio sentitamente e infilo il telefono in tasca. Mi guardo intorno per vedere se c'è altro che valga la pena prendere. Non c'è. Nessun documento, nessun taccuino o agenda o rubrica. L'unica scrivania è quasi vuota – qualche cavo di computer, dei post-it, un portapenne, alcuni elenchi telefonici – e l'unico cassetto è chiuso a chiave.

Probabilmente la chiave del cassetto è da qualche parte, e probabilmente ci sono altre cose da trovare, ma sono scossa. La paura si è impadronita di me e non mi piace più stare qui. Non voglio fare rumore rischiando di svegliare la bestia.

E allora vado via. Più veloce e silenziosa possibile. Chiudo con le mandate e lascio la chiave dove l'ho trovata. Non mi sento al sicuro finché non sono in macchina, e anche lì devo guidare una decina di minuti prima di cominciare a giocare con il mio nuovo balocco. Ci sono ventisei numeri in rubrica e li copio sul mio portatile. Nessun sms nella cartella messaggi in arrivo né in quella messaggi inviati. Provo a controllare la segreteria telefonica, ma mi chiede una password. Provo con 0000, poi 1234, poi 9999 e poi mi ritrovo l'accesso negato. Che scema. La sua data di nascita, 4 maggio, 0405, sarebbe stata una scommessa migliore. E ho dimenticato di prendere il caricabatterie. Non importa. Ventisei numeri di telefono sono un bel bottino.

Torno a casa e mi preparo una tisana alla menta. Bach mi sembra troppo noioso per un momento come questo, perciò lo sostituisco con *No Angels* di Dido. Non sarà la scelta musicale più figa al mondo, ma se cercate cose fighe avete sicuramente bussato alla porta sbagliata. La mia massima ambizione è riuscire a essere normale. Mi butto di nuovo a letto, completamente vestita ma senza gonna, con Dido che strilla al piano di sotto. Forza, ragazza mia.

Ventisei numeri di telefono e una giornata intera per giocarci.

Prima comincio con i fissi. Decido che sono il fattorino di un fioraio e sto organizzando l'agenda delle consegne per lunedì. Chiamo il primo numero – di Cardiff – e trovo la segreteria telefonica. Nessun nome. Solo una voce registrata che dice: «La persona che avete chiamato al momento non è disponibile». Inutile. Riattacco. Il secondo numero è segnato solo come «Jane», ma la segreteria parla di «Jane e Terry». Me lo appunto, ma non lascio alcun messaggio.

Al terzo numero risponde una donna. Parto con la tiritera: manca l'indirizzo per la consegna di domani. Hanno scritto il 22 di Richard Court, ma ci dev'essere stata confusione perché ho tre consegne prenotate per lo stesso domicilio. La donna ci casca e mi dà il suo, che è a Pontprennau, oltre il golf club. Io dico: «Ah, sì, giusto oltre il golf club», e lei fa: «Esatto, proprio vicino al golf club».

Poi le chiedo di confermare il nome, «perché dobbiamo essere sicuri di consegnare i fiori alla persona giusta».

Non riesco a intravederci nessuna logica, ma la donna dice: «Sì, certo», e poi mi dà il suo nome: Laura Hargreaves.

«Grazie, Laura» dico. «Perfetto. Allora probabilmente ci vediamo domani, se sarà in casa.»

«Grazie mille. Adoro i fiori. Chissà chi me li manda.»

«Be', non mi è permesso dirglielo, ma hanno ordinato proprio un bel mazzo. Qual è il suo colore preferito?»

«Oh, non saprei. Color crema, forse. Mi piacciono le rose, ma in realtà tutti i fiori.»

Le prometto un enorme mazzo di rose color crema e riattacco. Adesso comincio a divertirmi. È piacevole riuscire a diffondere un po' di gioia. Faccio altre ventitré telefonate, parlo con quattordici persone, raccolgo dodici indirizzi e dieci nomi. Richiamo i numeri in cui ho trovato solo la segreteria telefonica, e stavolta recupero un altro nome e un altro indirizzo. Sarei efficiente come fattorino di un fioraio. Non per vantarmi, ma ho uno stile molto cortese al telefono.

Al piano di sotto, Dido ha esaurito le sue canzoni e, in ogni caso, io devo uscire. Mando una serie di messaggi alle persone con cui non ho parlato, poi vado con tutta calma al supermercato e faccio scorte di viveri per la settimana. Ho una teoria secondo la quale se compro tanto cibo sano e facile da cucinare comincerò a mangiare decentemente. Decentemente non significa tortellini fatti in casa, ma in fondo sono solo il fattorino di un fioraio. Noi non siamo snob. Compro alcune cose in più, tra le quali un piccolo vaso di begonie dentro un cestino di vimini alla Cappuccetto Rosso. È un po' troppo stucchevole per me, ma andrà bene lo stesso.

Pago. Torno a casa con tutta calma. Metto via la spesa, faccio altre telefonate, preparo un pasto per due. È un po' difficile scegliere cosa preparare perché non so quando arriverà né quanto appetito avrà il mio ospite, per cui alla fine mi decido per un brunch: bagel, mascarpone, salmone affumicato e succo d'arancia. Semplice da integrare con le uova strapazzate, se serve. E va bene a qualsiasi ora del giorno e della notte, se volete il mio parere spassionato.

Infilo Paloma Faith nello stereo, prendo in considerazione l'idea di passare l'aspirapolvere, ma poi decido di tenere duro un'altra settimana. Non ci capisco niente di musica. Non so nemmeno chi sono io, quindi compro a casaccio e provo cose diverse, chiedendomi se un giorno scoprirò chi è la vera Fiona. Me ne accorgerò quando accadrà?

In attesa dell'illuminazione, tiro fuori dal cellulare di Penry la sim card, la butto nel bollitore pieno di acqua calda, poi la asciugo e la rimetto nel telefono. Penry vorrà essere risarcito per qualsiasi danno gli provochi, ma nessuno fa come si deve il back up della rubrica telefonica. Se gli distruggo la sim, probabilmente mi sarò guadagnata un po' di spazio di manovra.

A malincuore stacco le foto di April dalla parete, e mi secca scoprire che il patafix ha lasciato tracce ovunque. Tiro via i resti con un'unghia, ma so già che non farò niente di più.

21

Penry arriva alle quattro.

Il mio nome e il mio indirizzo sono sull'elenco telefonico, ma non sono certo l'unica Griffiths di Cardiff e neanche l'unica F. Griffiths. Quando la brutta Yaris di Penry si ferma, è piuttosto chiaro che non è sicuro di avere l'indirizzo giusto. Forse pensa che questo tranquillo quartiere sia troppo esclusivo per un'umile agente. Faccio un rapido cenno di saluto dalla finestra e gli lancio un sorriso rassicurante.

Al portone lo invito a entrare, ma lui mi dà una spallata e mi passa davanti, com'è aggressivo!

Ho appoggiato il suo cellulare sul pavimento del salotto, insieme alla begonia e a una piccola coccarda natalizia. È il mio modo di dire grazie. Penry prende il cellulare, ma lascia lì il vaso.

A questo punto, io sono in cucina ad accendere il bollitore.

«E questo che cazzo è?» mi chiede dalla porta.

«Non lo so. Era un brunch, ma vista l'ora adesso sarà più una merenda. Non sapevo a che ora sarebbe arrivato. Ci sono le uova strapazzate, se ha fame.»

Non dice niente sulle uova, né se preferisce il tè o il caffè. Immagino il caffè, per cui glielo preparo. Io non lo bevo mai, ma ne tengo sempre un po' per gli ospiti – solubile, ovviamente. Metto quattro cucchiaini di caffè in una tazza e giro. Tisana alla menta per me.

«Sa che chi non beve caffè dice sempre che però ne ama il profumo?» Penry non risponde. Non si è ancora mosso dalla porta. «Be', io no. Non mi piace né l'odore né il sapore.»

Mi siedo. La cucina è la stanza più bella di casa mia. Non perché io abbia fatto niente per renderla tale, solo perché è ragionevolmente pulita e ha delle grandi portefinestre che danno sul giardino. Basta che fuori ci sia un tempo discreto e la cucina diventa subito luminosa e allegra.

«Si serva pure, mangi. Questo è il miglior salmone affumicato che ho trovato, ma credo che non ci sia alcuna differenza con gli altri, escluso il prezzo. O lei sente qualche differenza?»

Penry sembra un conversatore passivo, ma viene verso la tavola, prende una sedia e si accomoda.

«Sei un'idiota del cazzo» esordisce.

«Oh, li preferisce tostati?» Mi do da fare per tostare i bagel. «È un'indagine per omicidio, sa. Janet e April Mancini. E adesso anche Stacey Edwards.»

Davanti al nome di Stacey Edwards, Penry non ha alcuna reazione. Me l'aspettavo, ma valeva la pena provare.

«L'ho trovata io, a dire il vero. Sono entrata scavalcando la finestra e lei era lì. Vuole sapere com'è morta?» Penry non risponde, per cui io glielo racconto lo stesso, senza tralasciare i particolari, cavi e nastro adesivo inclusi. «Ovviamente non abbiamo ancora i risultati dell'autopsia, ma è morta nello stesso modo in cui è morta Janet. Completamente fatta e con le vie aeree bloccate. Secondo il dottor Price, che ha fatto l'autopsia alle Mancini, sono bastati pochi minuti. Indice e pollice. Tutto qui.»

Metto un bagel sul suo piatto e uno sul mio. Non ho mangiato niente dall'ora di colazione, perciò ho davvero fame e mi butto su-

bito sul cibo. Anche Penry dev'essere affamato perché mette un po'
di salmone sul bagel e comincia a masticare. Non ha accostato la
sedia al tavolo. Non usa piatto, coltello o forchetta. E non assaggia
il mascarpone, peccato.

«Hai chiamato qualcuno?»

«Sì. Tutti. Sua mamma mi è sembrata carina. Mi ha chiamato
tesoro e mi ha detto due volte "Che brava!". Le ho assicurato che
domani avrebbe ricevuto un mazzo di tulipani, per cui forse dovrebbe provvedere.»

Penry apre bocca. Non per mangiare, ma per dire qualcosa. E
non è neanche un commento del tipo «Sei un'idiota del cazzo»,
perché nei suoi occhi c'è un guizzo calcolatore. In silenzio lo spro-
no a dire qualunque cosa stia pensando, ma lui decide di tacere.
Non mi insulta, schiaffa un altro pezzo di salmone su un bagel e
si alza. Pronto ad andarsene.

Mi alzo anch'io per accompagnarlo alla porta. Ci troviamo nello spazio fra il salotto e l'ingresso quando Penry si gira verso di
me. Metà di me pensa stia per dire qualcosa di utile, l'altra metà
che stia per imprecare. Entrambe hanno torto. Totale: zero punti.
Senza quasi nessun preavviso o movimento all'indietro, Penry mi
dà un ceffone. Rimango imbambolata – letteralmente e metafori-
camente – dalla sua potenza. Il colpo mi scaraventa dall'altra parte
dell'ingresso, facendomi sbattere – credo – la testa contro il muro.
In ogni caso, quando mi riprendo, sono raggomitolata a terra in
fondo alle scale. Penry giganteggia su di me.

È alto tre chilometri e mi ucciderà.

Non dico né faccio niente. Non ci riesco. La mia vista è attra-
versata da lampi neri e rossi, e dentro la bocca sento il sapore del
sangue. La testa mi esplode. Sinceramente non sapevo che un solo
ceffone potesse fare tanto. Ho sempre confidato nelle capacità fi-

siche del mio corpo, ma non sono neanche mai stata picchiata in questo modo. È come se un muro di mattoni si fosse abbattuto su di me. La gonna mi è salita sopra le ginocchia e io mi ritrovo a tirarla giù con la mano destra. Ecco a cosa ammonta la mia resistenza. Anche il mio gesto è fiacco.

Ecco com'è la resa totale. Non avevo mai saputo cosa significasse, come potesse essere.

Penry continua a giganteggiare su di me per qualche secondo, poi si gira sui tacchi e se ne va. Solo quando il portone di casa è chiuso – e anche allora non subito – cerco di muovermi.

Allungo le gambe in avanti e mi sistemo in modo da sedermi sull'ultimo gradino. Esamino i danni. Il lato destro del viso, dove Penry mi ha colpito, passa dall'essere insensibile e intorpidito a farmi un male atroce. Gli do dei leggeri colpi con i polpastrelli. È tutto ammaccato, ma non c'è nessuna ferita né niente di rotto. Il sangue in bocca deriva dal fatto che la guancia è andata a sbattere contro i denti, credo. Il lato della testa che ha sbattuto contro il muro è lacerato. I denti sembrano dondolanti, ma penso sia dovuto allo shock. Anche il collo mi fa male, ma forse è solo l'effetto combinato del trauma e della sferzata. In bocca ho un sapore di vomito.

Non sono arrabbiata con Penry. Picchiarmi mi sembra una reazione ragionevole, se consideriamo che gli ho rubato il cellulare. Avrebbe potuto farmi molto più male di quanto me ne abbia fatto. Sono scioccata, in parte perché ho visto com'è stato incredibilmente semplice per lui. E sono arrabbiata per la mia debolezza. Perché cazzo noi donne siamo così svantaggiate a livello fisico rispetto agli uomini? Perché i miei geni mi hanno concesso un metro e cinquantotto di altezza, mentre mia sorella Kay è un metro e settantatré e Anto sta rapidamente andando nella sua stessa direzione? Non che nessuna delle due avrebbe avuto qualche chance contro Penry. Addominali, pettorali e peli.

Mi alzo.

L'esperimento va piuttosto bene. Ho un equilibrio un po' strano – come quando esci dalla piscina dopo aver nuotato a lungo –, ma tutto funziona più o meno come dovrebbe. Vado in cucina, sputo un po' di sangue nel lavello e aggiungo un po' di acqua calda alla mia tisana.

Chiamo Lev?

Papà?

Jackson?

Brydon?

Non faccio nessuna di queste cose. Salgo con cautela al piano superiore, quasi contenta del mal di testa che mi sta martellando, perché è segno che il mio organismo lavora in modo regolare. Mi guardo allo specchio del bagno: il lato destro del viso pare gonfio, ma straordinariamente normale per quello che ha subìto. Nei miei occhi colgo un'espressione sbalordita. Il mondo mi sembra ancora inclinato e fuori fase.

Mi preparo un bagno caldo con una quantità esagerata di sali rilassanti. Il collo mi fa un male cane.

Sento solo tre cose. Intorpidimento, dolore e paura. Non appena l'intorpidimento comincia a diminuire, le altre due prendono il sopravvento.

E al piano di sotto, sul mio cellulare, sento che arrivano i primi messaggi.

22

Tanto per cominciare, il resto della serata sembra andare piuttosto bene. Dopo il bagno – un lungo bagno – prendo qualche aspirina. Ho già superato il limite di due, ma non mi importa. Il martello pneumatico che avevo in testa adesso è solo un rumore sordo in sottofondo. Ricorro al doping per intorpidirmi di nuovo.

Mi distendo sul letto, con l'idea di asciugarmi all'aria prima di vestirmi, ma finisco per fare un pisolino di un paio d'ore. Un sonno profondo e senza sogni. Il tipo di dormita che mi mancava. Sono in deficit di sonno e quelle due ore mi sembrano un bel regalo.

Sono le sette e mezzo quando alla fine mi alzo, e nell'aria si respira una strana normalità da serata estiva. Qualche tagliaerba ronza ancora. Ai bambini viene ordinato di scendere dalla bici per andare a cena. Una coppia di grassoni con le gambe bianche e dei pantaloncini corti che non gli donano affatto parla di cretinate attraverso la staccionata di un giardino. Una nonna torna a casa dopo aver passato la giornata in famiglia. Se qualcuno stesse girando uno spot sui piaceri della vita borghese a Pentwyn, vorrebbe senz'altro montare scene come queste nella sua pubblicità. Non è una zona glamour, ma è autentica. Affettuosa, ma senza ostentazioni. Sicura.

Scendo al piano di sotto. Oltre l'ultimo gradino. Oltre il punto della parete in cui ho picchiato la testa. Oltre il vano della porta dove Penry ha tirato indietro il braccio per colpirmi. Fino al salotto in cui Penry ha elaborato la sua strategia e ha cominciato a metterla in atto.

Ho la nausea. Vera e propria nausea. A dire il vero devo correre in cucina, appoggiarmi al lavello e vomitare. Non sputo fuori niente, ma i conati rimangono.

Una zona sicura? L'idea è spassosa. Niente a che vedere con il mondo reale. Penry è arrivato qui, ha mangiato salmone affumicato e poi mi ha colpito. L'ho fatto entrare io, lo so. Praticamente l'ho invitato, ma come diavolo si fa a fermare qualcuno che entra quando gli pare e piace? Sì, la porta è chiusa a chiave. Non appena ho finito di rigettare nel lavello della cucina – ancora una volta a secco –, controllerò che tutte le porte e le finestre siano chiuse per bene. Ma la casa in sé sembra inconsistente. Li ho visti tirare su questi maledetti edifici. Li hanno visti tutti. Qualche blocco di calcestruzzo scadente, un po' di lana di vetro gialla per l'isolamento, un rivestimento di mattoni. Tutto qui. Si potrebbe sfondare il muro con qualche colpo di mazza ben assestato. E si tratta del muro, per l'amor del cielo. Vogliamo parlare delle finestre? La finestra che dà sul prato davanti, con il mio stupido posto macchina lastricato, è un invito a entrare. Salve, signor Ladro. Mi prenda pure. Ho chiuso le porte a chiave, ho bloccato anche le finestre. Sono come i Tre Porcellini: rosa, soddisfatti e felici, mentre il Lupo Cattivo è lì fuori. E poi, accidenti, il Lupo Cattivo magari non sarà un genio della matematica, magari non sa nemmeno leggere un libro in silenzio, ma non ne ha bisogno! Gli basta una finestra. Un colpo secco e deciso e la finestra è svanita, al suo posto c'è un cartello che dice INGRESSO LIBERO. Entri pure, la prego, cominci a fare allo spiedo i porcellini, cominci a prendere a schiaffi la sciocca agente Griffiths.

Faccia quel che cavolo vuole, perché nessuno qui dentro la potrà fermare. La scopi, la picchi, le leghi le mani con dei cavi e le metta del nastro adesivo sulla bocca. Sperimenti, si diverta, si serva pure.

E non è tutto. C'è di meglio. Perché non c'è solo una finestra in questa casa, ce ne sono tante. In ogni stanza ce n'è almeno una. Scelga il sistema che preferisce per entrare. Perché non c'è una sola stanza in tutta la casa dove potersi difendere.

Sono pensieri folli, lo so, ma sono caduta in loro balìa. Non so in quale stanza stare. Prendo un coltello affilato in cucina e un martello che mi ha regalato mio padre quando mi sono trasferita qui. Chiudo per bene tutte le tende e accendo le luci in ogni stanza. Metto di nuovo Paloma Faith, non perché voglia ascoltare una sola parola di qualunque cosa lei abbia da dirmi sulla vita, ma perché voglio fare rumore. Accendo anche la tv. Ci sono tante persone in questa casa, signor Lupo, e lei non sa quante sono, quanto sono grandi e feroci.

Sto tremando. Non credo che il tremore sia visibile esteriormente, ma è l'interiorità che conta. È una vibrazione che mi attraversa il corpo, e io non riesco a controllarla né a fermarla.

Per tre volte sto per chiamare Lev, poi però mi trattengo. Cosa potrebbe fare? Non è una guardia del corpo. Non può proteggermi in questa situazione.

La testa mi dice che Penry non è un pericolo. E non lo è, lo so. Tirarmi un ceffone oggi pomeriggio era solo un modo di pareggiare i conti. In una strana ottica pre-femminista, secondo qualche oscura logica medievale, me la sono andata a cercare. L'ho invitato io. Letteralmente. Volevo che Penry sapesse che ero stata a casa sua, volevo che sapesse che ero stata io a prendere il suo cellulare. Volevo smuovere un po' le acque, vedere cosa succedeva scuotendo la pentola. E lui mi ha dato un ceffone. Non lo biasimo. Penry è un ladro e un pazzo auto-distruttivo, ma non è un assassino. No, decisamente no. Non mi ha preso a calci quando ero a terra.

E allora, che ne è delle oscure sagome che si muovono invisibili dietro Penry? Qualcuno ha ucciso Janet Mancini. Qualcuno ha scaraventato un lavello addosso a April Mancini. Qualcuno ha sigillato la bocca di Stacey Edwards con del nastro adesivo, le ha legato le mani dietro la schiena e le ha tappato il naso finché non è morta. Stacey Edwards è stata uccisa, presumibilmente, perché sapeva troppe cose sul caso Mancini, e qualcuno pensava ci fosse il rischio concreto che lei parlasse. Ma se lei era una minaccia, l'agente detective Griffiths non ne è una ancora più grande? Non è possibile mandare all'aria un'intera indagine di polizia, ovviamente, ma l'agente detective Griffiths è un cane sciolto. Solo un po', ma basta e avanza. Ha sollevato l'angolo di un tappeto in un punto in cui ai suoi colleghi non interessava granché guardare. Non ha trovato molto, ma sta ancora cercando. Chissà cosa potrebbe scoprire?

Questi pensieri non mi consolano. Scelgo la via più facile, quella inevitabile, quella che sapevo fin dall'inizio che avrei imboccato.

Chiamo papà. Gli chiedo di venire a prendermi. Lui reagisce a scoppio ritardato, e poi dice: «D'accordo, tesoro. Arrivo subito». Mi siedo accanto al portone di casa, con il coltello e il martello, ad ascoltare Paloma Faith che lotta contro la tv, cercando di percepire anche il minimo scricchiolio che viene dall'esterno. Ho un mal di testa tremendo adesso. La mandibola mi sembra lussata. Circa ogni venti secondi il corpo è scosso dai brividi. Non posso farci niente, né sono capace di girare la testa, perché girando la testa scorgerei l'ultimo gradino delle scale. E quasi mi aspetto di vedermi ancora lì distesa, tutta accartocciata, con la gonna sopra il ginocchio. Incapace di evitare qualunque cosa stia per succedere.

L'unica azione positiva che faccio è chiamare un fioraio aperto ventiquattr'ore su ventiquattro e ordinare dei tulipani per la signora Penry. «Con affetto, Brian.» Per fare pace. Ho la voce legnosa e quando riattacco ho di nuovo del sangue in bocca.

Papà, grazie al cielo, arriva qui in meno di un quarto d'ora. Non è il tipo che rimanda le cose, papà. È la sua qualità migliore. Sento il motore della sua macchina nonostante la guerra in corso tra Paloma e la tv. Sempre tenendo il coltello e il martello in mano, spengo prima la tv, poi lo stereo e infine alcune luci. Papà bussa alla porta. Visto com'è fatto, bussare una volta non basta. «Fi, sono papà.» Urlato, non parlato. Papà urla di continuo, non parla. Un'altra delle sue qualità. Infilo il martello e il coltello sotto un cuscino del divano e vado ad aprirgli.

Anche adesso, la mia mente non si fida. Per la testa mi passano scene che non sussistono. Mio padre minacciato da un coltello. Costretto a urlare «Fi, sono papà» davanti al portone di casa. Controllato da uomini in nero che tengono mia madre e le mie due sorelle in ostaggio dentro un suv dai finestrini oscurati. Tutte stronzate. Eppure, mi ci vuole un enorme sforzo di volontà per girare la chiave nella toppa e spalancare la porta.

Papà è lì. Nessun coltello. Nessun killer. Nessun suv. O meglio, nessun suv tranne la sua Range Rover argentata.

Dopo i baci calorosi di rito, papà entra di gran carriera, perché è il più grande sostenitore del motto *mi casa es tu casa*, come me d'altronde.

«Salmone affumicato? E bagel, tesoro. Ti tratti proprio bene.» Un bel pezzo di salmone e di bagel gli scompaiono in bocca. «Il prato è a posto, no? Mi sembra cresca bene, non molto a dire il vero, ma non appena ci saranno giornate più soleggiate ricomincerà a crescere in fretta.» Parla a se stesso più che a me, e parte del patto *mi casa es tu casa* consiste nell'esaminare il prato, aprire e chiudere i cassetti della cucina e spalancare l'anta del frigo come se dovesse inventariare le mie scorte di cibo. «Fantastico» commenta una volta conclusa l'ispezione, che però – detto da lui – non significa niente, è più un intercalare.

«Devi prendere le tue cose, tesoro? Io intanto sistemo questo, okay?» Riappende lo specchio del salotto al suo gancio, non prima però di aver grattato via i segni di patafix dalla parete.

Sarebbe facile pensare che mio padre è un dittatore invadente, ma non è così. Lui non ha questa tendenza. Se gli avessi detto che preferivo lo specchio dov'era, appoggiato per terra davanti al finto camino, leggermente inclinato in modo tale da vedere solo le mie gambe – dalla caviglia al ginocchio –, lui avrebbe detto: «Perfetto, tesoro», e avrebbe rimesso lo specchio dove l'aveva trovato, facendo attenzione che fosse esattamente nel solco presente sul tappeto, non spostato di un centimetro rispetto alla posizione originale.

Prendo le mie cose – camicia da notte, spazzolino, cambio di abiti, qualche altro oggetto e il cellulare. Sto ancora tremando, ma il tremito è diminuito. È sempre interiore, non si vede dall'esterno. In bagno, mi trucco. Mi metto del fard, qualcosa sugli occhi e sulle labbra. Il risultato non mi inganna, ma non deve farlo.

Quando scendo giù, papà è all'ingresso che mi aspetta.

«La faccia è a posto, no? Sembra gonfia.»

Mi mette una mano sotto il mento. Non è che lo stringa, lo tiene fermo.

«Ieri sono andata dal dentista e ho dovuto fare delle iniezioni. Lì per lì nessun problema, ma oggi è tutto infiammato.»

Papà non sposta subito la mano, come fosse un esperto di antichità che valuta una scoperta parzialmente inattesa. Poi, subito dopo, dice: «Maledetti dentisti», e parte di nuovo in quarta. Spegne le luci. Mi controlla mentre chiudo a chiave la porta. Mi trascina alla macchina. Mi fa il quadro della situazione famigliare. Anto e Kay sono in casa, ma Kay vuole andare a letto presto perché ieri sera ha festeggiato alla grande e deve ancora riprendersi. La mamma ha già cucinato e hanno già mangiato tutti. «Ma a pranzo è avanzato un pezzetto di manzo squisito, tesoro, e ho chiesto alla mamma di mettere una patata in forno per te. Ossia, il mio piatto preferito, condito con solo un po' di burro e sale. Squisito!»

Un dono, questo. Considerare il tuo piatto preferito qualsiasi cosa tu stia per mangiare. Papà ha un nuovo piatto preferito ogni giorno, anche più spesso volendo.

Sulla Range Rover attraversiamo strade silenziose. La sua macchina è più grande, silenziosa, alta ed elegante della mia. La mia paura è sottochiave nella casa che ho lasciato alle spalle. Non può seguirmi fin qui. Mi sembra di non avere mai avuto paura di niente insieme a mio padre.

Arriviamo a casa. Mamma ha tirato fuori due piatti. Uno per me e uno per papà. Carne e patate al forno su entrambi. E salsa di rafano. E senape. E una grande quantità di insalata. «Meraviglioso!» La gioia attonita di mio padre è autentica, anche se era davvero inconcepibile che mia madre preparasse un piatto per me e lasciasse lui senza niente. Beviamo acqua.

Dopo cena chiacchieriamo per un paio d'ore. Ad Anto piace vedere tutta la famiglia riunita e si diverte a stare insieme a noi. Ci sono stati sviluppi sul fronte della tv in camera, ma non riesco esattamente a capire quali, perché parlano tutti insieme e io ho solo due orecchie.

Anche Kay rimane un po' con noi. Assilla papà perché le conceda mezzo bicchiere di vino, su cui la mamma trova da ridire – «Di domenica!» –, ma che lei riesce comunque a ottenere, rapidamente versato quando la mamma non guarda. Kay è vestita casual rispetto al solito: leggings, una canottiera nera con paillettes. È scalza e indossa una lunga collana d'argento, ma niente orecchini. È bellissima, come sempre. Longilinea, dalla pelle di seta, fotogenica. Anche a Kay piace essere coinvolta, ma l'adolescente che c'è in lei evita di sembrare troppo interessata, per cui si siede di lato e più che parlare ascolta, passando l'indice sul bordo del bicchiere per farlo suonare.

Anche a me piace essere coinvolta nelle cose di casa. Le famiglie sono strani marchingegni. In qualche modo i geni di papà e mamma si sono mescolati e hanno prodotto la strana creatura super intellettuale e pesce fuor d'acqua che sono io, eppure andiamo tutti d'accordo. Ci vogliamo bene, ci *apparteniamo*. Questo è un sentimento raro per me, il più prezioso in assoluto.

Alla fine, il quadretto famigliare si interrompe. Anto va a letto. Kay in camera sua. Mamma in salotto a guardare un po' di tv prima di andare a dormire.

«Ci spostiamo di là?»

«Là» vuol dire nella tana di mio padre. Non in casa, ma in una dependance costruita su quella che un tempo era la piscina, il *grand projet* di papà. La mamma lo ha convinto a lasciar perdere dopo un anno intero che nessuno la usava.

«Là» significa anche nel mondo di mio padre. Fuori dall'utopia super arredata, super pulita e super organizzata della mamma. Dentro il mondo di mio padre. Un posto con giganteschi televisori al plasma, enormi mobili di pelle, foto dei suoi night club. Non solo eleganti banconi e interni vistosamente lussuosi, ma anche ragazze: belle donne che fanno lap dance, portano da bere, indossano minigonne o solo bikini e trascinano i clienti a frotte dentro al bar. Donne che avranno più o meno l'età mia o di Kate – anche se papà riesce a nascondere questo pensiero in un posto sicuro, dove non può fare alcun danno. In ogni caso, le foto delle ragazze non sono una forma di soft porno per mio padre. Sono oggetti di desiderio, esattamente come tutta l'altra roba che c'è in questa stanza.

La *roba*. Difficile definirla, perché è una collezione infinitamente mutevole e infinitamente diversificata. Adesso papà non ce la fa a contenere la gioia per il suo ultimo acquisto. Mi mostra un pacco gigantesco avvolto in una busta di feltro verde e appoggiato sul tavolo da biliardo.

«Cosa pensi che sia, tesoro? Scommetto che non lo indovini. È per la mamma. È fantastico, davvero. Non indovini? Non hai neppure provato. Comunque non indovinerai mai. Ecco, guarda. Ti faccio vedere.»

Lo scarta. È un enorme trofeo d'argento, leggermente più piccolo della Heineken Cup di rugby. Papà ci ha fatto incidere sopra: «La mamma migliore del mondo, Kathleen Griffiths». Sta solo aspettando che arrivi lo scaffale. Il piano è montare lo scaffale sopra la porta della cucina e poi un giorno metterci sopra la coppa, per fare una sorpresa alla mamma. Non è un regalo di compleanno né niente di simile. È una cosa così, e basta. La mamma apprezzerà il pensiero, ma detesterà l'oggetto in sé. Il trofeo rimarrà lì qualche mese, finché papà non se ne sarà completamente dimenticato. A quel punto la mamma troverà il modo di farlo sparire. Magari acquisterà un'elegante stampa vittoriana con scene di caccia e – ad alta voce – si domanderà dove potrebbe collocarla: «Magari sopra la porta della cucina. Solo che, ma no, che stupida, lì c'è la mia bella coppa e deve restarci, giusto?». In ogni caso risolverà la questione. In breve tempo la coppa tornerà nella tana di papà, in casa ci sarà un'elegante stampa vittoriana con scene di caccia e l'attenzione di mio padre si sarà spostata su qualcos'altro.

E «là» significa anche il luogo in cui papà si decomprime, nel quale la sua infinita e scoppiettante energia trova requie. Nel suo lungo percorso da fannullone a imprenditore di successo, direi che questa piscina trasformata in rifugio ha giocato un ruolo cruciale, quasi quanto la mano sempre paziente della mamma, che dirige con delicatezza il suo timone.

Per una mezz'ora papà si dà da fare, come al solito. Non beve molto, ma gli piace tutta la cerimoniosità della bottiglia di cristallo pesante, perciò mi convince a farmi un whisky, che sa che non berrò. Ne versa uno anche per sé, e ne sorseggerà solo qualche goccio prima di dimenticarsene. Butto giù un altro paio di aspirine quando papà non mi guarda, le sgranocchio e le ingoio senza acqua. Il mal di testa c'è ancora e la faccia è sempre indolenzita, ma passerà.

Nel frattempo la parlantina di papà lentamente si placa. Mi racconta dei suoi club: due a Cardiff, uno a Swansea. Ha in programma la costruzione di un altro a Bristol, il più grande per ora, ma i progetti sono stati un po' rallentati dalla recessione. La cosa strana è che è diventato un uomo d'affari molto abile. Audace e cauto al tempo stesso. Meticoloso nella progettazione, rapido e intuitivo nell'esecuzione. Se avesse conosciuto Brendan Rattigan chissà se sarebbero andati d'accordo. Temo di sì.

Sto pensando alla mia situazione. Sono scappata di casa, oggi, perché non riuscivo più a starci, ma le mie finestre domani saranno altrettanto fragili. Le oscure sagome che si muovono dietro Penry saranno altrettanto oscure, altrettanto pericolose.

Ogni tanto mi domando se ho un senso del pericolo esagerato. Ogni tanto, non spesso, più o meno una volta al mese, mi sveglio di notte in preda al terrore. Senza alcuna ragione apparente. Succede e basta. Magari capita anche ad altre persone e forse loro non ne parlano, ma non credo. Credo di essere l'unica.

Papà parla dei problemi di sicurezza che i suoi club hanno affrontato negli ultimi tempi. Niente di straordinario. L'idiota occasionale armato di coltello. Il tipo che ogni tanto beve troppo e diventa violento.

Non è un pensiero premeditato, ma mi scappa: «Lo so. A volte penso di comprarmi una pistola anch'io. Non sai mai cosa ti può succedere».

Pronuncio ad alta voce questo stupido pensiero, che sarebbe scomparso nel giro di un minuto. Papà però non se lo lascia sfuggire.

«Che intendi dire, tesoro? Vuoi diventare un'agente armata? I detective sono autorizzati a portare armi?»

Faccio immediatamente retromarcia. No, non voglio arruolarmi in qualche squadra di intervento speciale. No, di certo la polizia del Galles del Sud non si convincerebbe mai ad affidare armi pesanti all'agente Griffiths. No, probabilmente è un'idea stupida.

«Intendi dire che vuoi una pistola in casa? Vuoi prendere il porto d'armi? Sai, di questi tempi, puoi comprare una doppietta per andare a caccia, una carabina ad aria compressa, queste cose qua. Ma non è permesso portare una pistola. Non fuori dal poligono di tiro. Ed è giustissimo, tra l'altro. Vista la quantità di folli che ci sono in giro, fosse per me le proibirei tutte.»

«Sì, anch'io. Non intendevo dire nulla di particolare. Solo che, come dici tu, ci sono tanti idioti in giro.»

«Sei preoccupata per qualcosa, Fi? Se è così, devi parlarmene. Magari la polizia non è il lavoro giusto per te. Insomma, non fraintendermi, sei fantastica. Il dipartimento di indagini criminali è maledettamente fortunato ad averti nella squadra, non importa cosa possa aver detto io in passato. Ma non devi correre rischi, lo sai.»

Papà si ferma, l'ombra delle nostre vecchie discussioni attraversa il luminoso presente.

I suoi sospetti su qualsiasi cosa avesse a che fare con la polizia. La sua paura. La mia determinazione nel perseguire la carriera che volevo. Due persone caparbie, trincerate dietro le proprie posizioni.

Per essere onesta nei confronti di mio padre devo dire che – anche se non l'avevo compreso appieno – lui era preoccupato per me. È sempre stato protettivo nei miei confronti, il doppio o il triplo durante e dopo la mia malattia. Non voleva che andassi a Cambridge. Le prime settimane del primo semestre in cui mi sono trasferita, passava ogni due o tre giorni facendo finta di avere degli affari da sbrigare in quella zona – affari che senz'altro non aveva –, finché non gli ho ordinato di non venire più fino al termine del semestre. Poi, anche quando tutta la mia vita si è rimessa in sesto – nessuna ricaduta nella malattia, voto di laurea eccellente, qualche amico –, lui si è convinto che la carriera in polizia non fosse assolutamente adatta a me. Troppi pericoli, troppo stress, rischi fisici e mentali. Gli sarebbe piaciuto tanto che rimanessi a vivere in casa, che lavorassi per lui come manager o qualcosa di simile. Non a contatto con i clienti, ma nell'amministrazione. Nelle sue fantasie noi due eravamo una squadra perfetta e, devo dire, avremmo anche potuto esserlo.

Ma non è accaduto. Aiutare papà a gestire i suoi club di lap dance non era esattamente la mia idea di carriera, e dopo il primo anno in uniforme, lui gradualmente ha smesso di aspettarsi che crollassi. È stato allora che mi ha dato i soldi per comprarmi casa. Non voleva che mi trasferissi, ma l'ha accettato. Anche se nei primi mesi veniva in continuazione a trovarmi, giusto perché «passavo di qui».

Comunque. Questa pausa comprime l'intera polemica in una manciata di secondi di silenzio. È il modo di papà per dire che posso sempre lasciare la polizia, tornare a casa, lavorare con lui. Il mio silenzio invece è il mio modo di dire: «Grazie, papà, ma neanche per sogno». La nostra discussione si svolge in qualche secondo di vuoto assoluto.

Poi si conclude. Si conclude con una tregua.

«Abbi cura di te, tesoro. Se hai bisogno di qualcosa, basta che tu lo dica.»

«Sì, papà. Grazie.»

È ora di andare a letto. Sono molto stanca. Stasera, lo so già, dormirò bene. Sono a casa.

23

Arrivo tardi al lavoro, però ho dormito bene, nello stomaco ho una delle colazioni cucinate dalla mamma, e Kay è riuscita a compiere quasi un miracolo coprendo i miei lividi con correttore e fondotinta. Continuo a sostenere la storia del dentista, e lei se la beve. Mentre mi trucca, mi racconta che sta pensando di fare un corso come terapeuta della bellezza. Non ho idea di cosa significhi – ti cura solo se sei bella? – ma avrebbe il mio sostegno. Sono ancora gonfia, anche se il colorito tra l'arancione e il viola è stato camuffato. Va bene.

Ken Hughes, che ha cominciato a prendere nota dei nomi dei detective assenti alle riunioni del mattino, mi vede arrivare alla scrivania con due ore di ritardo. Sta per strigliarmi a dovere, ma io tiro fuori la carta dell'emergenza dentistica e me la gioco prima che lui parta a raffica. Mi lascia subito in pace.

Anche altre persone sono carine con me, capita raramente. Non sono i miei atroci problemi dentali a colpirli, quanto piuttosto il fatto che ho trovato il mio primo cadavere due giorni fa, un evento che a quanto pare mi dà diritto a un trattamento speciale. Sembra non ci sia sistema più rapido per conquistarsi la solidarietà dei colleghi che imbattersi in un cadavere. Le persone sono così positive e gentili con me che si potrebbe pensare che sia stata io a uccidere Stacey Edwards per essere coccolata.

Comunque. È ora di rimettersi in carreggiata. Le prime venti-quattro o quarantotto ore di un'indagine passano in fretta, e il ramo dell'operazione Lohan che riguarda Stacey Edwards comincia già a sfornare dati, anche se ieri era domenica. Nel frattempo la maggior parte delle persone collocate grazie al Dna in casa delle Mancini è stata interrogata, e le trascrizioni e i riepiloghi degli interrogatori sono disponibili su Groove.

Rhys Vaughan e Conway Lloyd sono stati presi e interrogati separatamente. Ken Hughes si è occupato di Vaughan. Lloyd ha invece goduto delle attenzioni dell'uomo dalle sopracciglia irsute, il nostro Jackson. Ma né Vaughan né Lloyd avevano granché da offrirci. Entrambi facevano sesso a pagamento con Janet Mancini. Entrambi hanno giurato che non era niente di perverso. Nessuno dei due ha mai visto April, anche se c'era abbastanza spazio al piano superiore da consentire alla bambina di stare in una stanza, mentre la mamma era occupata nell'altra. Rhys Vaughan ha giurato di non aver mai preso droghe in vita sua. Conway Lloyd ha ammesso di fare uso saltuario di marijuana e cocaina. Tutti e due sono stati irremovibili nel sostenere di non aver mai assunto droga insieme alla Mancini. Vaughan ha ammesso quattro appuntamenti, Lloyd due. Tutti e due lavorano a tempo pieno. Vaughan aveva sborsato tra le sessanta e le ottanta sterline, Lloyd centoventi in entrambe le occasioni. Tutti e due avevano incontrato la Mancini sull'argine del Taff, non lontano da dove io sono stata insieme a Bryony Williams – e da lì avevano raggiunto Allison Street a piedi o in macchina. La Mancini non era stata molto loquace. Per dirla con le parole amorevoli di Vaughan: «Insomma, mica paghi per starla a sentire, no?».

Secondo Brydon, che era in ufficio ieri ed è stato presente a una parte dell'interrogatorio Hughes-Vaughan, il giovanotto per poco non si pisciava addosso dalla paura. Un ragazzino stupido, che paga per fare sesso e si rifiuta di accettare il fatto che sta finanziando un'industria che uccide o picchia le professioniste. Lloyd, a quanto pare, si è comportato più o meno nello stesso modo.

Su loro due questo è quanto.

Tony Leonard, un altro dei Dna ritrovati in casa, è stato portato dentro stamattina e adesso è sotto interrogatorio.

Karol Sikorsky, invece, non è ancora stato localizzato, ma le indagini proseguono. Noto che Brydon è nella squadra che dà la caccia a Sikorsky.

«Nessun indizio?» gli chiedo.

Lui scrolla le spalle. «Non abbiamo un indirizzo, solo qualche idea sulle persone che frequenta. Non è un tipo raccomandabile, si presuppone.»

«È il nostro assassino, secondo te?»

«Forse. Potrebbe essere. Ha legami con la malavita organizzata, possiede delle armi. Ed è stato nella casa.»

«E che mi dici di Stacey Edwards? Abbiamo qualcosa su di lei?»

«Nulla di che. Niente di cui non abbiano già parlato alla riunione. Credo che ti abbiano messo a scavare nei documenti che la riguardano. Roba dei servizi sociali.»

«Oh, sì, fantastico. Lavoro d'ufficio.» Sono capace di intuire tutta la storia di Stacey. Padre alcolista che ha abusato di lei. Madre malata di mente. Viene affidata ai servizi sociali e poi a diverse famiglie adottive. Ha problemi comportamentali e difficoltà a scuola. Anche un aborto, a un certo punto della sua vita. Fa uso di droghe pesanti e si prostituisce. E alla fine muore. Un'altra vita spezzata, conclusa brutalmente. «Non capisco perché Jackson affidi sempre a me le stronzate.»

«Non è vero. Fai anche gli interrogatori con Jane Alexander. Sei l'unica agente nella lista degli interrogatori.»

Se è per questo, è la caccia a Sikorsky la cosa più urgente dell'operazione Lohan. E il fatto che Brydon sia stato reclutato è un indizio piuttosto chiaro di come lo considerino Jackson e Hughes. Se c'è una promozione a ispettore in vista, Brydon è tra i papabili.

Restiamo tutti e due in silenzio, poi attacchiamo a parlare contemporaneamente, ma proseguo io.

«Dovremmo fissare di nuovo per l'aperitivo» dico.

«Mercoledì, magari? Salvo esigenze operative.» L'ultima parte della frase è pronunciata con il tono di voce fintamente serio di Brydon, un po' più profondo e lento del normale. Vuol dire che se l'operazione Lohan ingrana bene – perché magari peschiamo Sikorsky – può succedere qualsiasi cosa.

«Mercoledì» concordo. «Se non sarai troppo impegnato a pestare Sikorsky in qualche scantinato.»

«O a spaccargli le dita.»

«Ah, ah. Molto divertente»

«O a fracassargli un tavolo in faccia.»

«Oh, oh, oh. Che cavolo, non dovevi andare di corsa a lucidare il tirapugni?»

Brydon mi sorride furbescamente e scappa via. Quando ho avuto il mio piccolo contrattempo con il palpeggiatore, sono riuscita a rompergli tre dita. Poi gli ho rifilato una serie di calci sulla rotula con la punta dello stivale, ed è così che gliel'ho lussata. Purtroppo, cadendo, lui si è girato un po' di sbieco e si è sfregiato la guancia sull'angolo del tavolo. L'angolo era appuntito e si è infilato dritto nella carne, fermandosi solo quando ha colpito i denti. I miei cari colleghi si divertono a trovare qualsiasi scusa per ricordarmelo, anche se immagino che lo scherzo si esaurirà dopo qualche centinaio di citazioni. Nel frattempo, il dolce balsamo di una infinità di lavoro mi tiene allegra e mi rincuora.

Lavoro per rimettermi in pari con tutto quello che è successo nelle ultime trentasei ore.

Devo scavare nel passato di Stacey Edwards e caricare appunti e rapporti su Groove.

Devo andare da Jane Alexander perché io e lei siamo nell'elenco di chi interroga le prostitute. Bev Rowland e un'ispettrice di Neath sono un'altra coppia. Dovrebbe arrivare anche un'ispettrice da Swansea, ma non so con chi lavorerà.

E devo controllare i numeri che ho rubato a Penry. Dalle mie telefonate ho ricavato undici nomi e indirizzi. È saltato fuori che in un modo o nell'altro quattro numeri appartengono a delle famiglie. Di altri tre non so molto, ma il tono della voce degli uomini che mi hanno risposto era particolarmente virile, e i loro nomi non lampeggiano in rosso nel nostro database. Prima o poi, suppongo, dovrò indagare meglio su questi numeri, ma adesso non sono la priorità.

E così ne rimangono quattro, tutti numeri di donne. Non ho trovato nessun verbale della squadra mobile su di loro, e per lo meno tre degli indirizzi sono in quartieri della città in cui non mi aspetterei mai di incontrare una prostituta che ci vive o ci lavora. Il quarto indirizzo è più periferico, ma quando ho richiamato, ho sentito una voce brusca e sbrigativa, e il rumore di schiamazzi famigliari in sottofondo. Non potrei dirlo con certezza, ma credo che gli amici che Penry aveva in rubrica non abbiano molto a che fare con la prostituzione. Una delle piste più semplici da seguire è andata in fumo. C'è spazio per ulteriori approfondimenti, però.

Tra i numeri ce ne sono otto a cui non ha risposto nessuno. A questi ho mandato un messaggio: VEDIAMOCI QUANTO PRIMA. QUESTO CELL POTREBBE ESSERE COMPROMESSO. MANDAMI UN SMS AL NUOVO NUMERO. BRIAN. E ho aggiunto il mio numero di telefono. Finora ho ricevuto cinque sms di risposta, di cui quattro sembravano semplicemente sconcertati. È UNA PRESA IN GIRO? diceva uno abbastanza rappresentativo. CI VEDIAMO AL PUB. MIKE.

Ma l'ultimo dei cinque è il mio favorito. NON CONTATTARMI MAI PIÙ. VAI A FARTI FOTTERE. VAI DAVVERO A FARTI FOTTERE. FLETCH.

Adoro tutto di questo messaggio. Mi piace che non ci siano errori di ortografia né di punteggiatura. Mi piace la ripetizione di «vai a farti fottere». Non sarà elegante, ma è conciso, e io preferisco la concisione all'eleganza, sempre e comunque. E più di tutti mi piace «Fletch». Un soprannome che è un cognome abbreviato. Non so chi sia il signore o la signora Fletcher, né come si incastri in questo puzzle. Non so neanche se è un puzzle o due puzzle o magari di più, ma so che adesso preferirei mettere le mani sull'enigmatico Fletcher piuttosto che sull'oscuro e minaccioso Karol Sikorsky.

Mentre ammiro il messaggio di Fletcher, mi raggiunge Jane Alexander.

«Tutto a posto?»

«Sì. Visita d'urgenza dal dentista nel fine settimana. Ho la sensazione che mi abbiano pestato.»

«Oddio, sì, mi dispiace. Hai il viso infiammato.»

«Volevi dirmi…»

«Sì. Sei stata coraggiosa a entrare dalla finestra.»

Scrollo le spalle. Tanto vale che mi prenda il merito di essere una tosta, anche se non è del tutto vero. «Sono contenta che ci fossi anche tu.»

«Dunque, ti va bene se usciamo di nuovo oggi pomeriggio?»

«Un giro di ronda fra le squillo?»

«Sì». Il suo sì è un po' duro. «Si comincia dopo pranzo? Alle due?»

Concordo. L'orario è buono. Appena Jane se ne va, telefono a

Bryony Williams. Mi risponde, ma c'è un gran baccano in sottofondo, come se avessero chiesto a duecento bambini di vedere quanto rumore riescono a fare.

«Puoi parlare adesso?» le chiedo appena riesco a farle sapere chi sono.

«Certo, dammi solo un secondo.» Chiude una porta e il livello di rumore cala. «Scusa, di giorno insegno arte. Se la caveranno da soli per un momento.»

Le chiedo se possiamo vederci a pranzo. Viene fuori che lavora vicinissimo alla centrale e fissiamo di incontrarci in Cathays Park all'una. Perfetto. Farò interrogatori tutto il pomeriggio insieme a Jane e voglio essere il più preparata possibile.

Rovisto nel casellario giudiziale alla ricerca di qualche Fletcher dall'aria interessante, ma non trovo nessuno che catturi la mia attenzione. Controllo i miei file sul caso Penry ma non ricordo di aver incontrato nessun Fletcher. Per queste cose, di solito, la mia memoria non mi inganna, verifico comunque e non ottengo nessuna soddisfazione.

Dieci e cinquanta. Tra due ore devo andare. Due ore per trovare un uomo il cui cognome, Fletcher, è tutto un programma, visto che significa costruttore di frecce. È un uomo missile, Fletcher. Un uomo d'armi.

Faccio il possibile per rintracciarlo. Banche dati della polizia, giornali, Google. Faccio tutto quello che dovrebbe fare un bravo detective, ma non trovo nulla di sensato. O non vedo un collegamento o mi sfugge qualcosa di ovvio.

Il tempo è scaduto. È l'una, manca pochissimo. Corro al parco e arrivo lì nello stesso momento di Bryony Williams.

24

Butetown.

La mattina era soleggiata, ma le nuvole sono arrivate di corsa dalla baia di Cardiff e adesso se ne stanno ammassate in modo apatico sopra le strade calde, come una cappa. La città sembra quello che è. Una macchia di mattoni e cemento infilata nello stretto varco tra la terra e il cielo, più bella di entrambi. È qui che comincia la violenza. Non siamo neanche a trecento metri dall'86 di Allison Street e i fantasmi di quella casa già incombono.

Jane Alexander è la stessa di sempre, energica, vivace, efficiente. Io invece per nulla, sono ancora scossa da ieri. Il collo mi sembra sbalestrato, come se il colpo di Penry avesse messo fuori squadra qualcosa che non è ancora tornato al proprio posto. Ma non è tanto una sensazione fisica. È più mentale. Come se mi fosse stata strappata un po' della mia serenità, della mia sicurezza. Continuo a ripensare non al colpo in sé, ma allo stato in cui mi sono ritrovata un attimo dopo. Un'inutile bambola di pezza sull'ultimo gradino delle scale.

Uno stato poco piacevole in cui ritrovarsi.

Uno stato poco piacevole in cui ritrovarsi quando il nostro terzo interrogatorio della giornata – i primi due sono stati praticamente inutili – comincia con una porta che si spalanca nel buio e una faccia pallida che si staglia indistinta nell'oscurità.

Ioana Balcescu. Una prostituta.

Nessun legame noto con Janet Mancini o Stacey Edwards. Nessun legame noto con la malavita organizzata. Abbiamo trovato i suoi dati negli archivi della squadra mobile. Indossa un paio di leggings e una maglia di cotone larga. Ha i capelli lunghi, scuri, non particolarmente curati e, a quanto pare, neanche pettinati. Un volto sottile, non sgradevole. Non è la forma del naso di Ioana a catturare la mia attenzione, né le sue labbra carnose. Sono i lividi scuri, violacei, attorno agli occhi, il labbro sfregiato e la mandibola gonfia. Il modo in cui un braccio sostiene l'altro, a mo' di gesso. La cautela e la fatica che mette in ogni passo per via del dolore.

Mi ritrovo a fissarla sconvolta, come in uno specchio. Mi sento esposta, e mi aspetto quasi che Jane si giri, mi squadri da capo a piedi e dica: «Lo *sapevo* che non era stato il dentista».

Jane non fa niente del genere e quell'attimo svanisce. La Balcescu non vuole parlare con noi, ma io e Jane siamo sulla soglia di casa sua e lei non riesce a trovare la forza di mandarci al diavolo. Entriamo nella prima stanza, che è una via di mezzo tra un orrendo salotto e un boudoir da squillo. C'è una luce rossa e un grande poster senza cornice di una ragazza in topless, con le labbra aperte e gli occhi semichiusi, che si abbassa gli slip come se le irritassero la pelle. C'è qualche altra foto, non altrettanto grande ma più esplicita. E poi bicchieri di vino sporchi, una rivista con i programmi televisivi, una bolletta del gas e un televisore.

Jane Alexander siede sul bordo del divano, come se temesse di trasformarsi in una prostituta strafatta di droga accomodandosi su quel sofà. È vestita come si veste sempre: esageratamente elegante per l'ambiente in cui si trova adesso. E anche se è troppo professionale per dimostrarlo alla Balcescu, le leggo in faccia che non si sente a suo agio. È spaesata. Quando le spiega perché siamo venute qui, Jane ha un tono di voce eccessivamente formale. Rigido e poco rilassato.

Intervengo io.

«Ti dispiace, Ioana? È tutto il pomeriggio che siamo in giro, e se tu ci offrissi una tazza di tè sarebbe fantastico.» Lavorando con queste donne dei Balcani ho già notato che hanno tutte paura della polizia. Non si aspettano di essere protette da noi. Sono convinte che andiamo da loro per metterle dentro, picchiarle o estorcere loro denaro. Idee come queste possono rivelarsi utili o dannose durante un interrogatorio, a seconda di come te le giochi. Il mio istinto mi dice che dobbiamo muoverci con estrema delicatezza. «Se mi mostri dove tieni il bollitore, il tè lo prepariamo insieme.»

Ioana mi porta in cucina. Jane rimane dov'è. Fosse per me, frugherei in giro per la stanza. Visto che è Jane, non lo farà.

Ioana si ferma sulla soglia di cucina. Io entro, riempio il bollitore – uno di quelli di metallo vecchio stile – e lo metto su. Trovo tre tazze, le lavo, individuo le bustine del tè e lo preparo. Non ci sono infusi, ma adesso la cosa importante è far rilassare Ioana, non bere una tisana.

Metto una mano sul suo occhio e la tocco molto delicatamente. «Povera. È terribile.»

Lei scosta la testa, ma io insisto dolcemente. Appena sposto la mano su un fianco, si ritrae del tutto.

«Ti hanno proprio pestata, eh?»

Nessuna reazione.

Le sollevo la maglia con delicatezza. Ci sono lividi su tutto un fianco, davanti e dietro. «Mio Dio! Povero tesoro.» Ha le costole sporgenti e il seno piccolo, come quello di una ragazzina. Mi domando se soffra di un disturbo alimentare. Quando le tocco una costola – dove la contusione è spaventosa –, Ioana sussulta. Forse è fratturata.

Le abbasso la maglia. Non c'è niente di premeditato nel mio sguardo compassionevole. È autentico come le pareti che ci circondano e l'aria che respiriamo. «Sei stata in ospedale?»

Domanda stupida, perché la risposta è inevitabilmente un «No».

«Come lo prendi il tè, Ioana? Quanto zucchero?»

«Un cucchiaino, grazie.»

«Sai cosa? Oggi te ne do due. Hai avuto un bello shock e una tazza di tè zuccherato farà meraviglie. Ti hanno ridotto così ieri, vero? Quei lividi sono tremendi.»

Ioana non risponde direttamente, ma sposta la testa in un modo da farmi pensare che ho ragione. I tè sono pronti e Ioana prova a sollevare una delle tazze.

«Ecco, no, lascia stare, preoccupati solo di te stessa. Ci penso io.»

Torna di là. Io le vado dietro con le tazze.

«Ora, Ioana, dove staresti più comoda? Sul divano grande, forse. Jane, lei è Jane, tra parentesi. Non occorre che tu la chiami sergente detective Alexander, e puoi chiamare me Fiona, o semplicemente Fi, se preferisci – Jane, magari potresti farle spazio.» Jane si alza imbarazzata, ma al tempo stesso è anche sollevata che qualcun altro gestisca la situazione. «Ioana, perché non ti siedi qua? O magari puoi distenderti, se preferisci. Dove ti fa più male? Posso prenderti un antidolorifico al piano di sopra, se vuoi. Metto il tè qui vicino, così ci arrivi senza problemi. Ecco, così va meglio.»

Dopo un po' anche Jane afferra l'idea, e da detective bionda e vagamente spaventosa si trasforma in una persona più materna e amorevole. È più amorevole di me, in effetti, una volta entrata nella parte. Sollevo di nuovo la maglia di Ioana per mostrare a Jane le ferite. Jane guarda in silenzio, il viso torvo.

«Ora, Ioana,» dico scambiando un'occhiata con Jane e ottenendo da lei il permesso di continuare «ti faremo qualche domanda. Non devi dirci assolutamente nulla. Non sei tra i nostri sospettati. Non siamo dell'ufficio immigrazione, perciò non ti chiederemo di farci vedere il permesso di soggiorno o il passaporto, niente del genere. Hai capito tutto?»

Lei annuisce.

«Ora, se vuoi che ti chiamiamo signora o signorina Balcescu, lo faremo, ma se non ti dispiace preferirei chiamarti Ioana. È un nome così bello. È il corrispettivo di Joanna, no?»

Un altro minuscolo cenno del capo.

«Allora, siamo qui perché riteniamo che tu possa aver conosciuto Janet Mancini. È esatto?»

Domanda fondamentale. Tattica poliziesca sbagliata, ma Jane me la lascia passare.

Ioana annuisce.

«È tremendo quello che è successo in quella casa. Non so se conoscevi anche Stacey Edwards, eh?»

Nessun cenno del capo stavolta. Un irrigidimento. Paura.

«Be', senti, non parliamo di questo adesso. Insomma, dopo quello che è accaduto ieri notte, è l'ultima cosa a cui vorrai pensare. Magari hai paura che se ci dici troppo, loro torneranno. È di questo che hai paura?»

«Sì.» Un cenno deciso del capo. La paura c'è sempre, ma almeno adesso aleggia anche qualcos'altro nella stanza.

Io e Jane ci scambiamo un'occhiata. Dovrebbe essere lei a condurre l'interrogatorio. Gli ultimi due li ha condotti lei, e io ho preso appunti. È quello che ha detto di fare l'ispettore capo Jackson. Come ben ricordo, le sue parole esatte sono state: «Fai una cazzata, anche la minima cazzata, e non ti affiderò mai più un incarico delicato». Ma esistono tanti modi per fare una cazzata, e anche se non sono sicura di cosa voglia dire lo sguardo di Jane, non significa certo: «Taci immediatamente», perciò continuo.

«Okay, Ioana, non vogliamo metterti nei guai, perciò ti renderemo le cose molte semplici. E voglio che tu sappia che siamo venute qui con un'auto civetta. Sai cosa significa? Non una macchina della polizia con la sirena, ma una assolutamente normale. E noi due sembriamo persone assolutamente normali. Nessuno sa che siamo agenti di polizia, e non lo diremo a nessuno. Lo capisci?

«Bene. E credo che tu abbia bisogno di aiuto. Credo che tu debba vedere un dottore.» Ioana comincia subito a protestare, ma io alzo una mano per fermarla. «So che non vuoi andare in ospedale, va bene. Ma se mandiamo qualcuno a casa tua, non ci saranno problemi. Faremo nello stesso modo. Un auto civetta. Non una macchina della polizia. E un dottore vestito normale. Che sembri una persona qualunque. Okay?

«E poi so che conosci Bryony Williams. Hai capito chi? La signora della StreetSafe. Con i capelli corti ricci.» Ioana annuisce. Il nome la rilassa un po'. «L'ho incontrata oggi a pranzo. Mi ha detto che vuole proporti un programma di disintossicazione. Sappiamo che ti fai di eroina – di roba – e non ci sono problemi. Non passerai dei guai per questo. Vogliamo solo aiutarti, vero, Jane?» Jane annuisce subito e ci scambiamo di nuovo un'occhiata. Questa volta sono abbastanza sicura che mi stia dicendo di andare avanti, per cui continuo.

«E, cara Ioana, quello che ci piacerebbe tanto fare è portarti via da tutto questo. So che fa paura, ma è quello che vogliamo noi e che vuole Bryony. Non devi dire di sì adesso, ma non dire nemmeno di no. Affronteremo le cose un passo alla volta. Capisci cosa voglio dire? Un passo alla volta.»

«Sì.»

Il sì di Ioana per metà significa che ha capito, per metà significa che è d'accordo.

Se fossi una piazzista, capirei che questo è il momento in cui giocarmi tutto, quello della massima vulnerabilità. Mi sposto verso il divano dov'è distesa Ioana e le metto una mano su un braccio. La lascio lì. Contatto umano, senza minacce, denaro, droga o richieste. Quando è stata l'ultima volta che Ioana lo ha sperimentato?

Rimaniamo in silenzio per un po'. Spero che Jane tenga la bocca chiusa, perché c'è un non so che di prezioso in questo silenzio.

E poi: «Ioana, sai che dobbiamo farti qualche domanda. Mi dispiace, ma dobbiamo. Non voglio che tu dica assolutamente niente ad alta voce. Basta che tu annuisca o scuota la testa. Se non sai una cosa, inarca le sopracciglia. Sì, proprio così. Ci vorranno pochi minuti. Non metteremo niente per iscritto. Vogliamo solo sapere delle cose, dopo di che ce ne andremo. La prossima persona che vedrai sarà il dottore. E poi magari Bryony. Sei d'accordo? Hai capito cosa ho detto?».

Lei annuisce.

«Bene. Allora cominciamo.» Jane si sposta sulla sedia. Se io conduco l'interrogatorio, lei dovrebbe prendere appunti, ma io ho appena detto a Ioana che non metteremo niente per iscritto. Non sto seguendo la procedura, non che stia sbagliando approccio, ma questo mette a disagio Jane. La prende con filosofia, però. Buon per lei. Il taccuino è sulle sue ginocchia, inutilizzato per ora.

È arrivato il momento di fare la prima domanda.

«Conoscevi Janet Mancini?»

Ioana annuisce.

«E magari anche la piccola April?»

Annuisce a metà, come per accennare un minuscolo no.

«Bene. Non conoscevi granché April, ma solo di vista. Eri lì la sera dell'omicidio?»

Scuote la testa.

«No, non credo che tu fossi lì, ma è una di quelle cose che dobbiamo chiedere. Il mio capo altrimenti sclera.»

Sorride.

Tengo ancora la mano sul suo braccio. Non ho intenzione di spostarla se non è lei a farlo.

«Ora ti chiederò se conosci altre persone. Di alcune di loro avrai sentito parlare. Di altre no. Di altre forse sì, forse no. Vediamo. Okay?»

Inizio.

Comincio con i nomi che ho ricavato in parte da Bryony Williams, in parte dall'archivio della squadra mobile. Ragazze dell'Europa dell'Est coinvolte nel giro della prostituzione. Scommetto che Ioana ne conosce una buona metà, e infatti ne conosce di più, più della metà. Comincia a sentirsi a suo agio, risponde scuotendo la testa o annuendo, ed è il motivo principale per cui le faccio queste domande.

«Okay. Stiamo andando benissimo. Adesso qualche altro nome, ma non credo ne conoscerai molti. Conway Lloyd.»

Perplessità. Scuote la testa.

«Rhys Vaughan.»

Scuote la testa.

«Brian Penry.»

Scuote la testa.

«Tony Leonard.»

Scuote la testa, ma non troppo convinta.

«Spaccia droga. È alto più o meno come Jane, ha i capelli scuri e la fronte alta. Insomma, è calvo.»

Mimo il significato di calvo per aiutare Ioana a capire. Lei sorride di sbieco – perché il lato destro del viso le provoca dolore –, ma un sorriso è sempre un sorriso. È accompagnato da un minuscolo cenno del capo, come a dire «Forse».

«Ma non è lui quello di cui dobbiamo preoccuparci, giusto?»

Scuote la testa in modo deciso. Tony Leonard deve a Ioana una scatola di cioccolatini, direi.

«Che mi dici di Karol Sikorsky?»

Paura. Ioana non annuisce né scrolla la testa.

«È stato lui a farti questo?» Indico il suo corpo straziato.

Scuote la testa molto lentamente.

«Okay. È stato uno dei suoi amici, qualcuno del suo gruppo comunque. È esatto, no? Scuoti la testa se ho torto.»

Ioana non annuisce.

Né scuote la testa.

I suoi occhi però mi dicono di sì. È stato uno dei complici di Sikorsky. Io e Jane ci scambiamo di nuovo uno sguardo: anche lei la pensa come me.

Con estrema cautela dico: «Ioana, pensiamo che Karol Sikorsky sia un uomo molto pericoloso. Vogliamo catturarlo e metterlo in prigione, ma per farlo abbiamo bisogno del tuo aiuto. Crediamo che Sikorsky faccia parte di una banda di criminali che porta le ragazze come te – dalla Romania e dai paesi limitrofi – a Cardiff e nel Galles meridionale. Probabilmente vi dicono che qui avrete una vita fantastica, e quando poi scoprite che non è vero è troppo tardi per scappare. Fin qui ho ragione?».

Un cenno del capo. Un cenno di buona qualità, da poter esibire come prova in tribunale.

«Bene, grazie. Credo che questa banda di criminali sia diventata violenta. Quegli uomini devono stare in carcere e noi vogliamo mandarceli. Mi faresti un piacere? Se sai che Sikorsky è responsabile della morte di Stacey Edwards, ti prego di rispondere di sì. Non intendo dire che l'abbia per forza uccisa lui, ma che sia in qualche modo coinvolto nella sua morte. Se queste cose sono vere, ti prego di dire di sì.»

Ioana non annuisce.

Né scuote la testa.

Un silenzio gelido, più vasto del cielo, più vuoto dell'oceano.

Lascio che il silenzio si espanda il più possibile, prima di tornare a insistere. Ora o mai più.

«Se ci aiuti, lo prenderemo. Gli impediremo di farti ancora del male. Gli impediremo di fare ancora del male a tutte quante. Ioana Balcescu, Karol Sikorsky è responsabile dell'omicidio di Stacey Edwards?»

«Sì.»

«E anche dell'omicidio di Janet e April Mancini?»

«Sì.»

«E anche delle tue ferite?»

«Sì.»

«Forse ti hanno ridotto in questo stato perché sapevi di lui e di quello che aveva fatto? Come avvertimento per farti stare zitta?»

«Sì.»

Non è del tutto corretto descrivere le sue risposte come parole. Ioana ha mosso le labbra, i suoi occhi hanno fatto il resto. Lì per lì io non ho capito – né credo lo abbia capito Jane – se nella stanza si fosse realmente diffuso qualche suono, ma non importa. Un sì silenzioso funziona bene come un sì detto ad alta voce. Mi accorgo che Jane ha annotato le mie ultime quattro domande e le risposte di Ioana. Vuole delle prove da portare in tribunale, appunti presi durante l'interrogatorio: il tipo di prove di cui è fatto un impianto accusatorio. Io però sono consapevole della promessa fatta a Ioana.

«La mia collega Jane ha preso alcuni appunti. Non di tutto il colloquio, solo di quest'ultima parte. Ci servono perché vogliamo arrestare Sikorsky e metterlo in prigione. Per il resto dei suoi giorni, spero. Di sicuro finché non sarà un vecchio decrepito. Ma ti ho promesso che non avremmo scritto niente, perciò se vuoi che li stracciamo, lo faremo. Ce lo devi solo chiedere, lo devi dire a voce alta.»

Passa un secondo, due, cinque.

Per me va bene così. Va bene così anche per Jane. Dal nostro punto di vista, dal punto di vista della polizia – che pensa sempre al possibile ruolo di una prova in tribunale –, c'è un'enorme sensazione di sollievo, ma so che Ioana prova l'esatto contrario. È preoccupata per aver appena firmato la sua condanna a morte, e magari ha ragione. Nel paese in cui è nata, non ci si può fidare della polizia. E la stessa cosa vale qui. Ioana non deve preoccuparsi del fatto che noi siamo assoldate dalla malavita. Non deve preoccuparsi della corruzione, della criminalità, della violenza. Ma deve confidare nella nostra discrezione, perché una dichiarazione pubblica avventata o il minimo pettegolezzo al pub potrebbero bastare a scatenare la punizione che Ioana teme. Se ci avessero viste entrare in casa sua, anche questo potrebbe bastare.

Per qualche secondo ho la sensazione che, rispondendo come ha fatto, Ioana abbia scelto di porre fine alla sua vita. In modo coraggioso, altruista, certo, ma comunque di porle fine, di abbandonare la lotta.

Mi sento a disagio, così completo l'interrogatorio nel modo in cui Jane, in silenzio, mi esorta a fare.

«Bene. Grazie. Adesso ti farò un'ultima domanda importante.

Puoi farmi altri nomi? Amici di Sikorsky? Quelli ai quali lui fa fare il lavoro sporco? Magari gli uomini che sono venuti qui ieri? Se mi fai qualsiasi nome, li possiamo arrestare. Li arresteremo e li manderemo in prigione per parecchio tempo. È questo che vogliamo. Vogliamo prenderci cura di te e di persone come te. Hai capito?»

Un cenno del capo, spaventato però. Non vuole farli. E non li farà. La collaborazione di Ioana si conclude qui, direi. Dall'espressione di Jane, mi sembra che anche lei la pensi come me.

«Ci scusi un secondo, Ioana? Devo scambiare due chiacchiere con la mia collega. Rimani pure distesa, e dimmi se ti serve qualcosa.»

Io e Jane andiamo all'ingresso, dove parliamo a raffica ma sottovoce. Le racconto della gravità delle lesioni di Ioana, che Jane non ha avuto modo di vedere bene come ho visto io. Jane teme che la prova che abbiamo raccolto non reggerà in tribunale. È secondaria, questo è poco ma sicuro. Qualsiasi avvocato difensore la smonterà, accusandoci di aver fatto pressioni sulla testimone e di aver violato la procedura non trascrivendo tutto l'interrogatorio. D'accordo. Fossi l'avvocato difensore, farei esattamente così.

D'altro canto, come sottolineo a Jane – e lei lo sa benissimo da sola – noi potevamo o agire come abbiamo fatto o non raccogliere alcuna prova utilizzabile. Stabiliamo che – non appena usciamo da lì – stileremo tutte e due il resoconto dell'incontro, lo firmeremo e lo confronteremo. Sperando che siano identici, o quasi.

L'altra questione fondamentale è: cos'altro possiamo aspettarci continuando l'interrogatorio? In base al regolamento dovremmo fare un mucchio di altre domande. Signorina Balcescu, ci dica per favore, quando è stata l'ultima volta che ha visto Janet Mancini? Ci descriva il tipo di contatti che ha con Karol Sikorsky. È consapevole, signorina Balcescu, che si tratta di un'indagine per omicidio e che occultare una prova costituisce reato? Abbiamo condotto gli ultimi due incontri con questa modalità, e non abbiamo cavato un ragno dal buco.

«Rientro solo io e vedo se mi dice qualcos'altro?» chiedo a Jane. «Se prendiamo quei bastardi, poi magari la convinciamo a fare una dichiarazione ufficiale. Fossi in lei, finché quelli sono ancora fuori, non direi una parola. Per ora mi sa che è meglio trattarla con i guanti.»

Jane riflette. È stressata da questa situazione, lo capisco. Le secca aver perso il contatto radio con il regolamento. Io non sono per niente stressata, invece. Mi sento più a mio agio adesso. È il contatto radio che mi stressa.

Jane annuisce. «Okay. Io vedo se riesco a far venire qui un dottore, anche se in realtà Ioana ha bisogno di andare in ospedale.»

Mi sento sollevata. Desideravo passare del tempo da sola con Ioana, ma non volevo forzare la mano.

Tornata in salotto, mi siedo di nuovo accanto a lei. Mi fissa – occhi grandi, scuri, dell'Europa dell'Est, il suo tratto più bello – e io a mia volta la guardo. Nessuna di noi due dice niente. Non le serve un dottore, né un paio di poliziotte invadenti. Le serve una macchina del tempo. Le serve tornare a quando aveva sette o otto anni, o forse prima ancora, a quando era in fasce. Le servono genitori diversi, un'istruzione diversa, un passato diverso. Le serve essere su un pianeta completamente diverso in una vita completamente diversa. Non importa il modo in cui interpreti i segni di questa vita, Ioana sta cavalcando rapidamente verso un finale infelice.

Attraverso la parete, sentiamo Jane che è al telefono e sta cercando di contattare un dottore. È così che facciamo le cose sul

Pianeta Normale. Non è così che funziona, o ha mai funzionato, nel mondo di Ioana.

«Sei stata brava» le dico. «Jane sta chiamando un dottore per te. Arriverà qui tra poco.»

«Grazie.»

«Ti puoi fidare di lui. Non corri rischi a farlo entrare.»

«Okay.»

«C'è qualcos'altro che puoi dirmi su Karol Sikorsky. Dove vive? Chi sono i suoi amici? Niente di niente?»

Lei scuote la testa e distoglie lo sguardo. Decido di non spingermi oltre. Poi le mostro il mio biglietto da visita e le scrivo sul retro il mio numero di cellulare.

«Sono io, Fiona. Puoi telefonarmi in qualsiasi momento. Se te la senti di dirmi altro – magari sui tizi che ti hanno preso a botte – chiamami. Okay? Lo metto qui.»

Metto il biglietto da visita sotto il cuscino del divano, così lei sa dov'è, ma è lontano da occhi indiscreti. Non voglio che gli scagnozzi di Sikorsky lo trovino, per il bene di Ioana e per il mio.

«È meglio che vada» le dico. «Ti serve qualcosa dalla cucina?»

«No, grazie. Sono a posto.»

«Vuoi guardare la tv? Ecco.» Sistemo la televisione e il telecomando, poi mi accovaccio accanto a lei e le tengo la mano. «Sei stata davvero brava, molto coraggiosa. Hai aiutato tante persone.» Alle mie stesse orecchie suona come un addio, come se non mi aspettassi di vederla sopravvivere, e forse è così. Lei però mi stringe la mano e sorride. Nella sua vita probabilmente pochi le hanno detto che era brava.

Poi non so cosa mi prende, ma le chiedo: «Ioana, posso farti un'ultimissima domanda? Hai mai sentito parlare di un uomo che si chiama Brendan Rattigan?».

Non so di preciso cosa sperassi di ottenere facendole questa domanda. Non ho mai davvero creduto che Rattigan fosse vivo. Come sono praticamente sicura che Penry e Rattigan stessero architettando qualcosa, qualcosa che era collegato agli omicidi dell'operazione Lohan. Ma penso di averlo chiesto perché volevo sapere in che modo quella maledetta carta di credito fosse finita nell'appartamento occupato di Janet Mancini. Vana curiosità, tanto per parlare.

Chiedete e vi sarà dato.

Ioana cerca di tirarsi sul divano. Le costole incrinate glielo impediscono, e lei urla per il dolore. Jane ha finito la telefonata e apre di colpo la porta per vedere cosa sta succedendo. La porta che si spalanca blocca Ioana, qualunque cosa stesse per dire. E così non dice niente, ribadendo la sua specialità: stare in silenzio. Sul suo viso: shock, paura, angoscia.

Io e Jane ci guardiamo a bocca aperta.

«Puoi dirmi qualcosa di lui, Ioana? Qualsiasi cosa?»

Pessima tecnica per un interrogatorio. La domanda è troppo poco specifica, troppo aperta. L'unica cosa che ottengo come risposta sono gli occhi di Ioana fissi su di me e una lunga scrollata del capo. Non so se significa «No, non dico niente» oppure «No, non è morto». A me sembra voglia dire entrambe le cose. In ogni caso, quell'attimo passa e Ioana torna nel suo mondo, remoto e taciturno.

La salutiamo e andiamo via.

Le strade di Butetown sembrano un pianeta diverso. Un po' sporco, ma tranquillo. Un posto dove le donne non vengono picchiate a sangue, né terrorizzate per farle tacere. Le nubi che prima mi infastidivano sono ancora lì, ma anche quelle mi sembrano tranquille, rassicuranti.

«Che cosa è successo lì dentro?»

Non glielo dico. O meglio, le dico una bugia. Ioana si è raddrizzata sul divano e si è fatta male. Era agitata, impaurita.

Jane non fa alcun commento. Dice solo che è meglio se scriviamo gli appunti dell'interrogatorio appena siamo in macchina. Il ritorno al regolamento. Una strada qualunque di Cardiff. Il Pianeta Normale.

25

Abbiamo in programma altri due interrogatori per quel pomeriggio, ma li rimandiamo. Adesso è più importante occuparci di quello della Balcescu. Ci spostiamo di un paio di isolati, fino alla stazione dei treni, per non essere visibili da casa sua, e buttiamo giù i nostri appunti sedute una accanto all'altra dentro la macchina di Jane, dove il rumore più forte che si sente è il movimento delle penne sulla carta. A Jane è caduto un altro capello sulla spalla, e io vorrei toglierglielo. Ne ho voglia perché vorrei che si girasse verso di me e mi sorridesse, e ne ho voglia perché quello che ho visto in casa della Balcescu mi ha spaventato e ho un gran bisogno di conforto. Probabilmente, però, è meglio non tentare di ottenerlo sollecitando una coccola da parte di un ufficiale di grado superiore. Sono intuitiva in queste cose. Non funzionerebbe.

Finisco di scrivere i miei appunti prima di Jane. Lei mi guarda di traverso, e mi accorgo che anche lei è intimidita da me. Non per come mi vesto, ovviamente, né per la mia capacità di socializzare. Io sono molto a mio agio con le parole. Prendo appunti o riassumo documenti a tutta velocità, impiegando la metà del tempo dei miei colleghi. Mi sento un po' strana pensando che io sono intimidita da Jane e lei da me. Queste cose dovrebbero annullarsi a vicenda, no?

Visto che mi sento strana, dico a Jane che scendo a prendere una boccata d'aria. E appena spalanco lo sportello, fra il momento in cui tiro la maniglia e il momento in cui la portiera raggiunge la massima apertura, capisco dove trovare Fletcher. A volte la cosa migliore da fare è anche la più semplice.

Chiamo il servizio di informazioni telefoniche e chiedo il numero della Rattigan Industrial & Transport. Mi passano il centralino dell'azienda. Cerco il signor Fletcher, ma mi dicono che non c'è nessuno nella sede centrale con quel nome, in quale settore lavora? Ero preparata a questa domanda. I ferrivecchi non sembrano avere molto a che fare con questo caso. I trasporti navali forse sì. Tutte quelle navi che arrivano dal Baltico potrebbero essere cariche di buona eroina afgana, eroina sufficiente a tenere in pugno un numero enorme di prostitute. Droga e sesso. Un'unica attività, non due.

Chiedo del settore delle spedizioni e mi passano un altro centralino a Newport.

«Il signor Fletcher, per favore.»

«Glielo passo subito... Oh, aspetti un secondo.» Mormorii soffocati in sottofondo, poi la voce della receptionist diventa più chiara. «Mi dispiace, era Huw Fletcher che cercava, vero?»

Ambarabà cicì coccò. «Sì» dico.

«Mi dispiace. Huw Fletcher non lavora più con noi. Qualcun altro può esserle d'aiuto?»

«Non lavora più con voi? Avevo fissato un appuntamento per questa settimana. Chiamavo per confermare gli accordi presi.» Faccio la voce offesa, una voce come per dire: «Ma che razza di compagnia siete?».

«Temo di non avere idea di dove si trovi, è via da un paio di settimane. Ma se vuole parlare con uno dei suoi colleghi del settore programmazione, sono sicura che qualcuno potrà comunque aiutarla.»

Probabilmente a questo punto ci sarebbe una frase intelligente da dire, ma se c'è, io non la trovo. Borbotto delle scuse e riattacco.

Che colpo! Che gran colpo! Non so ancora cosa ho in mano, ma so che è qualcosa di speciale, qualcosa di cui l'ispettore capo Jackson dovrebbe sicuramente essere informato, ma non riesco a trovare un modo per dirglielo. Non credo che la pimpante agente Griffith mi ringrazierebbe per aver lasciato spazio alla sua malvagia gemella, la pessima agente Griffiths, che commette violazioni di domicilio e ruba cellulari.

Ritorno lentamente alla macchina e lascio finire Jane. Quando lei ha fatto, torniamo a Cathays Park, in silenzio.

Per un po' la routine prende il sopravvento. Batto al computer gli appunti, informo Ken Hughes degli sviluppi – Jackson non è in ufficio –, carico le informazioni su Groove. Tutto questo è della massima priorità, perché adesso abbiamo dei motivi validi per arrestare Karol Sikorsky per gli omicidi di Stacey Edwards e April Mancini. Una cosa di enorme importanza. Adesso, per la prima volta, siamo a una svolta. Non possiamo arrestare nessuno senza ragionevoli sospetti. Un campione di Dna e la fedina penale sporca non bastano. Questi due fattori più la testimonianza della Balcescu sì. Una volta che ci sarà il mandato di arresto, seguirà a ruota anche quello di perquisizione. Con un po' di fortuna e il vento in poppa, non avremo bisogno di altro per risolvere il caso. In ufficio si respira di nuovo un'aria euforica, e io Jane siamo le eroine del momento.

Finisco di lavorare che sono quasi le sette. Voglio rintracciare Brydon, per passare qualche momento con lui, ma non lo trovo. Nel corso di una grossa indagine, siamo sempre tutti da qualche altra parte o troppo impegnati per fermarci a parlare.

Alla fine sistemo le mie cose e vado a casa, ma scopro che non ce la faccio a restare. Il formicolio che ho sentito tutti i giorni della settimana scorsa è di nuovo qui, un ospite fisso ormai. Gli chiedo di rivelare la sua identità. *Questa è paura. Questa è paura.* Provo la frase nella mia testa, ma non riesco a capire se funziona o no. Peggio, ho notato che quando pesto i piedi per terra, percepisco vagamente solo le dita e i talloni che toccano il pavimento. Quando batto la mano sul bancone della cucina o la premo contro la punta di un coltello, le sensazioni fisiche di duro o affilato sembrano arrivare da molto lontano, come vecchi reportage trasmessi da una tv in bianco e nero o attraverso una linea telefonica gracchiante. Sto diventando insensibile a me stessa, a livello fisico ed emotivo, e non va affatto bene. È così che comincia, quella brutta roba. È così che comincia sempre.

Ma non mi crogiolo in queste situazioni. Ho imparato a non farlo. Chiamo la mamma e le dico che dormirò da loro anche stanotte, se non è un problema. Lei mi risponde certo, vieni subito. Metto un paio di cose in una borsa e mi preparo a uscire.

L'ultima cosa che faccio prima di andare via è mettere da parte le foto di April. La piccola April, cieca e morta. La piccola April con un lavello al posto del cranio. Sei sorrisi e un segreto che sono troppo stupida per capire. Non passo troppo tempo con lei, però. Ho bisogno di dormire e di stare bene. E adesso queste cose mi sembrano tutte e due incerte.

Per due benedetti giorni la vita va avanti. La vita normale. Tanto lavoro, pranzi alla mensa, lamentele. Una vita frenetica, ma è quella che conosco. E mi piace.

In ufficio c'è la netta sensazione che l'operazione Lohan stia facendo progressi. I contatti di Karol Sikorsky a noi noti sono stati rintracciati e interrogati. Secondo Brydon, che ha condotto due degli interrogatori e ha sentito un po' di commenti da chi ha fatto gli altri, gli amici di Karol Sikorsky non sono il tipo di persone che saresti entusiasta di vedere alla festa di compleanno di tua figlia. Il primo dei due interrogatori di Brydon è stato con un certo Wojciech Kapuscinski. «Un bel tipo, proprio un bel tipo. Un bastardo parecchio pericoloso, se vuoi sapere la mia opinione. Sulla fedina penale ha un paio di accuse per lesioni personali volontarie,» un reato non molto grave «ma di sicuro è solo l'inizio.»

Gli credo. Le foto e i dati di Kapuscinski sono su Groove. Non solo ha una condanna per detenzione di armi da fuoco che va a sommarsi alle accuse per lesioni, ma ha tutta l'aria dell'ubbidiente soldatino della malavita organizzata: faccia da duro, occhi stretti, testa rasata, giubbotto di pelle. Il tipo di fisico che ti ritrovi quando sollevi pesi e non mangi verdure: lo sguardo da buttafuori grasso ma forte.

Brydon e Ken Hughes l'hanno interrogato senza ricavarci niente. «Quel farabutto non ci ha voluto dire nulla. Non che non me lo aspettassi, in effetti, ma non ha tirato fuori un alibi né ha negato di conoscere Sikorsky.» Brydon non lo dice, né ha bisogno di dirlo. Questi casi non si risolvono perché uno scagnozzo crolla e confessa qualcosa, ma perché si crea un vortice di pressione. Una smentita indiretta qui, qualche prova ricavata dalle telecamere a circuito chiuso là, una telefonata o magari una novità dalla Scientifica. In poco tempo speri di mettere insieme abbastanza dati per muovere un'accusa di qualche tipo, e poi la sorte comincia a girare a tuo favore. Trovi altre rivelazioni, frammenti di informazioni avuti in cambio di piccoli favori. E così ti procuri dei mandati di perquisizione per entrare in posti dove prima non potevi. Continui ad aumentare la pressione e a breve trovi una falla, una crepa nella diga che farà crollare tutto.

Nel frattempo, in modo inaspettato, facciamo un altro importante passo in avanti. La Soca, l'agenzia che lotta contro la criminalità organizzata, ci ha fornito – dopo la nostra terza richiesta – l'indirizzo londinese di Sikorsky, quello dove va a rintanarsi di tanto in tanto. Bev mi dice che Jim Davis (che ancora non mi rivolge la parola e, sono sicura, sparla di me con i colleghi) ha messo in giro la voce che la Soca vuole subentrare nell'operazione Lohan. Secondo me non succederà: sospettiamo tutti il coinvolgimento della malavita organizzata, ma in questa fase dell'indagine non se ne sa abbastanza perché la Soca ci faccia fuori. E poi Jackson è un ispettore capo rispettato, e sta gestendo bene l'inchiesta. In più, la squadra ha dei nomi su cui lavorare, dobbiamo solo trovare altre prove concrete e alla svelta. Insomma, la situazione non è stagnante, progredisce. Al momento Jackson ha chiesto di tenere sott'occhio l'indirizzo londinese di Sikorsky, nella speranza che sia abbastanza scemo da farsi vivo lì. Se non funziona, chiederà un mandato di perquisizione e farà irruzione nella casa.

A quanto pare il capo è soddisfatto, perché martedì subito dopo pranzo è venuto a cercare me e Jane Alexander alla sua scrivania. «L'interrogatorio della Balcescu,» esordisce «brave. Ottimo lavoro.»

Rispondiamo entrambe con il nostro «Grazie, signore» d'obbligo, e Jane gongola come se le avesse detto che può diventare capoclasse.

«Si comporta bene?» È Jackson che chiede a Jane di me.

«Sì, signore. Davvero bene, in effetti. Secondo me è stata eccellente con la Balcescu. È stata Fiona che...»

Jane sta per dire una cosa carina, ma lo slogan di Jackson «La Alexander conduce» mi rimbomba in testa, e non voglio fargli sapere che sono andata fuori pista, anche se per una giusta causa.

«Sono stata io a preparare i tè, signore. Lei lo prende con il latte, ma senza zucchero» dico indicando Jane. «La Balcescu invece con un cucchiaino di zucchero, ma gliene ho dati due, viste le circostanze.»

«Il tè era di buona qualità, no?» continuo rivolta a Jane.

«Non era male.»

«Bene.»

Jackson dice di nuovo «Bene» e se ne va borbottando. Jane si gira sbigottita verso di me. Voglio che Jackson pensi che so eseguire gli ordini, le spiego. «Non è sempre il mio forte.»

«Ma non mi dire.»

Per un attimo Jane sembra sul punto di aggiungere qualcos'altro, poi però si ferma e riprendiamo a fare quello che stavamo facendo.

Un lavoro piacevole. Noioso, necessario, sicuro.

Martedì sera torno a casa, ma ancora una volta la trovo spaventosamente vuota e vulnerabile, per cui me la svigno all'istante e passo un'altra bella serata con la mia famiglia. Papà e io non abbiamo più riparlato di pistole, lui però mi chiede se di recente ho fatto controllare l'allarme antifurto. Rispondo di no. Chi è che fa controllare l'antifurto? Non sapevo si dovesse controllare. Papà dice che manderà qualcuno per farlo, e siccome niente di quello che potrei dire riuscirebbe a impedirglielo, taccio.

Mercoledì è per lo più una giornata di lavoro burocratico – la cosa non mi dispiace – e l'unico interrogatorio che io e Jane facciamo è da manuale e poco utile. Non mi lamento, ho bisogno di un po' di noia nella mia vita in questo momento.

A parte la Balcescu, Jane e io non abbiamo ricavato niente di interessante dai nostri interrogatori, ma mi è piaciuto lavorare con lei. Esclusa quell'unica volta, è sempre lei a fare le domande e io a prendere appunti. Lei segue le regole. Io pure. Ecco il conforto della routine. Tre delle ragazze con cui abbiamo parlato sono state riluttanti, e hanno detto solo il minimo necessario. Una di loro, Tania, una ragazza gallese che viene dalla campagna, ci ha raccontato quello che vogliono o non vogliono i clienti, senza rivelarci nulla di importante. A me è sembrata svampita e confusa, ma non la classica vittima del racket. Ha parlato all'infinito di sesso, e io ho capito che le piace sul serio. Ama farne tanto. Ad alcune squillo, presumibilmente, capita.

Tutto sommato, ho passato il tempo in modi peggiori. Stilare i resoconti degli interrogatori è un modo piacevole di trascorrere la mattinata.

Huw Fletcher mi turba. Lui è importante. *So* che è importante, ma non riesco a collegarlo all'indagine. Ha abbandonato il lavoro in modo piuttosto brusco, lasciando i colleghi sconcertati ma non abbastanza da chiamare la polizia. Ha inviato un sms sospetto a Penry, di cui io sono a conoscenza solo perché ho fatto irruzione nella casa di un indiziato e gli ho rubato il cellulare. E anche quel messaggio è significativo solo se si considera Penry significativo, e si può considerare Penry significativo solo se – all'interno dell'inchiesta – lo è anche Rattigan. Ma Rattigan è morto, e questo – agli occhi dei miei colleghi – implica che lui non può assolutamente essere importante. *Io* non la vedo in questo modo, ovvio. Per me i morti sono importanti tanto quanto i vivi, ma cos'altro potrei pensare io, sì, proprio io?

Più o meno a metà pomeriggio, queste elucubrazioni mi turbano a tal punto da spingermi a chiamare Bryony Williams.

Mi risponde al terzo squillo. Le dico chi sono e arrivo subito al dunque.

«Bryony, ho bisogno di chiederti un favore.»

«Figurati, nessun problema.»

«Hai mai sentito parlare di un tizio che si chiama Huw Fletcher? Ha qualche legame con la prostituzione e/o la droga? Ma non posso aggiungere altro.»

«Huw Fletcher? No. Non ne ho mai sentito parlare.»

«Okay, bene. Ascolta, credo che Fletcher sia coinvolto in una faccenda orribile. Una faccenda che ha che fare con le donne che tu cerchi di proteggere. Non posso dirti perché, ma ho seri motivi per crederlo. Il guaio è che non posso rivelare chi è il testimone che mi ha dato il nome di Fletcher, e dunque non posso collegare Fletcher all'indagine. A meno che io non fornisca delle prove tangibili. Voglio che tu sia la prova.»

«Cosa vuoi che faccia?»

«Basta che tu dica di aver sentito delle voci, tra le ragazze con cui lavori, che Fletcher è coinvolto nel giro della prostituzione. Hai sentito delle voci e volevi passarmi l'informazione.»

«Okay. Sì, sono contenta di aiutarti.»

«Un giorno potrebbero chiederti di ripetere questa cosa in tribunale.»

«Immagino. Nessun problema.»

«Potrebbero chiederti questa testimonianza nel corso di un'indagine sulla scomparsa di una persona.»

«Okay.» Un okay strascicato, questo. «Chi è la persona scomparsa? Fletcher?»

«Sì.»

«Bene. Vai pure avanti. Quando si è in ballo, bisogna ballare.»

«Bryony, sei una stella. Meglio di una stella. Una Via Lattea? Una cosa così.»

«Nessun problema. Non capita tutti i giorni che un'agente mi chieda di inventare delle prove.»

Riattacchiamo. Non faccio ancora nulla, ma mi sento meglio sapendo che adesso ci sono maggiori opportunità di risolvere il caso. Fletcher, Fletcher, uomo missile.

La sera non ci sono esigenze operative di alcun tipo che impediscano a me e Brydon di uscire insieme. Stabiliamo di incontrarci in un'enoteca alle sette e mezza.

«Così io posso andare in palestra e tu hai tempo per prepararti. Per cambiarti o altro.»

Cambiarmi? Non ne avevo intenzione. Non ho neanche capito se Brydon mi sta velatamente suggerendo che dovrei farlo, o se è solo una frase da maschio imbranato. Ma la goffaggine ci accomuna. Siamo amici? Colleghi? Potenziali partner? Nessuno dei due lo sa di preciso, ma entrambi, suppongo, abbiamo molta voglia di scoprirlo.

In ogni caso, apprezzo che mi sia stato detto cosa fare. Esco dall'ufficio alle cinque in punto e vado a casa. È strano essere di nuovo qui. Non mi sento ancora sicura, ma neanche così profondamente minacciata come dopo la visita di Penry. Apro il frigorifero e rimango sorpresa di trovarlo pieno. Mi ero dimenticata di aver fatto provviste, domenica. Mi viene voglia di fumare, poi però cambio idea. Vado al piano di sopra e cerco di capire cosa dovrebbe indossare una ragazza per un appuntamento che forse è romantico, forse no. Poi sento un camioncino che si ferma fuori.

La paura mi travolge.

Coltello e martello sono giù. Avrei dovuto portarli di sopra. Le tende sono aperte e avrei dovuto tirarle.

Un uomo esce dal camioncino, si incammina verso il portone di casa e bussa. Ha l'aria di una persona normale. Potrebbe essere un idraulico. Un letturista. Un fattorino.

Ma che aria hanno i killer? Che aria aveva l'assassino di Stacey Edwards?

Non mi muovo. Non so cosa fare. L'uomo bussa ancora una volta, e io lascio che il suono echeggi nel silenzio.

Dopo di che torna al camioncino, tira fuori un cellulare e telefona. Io lo vedo, ma sto attenta a sporgermi quel tanto che basta perché l'uomo non possa individuarmi.

Per fortuna la finestra della camera è un pochino aperta. Una decina di centimetri, lo spazio giusto per far circolare l'aria. Una chiusura di sicurezza le impedisce di spostarsi oltre, ma la fessura è sufficiente a farmi sentire quello che dice l'uomo. Non tutto, ma abbastanza. Ha una voce squillante e chiede del signor Griffiths. Mio padre.

La paura sparisce subito. Tremo, ma adesso mi muovo. Il cervello, che era completamente bloccato, adesso funziona. Scendo al piano di sotto, sostenendomi a entrambe le pareti, e spalanco la porta.

«Fiona Griffiths, giusto? Mi ha mandato suo padre. Voleva che dessi un'occhiata all'allarme e ad altre piccole cose.»

Il Galles del Sud è pieno di persone che mio padre conosce. Immagino che ne debba pagare tante, ma questi rapporti non sembrano mai una questione di lavoro o di soldi. È che se Tom Griffiths ti chiede un favore, glielo fai, sapendo che in un modo o nell'altro quel favore ti sarà ripagato. Non ho mai riflettuto per bene su come funzioni questo meccanismo. Le cose stanno così e basta. «Mi ha mandato suo padre.» Cinque parole che significano che il tuo problema è risolto.

«Venga. Mi scusi. Ha bussato? Ero di sopra e non ero sicura...»

È una scusa debole, ma non gli devo spiegazioni. All'uomo (Aled – chissà perché le persone che manda papà di norma hanno solo il nome) non interessa. Entra, toglie il coperchio dell'allarme, mi chiede di digitare il codice d'accesso mentre lui distoglie platealmente lo sguardo e poi comincia a fare vari test e a verificare i collegamenti. Senza smettere di parlare. Dell'installazione di un grosso allarme a cui ha lavorato in una fabbrica di cibi in scatola a Newport. Delle stupidaggini che la gente fa con i codici di accesso. Dell'importanza della manutenzione.

All'inizio sono irritata perché non voglio rimanere lì a chiacchierare, ho un appuntamento che mi aspetta. Poi però mi accorgo che non gliene importa nulla se ha qualcuno con cui parlare o meno. Gli dico che vado di sopra e salgo. È perfino più facile, strano a dirsi, prepararmi mentre lui è di sotto. Mi perdo meno nei miei pensieri. Prendo decisioni più semplici, migliori. Questo vestito. (Blu notte, della Monsoon, carino ma non vistoso.) Questa collana. (Argento e perle di giaietto, una vecchia risorsa.) Queste scarpe. (Blu scuro con le rifiniture in seta e i tacchi a rocchetto, abbastanza comode per camminare.) Distendo gli abiti sul letto, poi mi lavo e mi asciugo i capelli con il fon. Non sono poi così diversa da prima, ma mi piace l'idea di aver fatto uno sforzo.

Non voglio vestirmi mentre Aled Vattelapesca è ancora in casa, per cui scendo giù a mettergli fretta. Ha finito di sistemare l'antifurto e adesso è tutto indaffarato a togliere le croste di patafix con la lana d'acciaio e l'acquaragia.

«Queste le ritocco dopo. Altrimenti si vede.»

«Vuole un tè?» Glielo propongo perché è quello che si offre sempre agli operai, e gli amici di papà apprezzano il tè come chiunque altro.

«Con il latte e senza zucchero, grazie. Ho smontato l'anta della credenza di là.» E in effetti, andando in cucina, trovo quella che era un'anta della credenza perfettamente utilizzabile distesa per terra. «Va regolata la cerniera. Probabilmente se n'era accorta. Non si apriva bene. La rimetto a posto in un attimo. Immagino che voglia uscire, no?»

«Sì, tra poco.»

Non ho fretta – sono solo le sei e un quarto –, perciò preparo il tè e cerco di ricordare se mi ero accorta di qualche problema con l'anta. Forse faceva un piccolo scatto all'apertura. Niente di che. Aled Vattelapesca adesso è impegnato con i barattoli di vernice, e fischietta.

Preferisco le chiacchiere al fischiettio, perciò gli porgo il tè e rimango nei paraggi invitandolo a parlare.

È come chiedere a un mormone di tenere una conferenza, a un militante islamico un discorso farneticante. Aled Vattelapesca è un turbine di chiacchiere, è il Muhammad Ali del rumore bianco. Pettegolezzi, ritagli di conversazione sconnessi, commenti sulla politica e domande che non si aspettano una risposta passano sulle sue labbra in un torrente infinito. Non dico quasi nulla e rimango meravigliata dalla sua capacità di parlare a vanvera.

Mentre rimette a posto l'anta della credenza, dice una sola cosa che cattura la mia attenzione. Si è lamentato delle bande di ragazzi in centro, poi ha parlato di pistole e coltelli, quindi – con l'amabile incoerenza che lo contraddistingue – sposta il fulcro del monologo sull'eccesso di limitazioni per accedere ai poligoni.

«La gente è contraria, sa. È per questo che posti del genere spuntano come funghi. Posti non regolamentati, cioè, non che debba dirglielo io, visto il lavoro che fa. Comunque, c'è questo club, un agricoltore ha trasformato il suo fienile in un poligono. Niente di pericoloso, non mi fraintenda, è per chi si vuole divertire un po'. Rivoltelle, cose così, niente di pericoloso, come dicevo. Sopra Llangattock. Si prende Llangynidr Road da Heads of the Valleys, e poi si continua lungo la strada che svolta verso Llangattock. È il fienile sulla curva della collina. Un edificio grosso e bianco. Probabilmente devono mettere il paraorecchie alle pecore, eh? Salute e sicurezza.»

Dopo questo pensiero la sua fiumana di chiacchiere si sposta in un'altra direzione. Adesso parla della tirannia della salute e della sicurezza a cui tutti siamo sottoposti. Spara cattiverie sul governo, sul comune. Ma non a lungo. Le croste di patafix sono sparite. L'anta della credenza è a posto. L'antifurto è felice come non mai. Aled Vattelapesca apre e chiude tutte le altre ante della credenza per controllare che ruotino bene sulla cerneria.

«Perfetto!» mi dice chiudendole.

Raccoglie la sua roba e scappa via. La casa sembra stranamente silenziosa senza di lui. Sembra anche un po' più sicura, per quanto l'antifurto non fosse il mio primo pensiero.

Vado al piano di sopra, mi vesto e mi trucco leggermente. Non faccio quasi mai questo sforzo, ma se mi applico sono più che passabile. Non bella come Kay. Questo sarà sempre al di là delle mie possibilità. Ma carina, sì, una ragazza attraente. Questa è la meta a cui ho sempre puntato, e provo una sorta di profondo sollievo nell'averla raggiunta. Più che sollievo. Gioia. Mi piace. Mi piace il mio aspetto stasera.

Alle sette e dieci, esco di casa. Sento ancora un briciolo di ansia per la mia incolumità fisica, per cui infilo un coltello da cucina nella pochette. Il coltello è piuttosto piccolo, ma la pochette fa pendant con il vestito, ha delle guarnizioni d'argento e un fiocco di seta esagerato, per cui, per quanto mi riguarda, mi trovo ancora nel paradiso delle ragazze. Arrivo all'enoteca quasi nello stesso momento di Brydon.

«Accidenti, Fi, sei strepitosa.»

Lo avrebbe detto comunque, perché Brydon è un vero gentiluomo, ma l'espressione che ha e il modo in cui continua a guardarmi mi confermano che lo pensa sul serio.

«Anche lei, signor b.» gli dico, e lascio che mi faccia strada dentro il locale.

In tutta onestà, i primi quaranta minuti che passiamo insieme sono piuttosto imbarazzanti. Nessuno di noi – prima di arrivare – aveva deciso se si trattasse di un appuntamento romantico o no. O meglio, credo entrambi avessimo deciso che doveva essere un appuntamento romantico, ma non sappiamo assolutamente come passare dai toni camerateschi e canzonatori tipici dei colleghi all'intimità di un appuntamento.

Dopo quaranta faticosi minuti, Brydon chiede il conto piuttosto bruscamente, e dice: «Andiamo a mangiare».

Il ristorante che ha scelto è a pochi minuti di distanza dall'enoteca – siamo in una traversa di Cathedral Road, sull'altra riva del fiume rispetto a Bute Park e ai nostri uffici – ma lui cammina mezzo passo davanti a me, si muove più veloce di quanto io riesca a fare e tiene il petto in fuori e le spalle all'indietro come fosse un soldato che si prepara al combattimento. Capisco che è il suo modo di assaltare la fortezza Fiona, e la cosa mi colpisce, anche se preferirei che i miei potenziali corteggiatori non considerassero un appuntamento con me come una specie di lotta in cui lanciarsi. Forse sono stata scontrosa con lui prima. A volte lo sono senza rendermene conto, è il mio standard. Non è una qualità, però, quando si tratta di sfoggiare il tipico charme femminile.

Decido di fare di meglio.

Quando arriviamo al ristorante – un bel posto, «cucina gallese moderna», quindici sterline a portata – gli dico che il locale è incantevole. Quando siamo al tavolo, viviamo un momento comico. Stavo per scostare la sedia quando mi accorgo che Brydon vuole fare il gentiluomo, e darmi la possibilità di sedermi con la grazia di una vera signora. Sono un po' lenta ad afferrare il concetto, per cui facciamo un breve tiro alla fune con lo schienale prima che io me ne renda conto e assuma il più rapidamente possibile un atteggiamento da vera signora. Siccome non sono brava in queste cose, comincio a sedermi prima che lui sia pronto, e lui fa appena in tempo a mettere la sedia sotto di me evitando per un pelo il disastro.

Brydon si blocca un attimo – anche lui è maldestro – e comincia a ridere, allora rido anch'io, e l'atmosfera si rilassa. La sua aria arcigna si dissolve. Una volta seduti, sorrido e gli ripeto che è un locale incantevole. Mi spingo a tal punto da farmi convincere a ordinare un bicchiere di vino bianco. Mi accorgo di comportarmi come se stessi seguendo le istruzioni di un manuale di corteggiamento. Ho scoperto che per gli altri di solito funziona, sono solo io a sentirmi strana.

Da quel momento in poi, le cose vanno meglio.

Il manuale suggerisce di interessarsi alla vita del corteggiatore, e io eseguo. Non posso domandargli del lavoro senza sembrare troppo una piedipiatti, né so granché della sua vita privata, per cui gli chiedo del periodo che ha passato nell'esercito. A me sembra una domanda goffa. «Allora, Dave, perché non mi hai mai raccontato nulla del periodo in cui eri arruolato? Per quale motivo hai fatto questa scelta?» Mentre parlo, mi sembra d'essere una pessima conduttrice di talk show. Abbronzatura spray e sorriso idiota. Però funziona. Il manuale funziona. Brydon mi racconta di quando era nell'esercito. Nel 1998 ha fatto domanda per i paracadutisti ed è stato accettato, e l'anno dopo lo hanno scaraventato nel conflitto in Kosovo. È modesto – come al suo solito – nel dire quello che dice, anche se a quanto ne so ha un cassetto pieno di medaglie al valore. Un'amica migliore di me avrebbe già sentito parlare di alcune di queste circostanze, e io mi vergogno un po' per non averle scoperte prima.

Visto che funziona seguo passo passo il manuale. Quando arrivano gli antipasti dico che sono deliziosi, quando arriva il primo dico che è buonissimo. Mangiamo l'uno dal piatto dell'altra. Brydon mi ripete che sono bellissima. E io mi ricordo di sorridere spesso.

Cerco anche di contraccambiare il candore di Brydon. Un'impresa ardua per me. L'unica cosa di cui tutti vorrebbero sapere – quei due anni di malattia – è top secret, per quanto mi riguarda. Meno se ne parla, meglio è. Ma faccio quello che posso. Gli racconto dell'università, della mia famiglia. Quando Brydon con un gran sorriso chiede: «Tuo padre si è tranquillizzato, no?», devio la domanda e gli racconto del club che papà vuole aprire a Bristol. Mi chiede se voglio un altro bicchiere di vino, e io rispondo di no.

«Io e l'alcol non andavamo affatto d'accordo. Adesso va meglio, ma non mi piace esagerare.»

Non parliamo granché di lavoro, ma del perché abbiamo scelto questo mestiere, sì. Per Brydon è stato un passo naturale, o quasi. Voleva uscire dall'esercito. «Non era tanto il pericolo, ero scettico sul modo in cui i politici ci usavano. Non capivo se ero davvero utile, e ho pensato che nella polizia avrei potuto sfruttare le mie competenze – tutti i santi giorni – per rendermi utile.» Su altre labbra sarebbe sembrata una stronzata moralistica, ma non sulle sue. Lo dice perché lo pensa. Mi piace che sia tutto così semplice per lui. Lo apprezzo.

Poi Brydon dice: «E tu? Tu perché l'hai fatto?».

Rido.

«Se te lo dico, penserai che sono pazza.»

Brydon aspetta che continui e glielo racconti, io però mi fermo. Quando sei pazza sul serio, come sono o sono stata io, stai molto attenta a quello che riveli di te. Ma eccoci qua.

Fi. «If» al contrario, ovvero «se».

Griffiths. Un bel cognome, comune, e due «if» che si nascondono al suo interno. Il mio nome, letteralmente, è il massimo dell'incertezza. L'unico suono concreto, l'unico suono a cui ci si può aggrappare è la G iniziale, che però non è affidabile.

La prima volta che ho notato queste cose avevo otto o nove anni, e la sensazione di vertigine che mi ha còlto allora non mi ha più abbandonato. Il mio nome sembra precario, un'ipotesi in equilibrio su un enigma. È questo in parte il motivo per cui mi è sembrato giusto diventare una detective. Sono finalmente diventata quello che il mio nome implica: una professionista del «se». Se Rattigan. Se Mancini. Se Fletcher. Se Penry. Se la povera Stacey Edwards. Un milione di «se» che mi assillano in cerca di una soluzione.

Brydon mi guarda con i suoi grandi occhi seri.

«Ma io penso già che tu sia pazza» dice.

Non gli rispondo nemmeno adesso, però si è meritato un altro sorriso.

Quando usciamo dal ristorante, sono le undici meno un quarto. Brydon si comporta da maschio capace di creare la situazione adatta per ogni possibile evenienza. Andiamo a casa sua per otto ore di sesso scalmanato? Un bacio casto sulla guancia e l'insignificante promessa di vederci di nuovo prima o poi? Lascia decidere me. Una cattiva idea, tutto sommato. Tendo a prendere queste decisioni in modo tale da non correre il minimo rischio.

Cerco di immaginare cosa suggerisce il manuale. Per quanto ne so, la procedura standard è: brutta serata, un saluto educato; bella serata, un bacio pudico.

Direi che è stata una bella serata. All'inizio un po' goffa, forse, ma a tutti è concesso un avvio sgangherato. E credo di essere stata bene. E anche Brydon, immagino. Sono all'uscita del ristorante ed esito in modo esagerato.

«Vuoi che ti accompagni alla macchina?» chiede lui. Mi sorride. O meglio, credo che stia ridendo di me, ma in modo carino.

Mi accompagna. L'aria è tiepida, le strade tranquille. La luce del giorno, o il suo ricordo, è ancora viva in cielo. Mi sento un po' stralunata, ma non per forza in modo negativo. Sono quasi sicura che sentirò i piedi quando toccheranno terra, e il cuore mi sembra a posto, anche se forse è un po' distante. Eppure, il fatto è che mi sento stralunata. Arrivati all'angolo di Cathedral Road, sto per immettermi nel traffico, dove una serie di auto che corrono veloci si appresta a investirmi. Brydon, con sorprendente agilità, mi afferra e mi trattiene, per cui riesco a rimanere sul marciapiede evitando di finire spiaccicata. Con la stessa agilità, camminando per strada, mi tiene un braccio sulla spalla. Non sono stralunata nel modo sbagliato, perché sento la sua mano sul mio braccio nudo.

L'aspirante corteggiatrice è còlta alla sprovvista. È stata vinta con abili strategie, ma non disdegna il risultato. Mi piace la sua mano sopra di me. Mi piace il peso del suo braccio sulle mie spalle. Non riesco proprio a credere che stia succedendo, però mi piace.

Superiamo la mia macchina di circa duecento metri, perché non ho fermato Brydon quando ci siamo passati davanti. E quando mi chiede dov'è, torniamo indietro. Le uniche cose a cui riesco a pensare sono il suo braccio sulla mia spalla e il cielo viola pallido.

Arrivati alla macchina, *devo* prendere una decisione, è inevitabile, ma va bene. Ho deciso. Giro le spalle alla macchina, mi ci appoggio sopra e comincio a guardare Brydon. Lui si dà da fare, si dà proprio da fare, il bravo sergente. È impressionante la totale padronanza che ha della procedura standard. Tiene una mano dietro la mia schiena e mi attira verso di sé per un bacio. Un bacio bellissimo, per di più. La mia testa si spegne e i sentimenti prendono il sopravvento. Nello stomaco sento una certa agitazione.

Adesso calma, Griffiths. Rilassati.

La situazione ora è davvero rischiosa. Gli esperti di salute mentale erano tutti entusiasti quando provavo sentimenti umani spontanei, semplici, normali. Una crocetta sui loro questionari medici. Qualcosa di cui vantarsi mentre sorseggiavano il caffè al polistirolo al diciottesimo congresso psichiatrico di Chissàdove.

Anch'io sono contenta di provare questi sentimenti. Davvero. Ma non è semplice per me. So che troppe cose insieme possono far sobbalzare la mia fragile barchetta, e farmi stare molto peggio di prima. L'operazione Lohan certo non aiuta. È un fattore di rischio. Le ansie che ho avuto da quando Penry mi ha picchiato sono ancora lì, solo più acute. La mia barchetta è in alto mare.

Ci baciamo ancora, e dentro di me sento un desiderio insistente. Che mi trascina. Otto ore di sesso scalmanato sembrano un'ottima scelta adesso. Ma riprendo il controllo su me stessa e so di cosa ho bisogno. Dopo il secondo bacio, mi scosto, anche se con gentilezza.

«Grazie per la cena, sergente» dico.

Brydon accenna un saluto militare. «Agente Griffiths.»

«La prossima volta offro io.»

«Ci sarà una prossima volta?»

Io annuisco. Questa è facile. «Sì. Sì, senz'altro.»

27

Casa.

Ansia davanti al portone. C'è una luce di sicurezza di fronte all'ingresso, per cui non mi preoccupo di eventuali agguati esterni. Sono i possibili agguati interni che mi mandano fuori di testa. So che l'antifurto adesso funziona bene, com'ero perfettamente sicura che funzionasse bene prima, ma la mia paura è irrazionale.

Fanculo i sentimenti, viva la ragione, mi dico. Un vecchio slogan. Non molto utile, di questi tempi.

Infilo la chiave nella toppa, la giro ed entro. L'allarme comincia a fare bip, come sempre, e io inserisco il codice per metterlo a tacere.

Appartamento vuoto. Luci accese, come le avevo lasciate. Nessun rumore. Niente di imprevisto.

Il mio cervello scorre la lista delle cose da controllare, il mio cuore però va a velocità folle, come se non fosse molto interessato ai pensieri di chi lo comanda. Vado a chiudere il portone. Mentre sto per farlo, la punta del piede sfiora qualcosa sul pavimento.

Paura istantanea.

Paura istantanea, irrazionale. Combatto contro l'irrazionalità e mi costringo a guardare verso il piede. È solo un foglio di carta. Un volantino pubblicitario o qualcosa di simile. Chiudo la porta,

giro la chiave, controllo due volte di aver chiuso bene e poi mi
piego a raccogliere il foglio.

Non è un volantino.

Dice: SAPPIAMO DOVE VIVI. Nessun nome. Un comune foglio
di carta. Una normale stampante. Non serve la Scientifica, perché
so già che non ci sarà niente da scoprire.

Il panico è istantaneo e convulso. Sono in ginocchio accanto
alla porta e mi viene da vomitare, come dopo lo schiaffo di Penry.
Stringo ossessivamente la pochette nella mano destra per sentire
la lama del coltello. Sono pronta a dare una pugnalata attraverso
la borsa se necessario, fiocco di seta incluso.

In dieci minuti la paura ha al suo attivo tre goal. Invece Griffiths, F. deve ancora uscire dalla sua metà campo. Voglio chiamare
papà perché venga a salvarmi. Chiamo Brydon perché venga a
salvarmi. Gli farò passare la notte più bella della sua vita, se viene.
Oppure chiamo Lev e gli chiedo di mettere ancora una volta al mio
servizio la sua minacciosa efficienza.

Quei vecchi slogan hanno però una loro utilità. Fanculo i sentimenti, viva la ragione. Papà, Brydon e Lev sono tutte soluzioni
provvisorie. Vanno bene per una notte, ma sono inutili per una vita
intera. Se mi ritrovo nelle grinfie della paura, devo essere capace di
affrontarla da sola. E per di più ho la strana sensazione che papà
mi abbia già aiutato.

Dopo aver controllato di nuovo la porta chiusa a chiave, vado
in salotto e prendo il telefono. Chiamo Brian Penry. Sul fisso, perché ho infilato la sim card del suo cellulare nel bollitore. Quattro
squilli, poi risponde.

«Penry.»

«Brian. Sono Fiona Griffiths.»

C'è un attimo di silenzio. Anch'io sarei rimasta in silenzio se fossi stata in lui. Magari ha solo bisogno di un po' di tempo per trovare il giusto atteggiamento nei miei confronti. L'atteggiamento da film poliziesco anni settanta? O quello da idiota del cazzo? O forse quello da «Ti stacco la testa con un ceffone»? Penry non sceglie nessuna delle suddette opzioni e dice: «Allora, cosa posso fare per te oggi?».

«Sua mamma ha ricevuto i tulipani? Glieli ho mandati io. Mi sentivo in colpa.»

«Sì, ti ringrazio.»

«Okay…» Non so cosa ribattere. Io gli ho rubato il telefono. Lui mi ha picchiato. Io ho regalato dei tulipani a sua madre. È difficile capire esattamente chi deve cosa a chi. «Ho ricevuto un biglietto stasera. Nella cassetta della posta. Diceva: sappiamo dove vivi.»

«È un po' un luogo comune, no?»

«Non ho chiesto una critica letteraria. So che è un luogo comune.»

«In ogni caso, io so dove vivi. Mi hai offerto bagel e salmone affumicato, ricordi?»

«Non me lo ha lasciato lei. Lo so.»

«Però mi stai telefonando.»

«Sapeva che due settimane fa Huw Fletcher è sparito dagli uffici di Rattigan a Newport? Lei aveva il suo numero in rubrica.»

Un lungo silenzio. Non lo interrompo.

«Ascolta. Niente di tutto questo dev'essere un tuo problema. È l'ispettore capo Jackson a dirigere l'indagine per omicidio, giusto? Fai gestire la cosa a lui. Troverà il suo uomo. La Scientifica, le telecamere a circuito chiuso, questa roba qua.»

«Lo so.»

«Non devi fare altro.»

«Solo che l'ho già fatto, no? A prescindere da tutto, c'è qualcuno che infila biglietti intimidatori nella mia cassetta della posta.»

All'altro capo del telefono si sente un sospiro, o forse non è un sospiro ma un'inspirazione.

«Huw Fletcher è un idiota. Non è un idiota pericoloso, non pericoloso per te, intendo dire. Se vuoi sapere la mia opinione, a breve sarà un idiota morto. Non gli ho dato io il tuo indirizzo. Gli ho dato il tuo nome. Per spiegargli che il messaggio che ha ricevuto non l'avevo spedito io. Ho usato il tuo cognome, non il tuo nome. Ho detto che sei una poliziotta.»

Faccio gli stessi calcoli che ha appena fatto lui. Ci sono tanti Griffiths a Cardiff, ma non molti F. Griffiths. Dato che Fletcher ha saputo che sono una poliziotta, probabilmente ha telefonato al centralino di Cathays Park e ha scoperto il mio nome. Senz'altro non gli hanno dato l'indirizzo di casa, ma forse tutte le F. Griffiths di Cardiff hanno ricevuto lo stesso messaggio nella cassetta della posta, stasera.

«È il tipo di cose che fa un idiota» dice Penry. «Non credo che tu debba preoccuparti.»

«Ho incontrato una prostituta lunedì. Mi domando se la conosce. Ioana Balcescu. Qualcuno l'aveva picchiata riducendola piuttosto male. Non un cliente che si lamentava. Una sorta di pestaggio punitivo. Non ci ha detto niente di niente.» Non è vero, ma voglio proteggerla. «Ma quando le abbiamo fatto un paio di nomi, be', si è davvero impaurita.»

«Ah sì?»

«Non sentendo il suo nome, anche se glielo ho chiesto.»

«Carino da parte tua, grazie.»

«*De nada*. No, i due che l'hanno turbata erano Karol Sikorsky...» faccio una pausa nel caso Penry avesse voglia di dire qualcosa, ma rimane in silenzio «... e Brendan Rattigan.»

«Brendan Rattigan è morto. Non lo sapevi? Un incidente aereo nell'estuario del Severn.»

«Lo so. È sorprendente che terrorizzi ancora le prostitute di Butetown.»

«Sì.»

Una lunga pausa. Potrebbe essere la fine della telefonata, ma nessuno dei due riattacca.

«Vuoi il consiglio di uno che in passato è stato un poliziotto quasi decente?» dice infine Penry.

«Mi dica.»

«Stai alla larga da questa storia. Non puoi fare niente e, come hai già notato, Brendan Rattigan è perfettamente in grado di fare del male alla gente anche dall'oltretomba. Perfettamente in grado. Stanne alla larga.»

«E lei ne è stato alla larga?»

Penry ride. «*Ero* un poliziotto quasi decente. Non significa che lo sia adesso.»

«Magari però io ci sono già dentro. Di qualunque cosa si tratti.»

«Magari.»

Un'altra breve pausa, poi lui mi fa: «Stai bene? Dopo che ti ho picchiato?».

«Tutto a posto, sì. Non si preoccupi.»

«Non mi sono preoccupato.»

«Immaginavo, grazie comunque, Brian. È stato utile parlare con lei.»

«E Huw Fletcher è un idiota. Fidati.»

«Mi fido, stranamente. Posso farle un'ultima domanda? Brendan Rattigan, di preciso, quanto è morto secondo lei?»

Penry ride. Una risata vera. Non c'è inganno né finzione. «Be', non ero presente quando è successo, ma direi che è assolutamente morto, ci metterei la mano sul fuoco. Questa almeno è la mia ipotesi.»

Ci auguriamo la buonanotte, e riattacco. Strano a dirsi, ma mi fido di Penry. Non so se è perché è stato un poliziotto, e i poliziotti rimangono solidali nella buona e nella cattiva sorte. O se invece è qualcosa che ha a che fare con il ceffone che mi ha dato. Se ha esorcizzato qualcosa nel nostro rapporto.

Se il biglietto arriva da Fletcher e se Fletcher è un idiota non pericoloso che presto potrebbe essere morto, allora adesso non devo preoccuparmi più di quanto fossi preoccupata prima di uscire. D'altro canto, onestamente non so se sono «fuori da tutto questo» o «dentro tutto questo», qualunque cosa sia «tutto questo». E se il vero pericolo viene da Brendan Rattigan, che probabilmente è morto, allora l'asse Penry-Fletcher non è l'unico modo in cui mi sto procurando dei guai. Ci sono tutte le telefonate e i messaggi che ho fatto ai numeri della rubrica di Penry. C'è la mia straordinaria capacità di sconvolgere Ioana Balcescu facendole il nome di Rattigan. Chissà per quali strane vie potrebbero essere arrivate notizie sulle mie indagini a gente che mi considera degna di un pestaggio punitivo o anche peggio?

Non è un bel pensiero, questo. Se gente del genere mi facesse quello che ha fatto a Ioana, io non sopravvivrei. Tornerei al punto in cui ero da adolescente. Come morta.

Gli incubi che hanno tanto spesso funestato le mie notti paiono insinuarsi adesso nelle ore di veglia. Contro certe minacce, un coltello da frutta nascosto in una pochette di seta blu non è un'arma adatta.

E senza riflettere più di un secondo sulle mie azioni, mi ritrovo davanti alla porta ed esco. Entrando in macchina, mi accorgo che sono ancora vestita a festa, con i tacchi alti e tutto il resto. La logica suggerirebbe di tornare dentro e cambiarmi, ma io tengo sempre una felpa e degli scarponi da trekking nel bagagliaio, e ora come ora preferisco ingranare la prima.

Le strade sono vuote. Di norma schiaccerei l'acceleratore, ma tenendo presente dove sto andando, mi comporto da brava bambina e guido sotto il limite di velocità consentita. Direzione Pontypridd. Oltrepasso Treharris e Merthyr e, finalmente, imbocco la strada della Heads of the Valleys verso Ebbw Vale. Le forme e le ombre delle miniere di carbone, i loro fantasmi.

Giro verso Llangynidr. Sono dentro il parco nazionale adesso. Non è proprio montagna, è più collina. Non ci sono minatori morti qui, solo pecore che si stagliano bianche contro i fitti ciuffi d'erba. Niente macchine, edifici o persone. In passato c'erano delle cave quassù, ma non so dove e non credo siano ancora attive.

Svolto in direzione di Llangattock, e all'improvviso divento ansiosa perché non so se troverò il fienile. Non ci sono cartelli ed è notte. Il navigatore satellitare brancola nel buio come me. Ma poi arrivo alla curva. C'è un piccolo slargo e lungo una strada sterrata, a circa trecentocinquanta metri, un grande fienile bianco con una luce sopra la porta. Proprio dove aveva detto Aled. Riesco a vedere i macchinari agricoli, un ampio cortile di cemento e poco altro, per via della scarsa luce.

Il sentiero è chiuso da un cancello, ma credo che mi sentirei più sicura andando a piedi piuttosto che in macchina. Mi metto gli scarponi da trekking al posto delle mie carinissime scarpe con i tacchi e mi infilo la felpa sopra il vestito. È più freddo quassù. In parte per l'altezza, in parte perché è fuori città. Il cielo è mezzo coperto. Qualche stella, e poi ampie zone oscure. Il profilo delle luci rivela il paesaggio: un bagliore aranciato verso Crickhowell e Aberhavenny, e dietro praticamente nulla, fino alla massa imponente delle Montagne Nere.

Sono spaventata, ma è una paura positiva. Una paura che mi spinge all'azione, non del tipo che mi ha spinto a inginocchiarmi accanto al portone di casa a vomitare. Mi sento lucida e determinata.

Mi incammino verso il fienile. Ho lasciato il coltello e la pochette in macchina perché sembrano oggetti insulsi qui. Assaporo la sensazione di sentirmi esposta.

A un certo punto avverto un improvviso calpestio. Ho l'adrenalina a mille, ma sono solo pecore – vedo le loro facce ottuse, stupide e amabili che fanno capolino nell'oscurità – e proseguo.

Raggiungo il cortile di cemento. Qui non c'è nessuno. Non si sente nessun rumore tranne quelli tipici di una fattoria addormentata. Non so cosa mi aspettassi di trovare o fare. C'è una grande porta scorrevole di metallo, di quelle usate nei capannoni industriali, ma è chiusa, anche se non a chiave, e non saprei come aprirla. Accanto, però, c'è una porta più piccola. A dimensione d'uomo, non di trattore. Mi avvicino. Provo a girare la maniglia e la trovo aperta.

Entro.

È un posto enorme. Come tutti i fienili, ovvio. Ma c'è un non so che – nell'ampio tetto, nell'immenso spazio silenzioso –, che ti altera qualcosa dentro, ti piaccia o meno. Vado avanti, come se camminassi in punta di piedi dentro una cattedrale.

Il fienile è illuminato – passatemi il termine – da due lampade a incandescenza appese a lunghe corde. Emetteranno un centinaio di watt l'una, ma in questo spazio e in questo buio la luce si disperde in fretta. Sotto la lampada più vicina, c'è qualche balla di fieno che divide a metà il magazzino. Più avanti, sotto l'altra, c'è una fila di bersagli di carta. A forma di uomo, non a cerchio. Dipinti in bianco e nero. Nero per congratularsi con te per un bel colpo al petto, bianco per abbassarti il punteggio per un colpo al braccio o alla testa.

Quando arrivo alle balle di fieno, ci trovo sopra una pistola. Non so di che tipo. Accanto c'è una scatola di cartone piena di proiettili.

So che le pistole hanno una sicura e perdo un po' di tempo a cercare di capire se è inserita o meno. Non ne ho idea. C'è solo un modo per scoprirlo.

Per metà mi sento un'idiota, per metà mi sento come se fossi Cagney e Lacey. Mi metto in posizione. Piedi divaricati. Braccia tese. Sguardo fermo. Fuoco.

Niente.

Sposto quella che credo sia la sicura nell'unica altra posizione possibile e riprovo.

Stavolta spara. Il colpo è straordinariamente forte. Come quando Penry mi ha picchiato, solo con l'audio adeguato alla situazione. Non so se le mie orecchie siano particolarmente sensibili o se le pistole facciano davvero un rumore così forte, o se invece è il puro e semplice silenzio nel fienile che mi sciocca.

Mentre abbasso l'arma, le braccia tremanti, noto che su una balla di fieno ci sono anche i paraorecchie. Non avrei nemmeno saputo come chiamarli se Aled Vattelapesca non avesse menzionato il termine. Bravo Aled. Uno degli uomini di papà. Il mio papà eternamente affidabile. Il più grande signor Ci-penso-io, il buono a nulla che diventa in gamba.

Dato che sono qui, penso, tanto vale sfruttare bene il mio tempo.

Imparo come si fa a caricare una pistola facendo slittare il caricatore fuori dall'impugnatura. Mi esercito finché non mi viene bene. Chiudo gli occhi e, al buio, scarico e ricarico la pistola, e sposto la sicura su off con il pollice. Forse potrei essere più veloce, ma comunque mi riesce. Sopra il fieno ci sono quattro scatole di proiettili.

Decido di usarne una per esercitarmi.

Sparo. Sparo. Sparo.

Occhi chiusi. Mi giro. E poi mi volto di scatto verso i bersagli. E sparo, sparo, sparo.

Ci sono più o meno duecentocinquanta proiettili in una scatola. Ne sparo quasi centocinquanta. Alcuni non colpiscono il bersaglio. Tanti colpiscono le zone bianche: testa, mani, inguine, gambe. Molti altri però colpiscono il nero. Il bersaglio a cui miro non ha quasi più la parte centrale. È a pezzi adesso.

Mi dolgono le braccia a forza di tenere la pistola puntata, la metto giù, e mi siedo a riposare. Un anno, a Cambridge, c'era una ragazza snob, anche lei studentessa di Filosofia, che battezzava tutti gli oggetti più significativi della sua vita. Aveva un orsacchiotto con un nome, ovvio, ma anche la sua auto ce l'aveva. E il cellulare. E tutti e due i suoi computer e la macchina fotografica. Mi pare desse un nome anche ai coltelli e alle forchette – non so fino che punto queste cose si adattino all'aristocrazia inglese. Per quello che mi riguarda, non sono certo il tipo che dà il nome agli oggetti, ma se lo fossi, credo che questa pistola sarebbe la prima ad averlo. Sarebbe una Huw, magari. Stupida ma pericolosa. O una Brendan, cibo per pesci che però terrorizza ancora le prostitute della zona. O magari una Jane Alexander, bella, elegante e che incute paura.

Decido di finire queste munizioni e di andarmene con la pistola e una scatola di proiettili. Se ci saranno più di duecentocinquanta persone a darmi la caccia, dovrò cavarmela con il coltello da frutta.

Mi alzo di nuovo e ricomincio. Braccia unite – ignora il dolore –, piedi divaricati, tutte e due gli occhi aperti, respiro regolare. Sparo. Sparo. Sparo.

Giro ancora su me stessa. Cerco di sparare con una mano sola. Sono senz'altro meno precisa, ma in ogni caso non vorrei essere il bersaglio.

Poi, mentre mi preparo un'altra volta a chiudere gli occhi, girarmi e sparare, all'improvviso noto che la porta da cui sono entrata è aperta. C'è un uomo lì davanti. Indossa un berretto floscio, una camicia a scacchi e un pesante giubbotto di tweed. Non ha età: potrebbe avere trent'anni o sessanta. Guarda dritto verso di me, china la testa per salutarmi, ma non dice né fa altro. Per la prima volta noto che all'altra estremità del fienile, dov'è non c'è luce ed è buio, ci sono degli animali che si muovono. Bovini, credo. Le pecore dovrebbero essere nei campi. Scorgo vagamente degli occhi color ambra brillare nell'oscurità. Mi domando cosa abbiano capito le mucche dei miei spari. Se è una cosa che sentono spesso o quasi mai.

Non saprei. Mi tolgo il paraorecchie.

«Rilassa le spalle» mi dice l'uomo. «Le mani morbide. Non irrigidirti. Spingi lentamente il grilletto. Non devi dargli uno strattone.»

«Okay.»

«Sei destrorsa?»

Io annuisco.

«Allora sposta il piede sinistro un po' più avanti. Solo un po'. I piedi devono essere alla stessa distanza delle spalle. Seleziona un nuovo bersaglio.»

Torno alla pistola. Il poligono mi sembra un po' meno buio ora che i miei occhi si sono abituati all'oscurità. Sentendo lo sguardo dell'uomo puntato sulla schiena, mi metto in posizione e sparo un caricatore con dieci proiettili nel giro di tre o quattro secondi. Cerco di tenere le spalle rilassate e le mani morbide. Non ho messo i paraorecchie, ma stavolta il rumore me lo aspetto e mi piace. Riempie lo spazio.

Mi volto verso l'uomo, che si limita ad annuire.

Lo interpreto come un «Continua» e sparo altri quattro caricatori. Mi concentro sulle spalle e sulle mani, e la mia precisione aumenta. Non ho niente con cui fare un confronto, ma nell'insieme direi che è andata bene.

Mi volto verso l'uomo.

«Bene. Tieni le mani morbide.»

«Okay.»

Un altro cenno del capo. Torno al bersaglio, stavolta con il paraorecchie, e finisco la scatola. Mani morbide, proiettili duri. Quando mi giro di nuovo, l'uomo se n'è andato.

Mi sento le braccia stanchissime, ma sono felice. Prendo la pistola. (Ma, cari stilisti della Moonson, dove dovrei infilare questo gingillo? I vestiti carini vanno benissimo, ma non sono fatti per nasconderci dentro le armi.) Poi cambio idea e prendo due scatole di proiettili invece di una. Quando l'esercito dei morti viventi di Rattigan spunterà dalla baia di Cardiff per catturarmi, dovranno essere come minimo cinquecentouno. Basta che siano un paio di meno e gliela farò vedere io.

Uscendo dal fienile, vado dalle mucche e gli prometto che potranno dormire un po'. Le mucche formano nuvole di vapore con l'alito, ma non aggiungono altro. Un centinaio di occhi color ambra mi segue.

Nel cortile non è cambiato nulla: non c'è nessuno e non si muove niente. Mi avvio lungo il sentiero diretta alla macchina e torno a casa da dove sono venuta. Penso a Penry. A Huw Fletcher e a Brendan Rattigan.

Ma soprattutto penso al bacio di Dave Brydon. Sono la sua ragazza adesso? Non credo di essere mai stata la ragazza di qualcuno prima d'ora. Probabilmente ci sono andata vicinissimo con Ed Saunders, ma non credo che Ed mi considerasse affidabile, neppure all'epoca. Un'amante e un'amica sì. Una ragazza vera e propria non mi è mai riuscito diventarlo.

Mentre penso a tutto questo, e malgrado il mio fascino da cactus, mi rendo conto che mi piacerebbe essere la ragazza di Dave Brydon. Il tipo di ragazza che si ricorda del suo compleanno, che si comporta in modo appropriato con i suoi genitori e pensa di indossare mutandine di pizzo per San Valentino. Non so se è un gesto che riuscirò mai a compiere, ma l'idea mi sembra allettante. Una cosa che sono pronta a tentare. Il solo pensiero mi fa girare la testa. Ho le vertigini.

Sull'ultimo tratto di strada verso casa, rientrando in città dalle valli, penso a papà. Supponevo che fosse sulla retta via, perché me lo ha detto lui e io di solito credo a quello che mi dice. Ma, d'altro canto, se è stato papà a procurarmi la pistola, lo ha fatto con una velocità e una capacità organizzativa notevoli. Potrei chiederglielo direttamente, ma non è mai stato il nostro modo di confrontarci. Quando mi sono arruolata in polizia, ho messo bene in chiaro che a casa avremmo applicato la politica del «Non chiedere. Non dire». Io non ho mai chiesto. Lui non ha mai detto. Per quanto mi riguarda, mi sta bene lasciare le cose così.

Mi domando anche se il disagio di mio padre per il mio ingresso nel dipartimento di indagini criminali dipendesse dal fatto che aveva ancora delle cose da nascondere. Cose che non voleva far sapere ai miei fratelli e alle mie sorelle della polizia. Non è la prima volta che me lo domando, ma è la prima volta che ho dubbi concreti sulla risposta.

Arrivo a casa poco dopo le due. Mi incammino verso il portone con i tacchi e le scatole di munizioni in una mano, la pistola nell'altra. Per la prima volta da un'eternità, non sono per niente spaventata.

28

È ora di andare a letto. È più facile adesso di quanto non lo sia stato negli ultimi tempi.

Lascio il letto com'è, ma tiro fuori un futon e un piumone di scorta. In teoria, il futon è per gli ospiti, anche se non ricordo nessuno che l'abbia mai usato. Sistemo il futon in un punto del pavimento non visibile dalla porta. Come nella migliore tradizione, infilo dei cuscini dentro al letto per far sembrare che ci dorma qualcuno. Poi mi accomodo sul futon, con un bicchiere d'acqua, la sveglia vicino alla testa e la pistola carica e a portata di mano. Ficco una sedia contro la porta, il che non impedirà a nessuno di entrare, ma – nel caso – farà un sacco di rumore.

Tutto questo è eccessivo. Lo so. Ma mi sento sicura e dormo come un bambino. È l'unica cosa che conta.

La mattina, la sveglia suona troppo presto. Sono stanca, perché mi mancano tre ore buone di riposo. Ma chi se ne importa? Per lo meno ho imparato l'arte di dormire a casa mia. E da sabato non ho più neanche fumato – cosa buona e giusta –, soprattutto visto come vanno le cose con l'operazione Lohan.

Mi alzo e mi metto a osservare dalla finestra il posto in cui vivo. Mi trovo proprio nel cuore del Pianeta Normale. Magari sarò la sua abitante più strana, ma non importa. Mi piace un luogo in cui i padri vanno a lavorare la mattina e la gente si lamenta quando la posta arriva in ritardo. Se l'esercito dei morti viventi di Rattigan è là fuori ad aspettarmi, saranno tutti ben camuffati. Ci sono alcune nuvole che punteggiano il cielo. Alte e imponenti come navi che entrano in porto veleggiando da ovest. Non ce ne sono tante, però, e il sole ha già ingranato bene la marcia. Sarà una giornata calda.

Con tutta calma scendo al piano di sotto. Mangio una pescanoce che prendo dal frigo. Preparo il tè. Mangio qualcos'altro, perché noi cittadini del Pianeta Normale non stiamo in piedi con solo un frutto. Apro la serra e poi spalanco una finestra, perché se fuori fa caldo lì dentro diventa un forno. Farà troppo caldo anche con la finestra aperta, ma non importa. Chiudo a chiave, lo faccio sempre.

Avevo intenzione di farmi una doccia, ma ho già fatto tutto ieri sera e ho già perso troppo tempo per ricominciare daccapo. E poi, in punto significa in punto, Griffiths. A parte annusarmi i polsi per verificare che non sappiano di polvere da sparo, mi lavo il minimo possibile.

Mi devo vestire però. È facile, di solito. Basta selezionare una mise insulsa e appropriata fra una serie di mise insulse e appropriate che ho nel guardaroba. Prima non avevo quasi niente che non fosse nero, blu scuro, marrone, bianco, grigio antracite o di un rosa talmente delicato che rasentava il beige. Non ho mai pensato che questi colori mi stessero particolarmente bene. Non avevo un'opinione al riguardo. Era solo un modo per seguire la regola aurea: osserva quello che fanno gli altri e fa' lo stesso. Una tavolozza di colori classici e tenui mi sembrava il sistema più sicuro per ottenere l'effetto giusto.

Ma da quando Kay ha compiuto quattordici o quindici anni, ha cercato di convincermi a ravvivare il guardaroba. Non che ora sia palpitante di vita. Sembra ancora una specie di collezione di twin set 2004-10. Eppure adesso ho delle opzioni che non avrei avuto qualche anno fa. *E oggi vedrò Dave Brydon.* E lui vedrà me. Voglio i suoi occhi addosso e voglio che siano occhi pieni di desiderio, intriganti e passionali.

Evito la mia solita biancheria comoda e metto un reggiseno e delle mutandine di una delle collezioni più chic di Marks&Spencer. Pizzo bianco. Estivo e sexy. Nessuno tranne me li vedrà, ma è pur sempre un inizio. E poi cosa? In un primo momento sono indecisa, alla fine scelgo un vestito verde menta svolazzante e una giacca di lino. Sandali stringati marroni. Più trucco di quanto ne metta di solito, anche se questo non vuol dire granché.

Mi guardo allo specchio. Gli specchi non dicono niente che non si sappia già, giusto? Questo invece sì. Vedo una giovane donna. Carina. Esame superato, voto di promozione molto buono. Carina e ansiosa. Ha l'aria di chi sta per incontrare il suo futuro ragazzo. Buona fortuna, sorella, ma non credo che ne avrai bisogno.

Il pensiero che in punto significa in punto mi fa uscire di casa in fretta. Ho buttato la pistola in borsa, ma le scatole di proiettili restano a casa. Vado sparata al lavoro, o meglio vado sparata tanto quanto mi consente il traffico. Un autovelox per poco non mi becca, ma sono quasi sicura di aver frenato in tempo. Appena entro nel parcheggio, la pistola passa dalla borsa al vano portaoggetti.

Arrivo in tempo per sentire la grande notizia della sera prima. Jackson e Hughes sono a Londra. Altri detective li stanno per raggiungere, in qualità di rinforzi. Non ci sarà nessuna riunione informativa oggi, perché non c'è nessuno che ci informi e perché nessuno vuole sentir parlare di ieri quando quello che è importante succede oggi.

È una notizia un po' strana, e non solo per me. Tutto l'ufficio è disorientato. Il poveretto – l'agente Jon Breakell – che ha passato una settimana a setacciare sconsolato le immagini delle telecamere a circuito chiuso alla ricerca di qualcosa di utile, adesso si trova davanti un'altra giornata uguale alle precedenti, sapendo però che da Londra potrebbero arrivare sviluppi che vanificano tutto il suo lavoro.

E anch'io sono disorientata. Oggi è il giorno in cui devo vedere Dave Brydon. Il giorno del vestito verde svolazzante. Il giorno del trucco e dei sandali femminili. Oggi è un giorno diverso da tutti gli altri giorni della mia vita. Doveva essere il primo giorno in cui mi allenavo a essere la ragazza di Dave Brydon, e non vedevo l'ora che arrivasse.

Trovo Brydon alla sua scrivania, intento a raccogliere poche cose prima di scappare a Londra per raggiungere il capo.

«Ciao, Fiona» mi saluta.

Niente contatto fisico. Niente bacio. Solo un'espressione negli occhi che mi dice che la serata di ieri non me la sono immaginata.

«Posso vederti? So che devi correre via. Due minuti.»

Dave esita. Ci stiamo vedendo. Non siamo neanche a un metro di distanza in un ufficio ben illuminato e nessuno di noi due ha perso la vista. Chiaramente Brydon non vuole il tipo di relazione tra colleghi che vanno di soppiatto nello stanzino della cancelleria a pomiciare, e neanch'io. E ancora meno vuole il tipo di relazione tra colleghi che si frappone tra lui e il dovere.

Ma io forzo la mano.

«Le scale che vanno all'ufficio riproduzioni, non le usa quasi nessuno in questo momento. C'è una porta in cima e una in fondo: si sente se arriva qualcuno. Vado là adesso. Raggiungimi appena hai fatto.»

«Okay. Dammi due minuti. Ci vediamo là.»

Corro giù per le scale che vanno all'ufficio riproduzioni e rimango ad aspettare sul pianerottolo, dove nessuno può vedermi. Sono agitata e ansiosa. Anche questa breve attesa mi sembra troppo lunga.

Poi sento la porta che sbatte in cima alle scale e i passi di Brydon che scende rumorosamente. È pesante e leggero al tempo stesso. Pesante perché è un ragazzo ben messo, leggero perché ha un atteggiamento sportivo naturale, uno slancio che accompagna ogni movimento che fa.

«Ciao.»

«Mi dispiace averti trascinato qui. Dovevo vederti. Scusa.»

Brydon è un gradino sopra di me e io parlo verso una zona imprecisata intorno al suo ombelico.

«Procediamo con ordine, Fiona» mi dice. Scende un gradino, poi mi solleva e mi mette dov'era lui. Non siamo ancora faccia a faccia, ma siamo molto più vicini.

«Mi sbaglio o vedo l'agente Griffiths con un vestito?» dice Dave. «Sono già state avvertite le autorità competenti?»

Questo è l'umorismo di Brydon, prendere o lasciare.

«E i tacchi» dico. «Guarda.»

Mi sorride. Un sorriso carino, ma io so che metà della sua attenzione va all'orologio. Deve partire per Londra il prima possibile.

Non ci sono rumori per le scale. Solo un ronzio che proviene dall'ufficio riproduzioni, dentro il quale uno dei macchinari di Tomasz sta facendo il proprio lavoro. Niente che ci debba turbare.

«Volevo dirti che ho bisogno di fare le cose con calma.»

«Okay.»

«È che... le cose diventano un po' strane nella mia testa, e per me andare con calma di solito è meglio che andare veloce.»

«Okay.»

«Non voglio che tu pensi che visto che io...»

244

Non sono sicura di quello che intendo dire per cui finisco per non dire nulla.

«Non vuoi che pensi che, malgrado ieri sera ti sia buttata nel traffico di Cathedral Road, tu abbia istinti suicidi?»

«Esatto» dico. «È proprio quello che cercavo di dire.»

Per un attimo penso che Dave stia di nuovo per baciarmi e io lo vorrei tanto. Il desiderio mi travolge come una folata di vento. Ma non mi bacia. Fortunatamente per il mio autocontrollo, Brydon lascia perdere il bacio e con l'indice mi dà un buffetto sotto il naso.

«Andare con calma va bene.»

Ride di nuovo di me, e mi accorgo che è bello che qualcuno rida di te. Edward ha mai riso di me in questo modo? Non credo.

E poi Brydon se ne va. Sulle scale. Pesante e leggero. Spalancando la porta in cima con così tanta forza da farla sbattere contro il fermaporta. Nella tromba delle scale riecheggia il rumore della sua partenza, un riverbero del legno sul metallo, e poi cala di nuovo il silenzio.

Mi siedo su uno scalino cercando di riordinare i pensieri. Il battito del cuore è veloce, ma regolare. Conto i respiri tentando di rilassarmi. Muovo le gambe e i piedi per assicurarmi di percepirli normalmente, e li sento.

Avverto qualcosa, e penso di sapere cos'è. Ma faccio l'esercizio che mi hanno insegnato seguendo le regole, e le regole stabiliscono che devo elencare una serie di sentimenti per scoprire qual è il miglior abbinamento disponibile.

Paura. Rabbia. Gelosia. Amore. Felicità. Disgusto. Desiderio. Curiosità.

Paura. Rabbia. Gelosia. *Amore.*

Amore.

Questo non è amore, non ancora. Ma sta andando in quella

direzione: amore più una bella dose di felicità. È la prima volta in vita mia che percepisco questi due sentimenti gemelli insieme. Prego, accomodatevi, amici miei. *Mi casa es tu casa.*

Continuo a fare l'esercizio. Ascolta quello che provi. Dagli un nome. Ascoltalo. Associa le due cose. Continua ad ascoltarlo. Non dimenticare di dargli un nome. E non permettergli di prendere il sopravvento su di te. Tieni sott'occhio il battito del cuore. Osserva il respiro. Controlla se rimani «nel» corpo. Senti le braccia. Senti le gambe. Può essere utile battere i piedi per terra per assicurarti di avere la sensibilità fin nella punta dei piedi.

La porta sopra di me viene di nuovo spalancata. Due persone. Nessuna di loro è Dave Brydon. Non conosco nessuna delle due. Mi sposto per fargli spazio. Loro mi scrutano senza dire niente ed entrano nell'ufficio riproduzioni.

Questo non è amore, questa non è felicità. Ma è come se mi trovassi all'ingresso e sentissi la loro musica che proviene dal salotto. Le loro risate a lume di candela. Io non sono ancora lì. Conosco la differenza. Sono uscita solo una volta con Dave Brydon, e non c'è niente tra noi che assomigli lontanamente a una relazione. Sono i primi, primissimi giorni, e potrebbe succedere di tutto. Ma per una volta nella mia vita… per una volta nella mia vita da squinternata senza speranza, non solo mi trovo nello stesso fuso orario, ma sono realmente a portata di voce dei due sentimenti gemelli chiamati amore e felicità.

Percepisco le mie emozioni miracolosamente, un pezzo dietro l'altro. Sedere sullo scalino di cemento. Il cuore che batte forte. Un vestito verde svolazzante e i sandali con il tacco di sette centimetri. Un uomo che mi ha sollevato su un gradino perché gli parlavo all'altezza dell'ombelico. Questo è quello che sentono gli umani quando stanno per innamorarsi.

Mi alzo e salgo lentamente le scale per tornare alla scrivania. Così ci si sente a essere umani. Questo è essere normali. Fiona Griffiths, essere umano, riprende servizio.

Ma in cosa *consista* il servizio oggi non è molto chiaro. Nella segreteria telefonica c'è un messaggio di Jane Alexander. Suo figlio è malato, e lei non è riuscita a trovare qualcuno che rimanesse a casa con lui, perciò è bloccata lì. Dice di chiamarla se ho bisogno. Nel frattempo, però, i miei interrogatori della giornata sono probabilmente saltati, a meno che non trovi un sergente disponibile a cui fare da spalla. Situazione che, visti gli ultimi sviluppi, è altamente improbabile. Jackson, Hughes e praticamente tutti quelli che contano non sono in ufficio oggi, e non avranno voglia di essere contattati.

Ho una catasta di lavori burocratici e noiosi da fare, ma pochi di questi sono urgenti. Dall'altra parte dell'ufficio, un paio di agenti costruiscono delle pile di tazzine da caffè vuote e cercano di buttarle giù con una pallina. Risate e urli se ci riescono, se sbagliano ancora più urli. A volte penso sia molto più semplice essere un uomo.

Tiro fuori gli appunti che ho preso sui rapporti dei servizi sociali. April e Janet. Stacey Edwards.

Ci sono un milione di eventi simili nelle loro storie, ma è logico. Non sono le persone qualsiasi che diventano prostitute. Sono le donne che hanno avuto casini. Famiglie distrutte, infanzie ingarbugliate, qualche passo falso durante l'adolescenza. Janet e Stacey sono finite tutte e due in adozione perché i loro genitori erano pazzi, malati, violenti o inetti. Praticamente non hanno mai conosciuto la loro famiglia. Lo stato si è preso cura di loro. Che razza di persona potrebbe passare attraverso tutto questo indenne, senza essere contagiata da un pizzico di follia?

Sono affascinata dal *Janet ed April Show*. Janet ha avuto una vita schifosa e ha lottato per dare a sua figlia un'esistenza migliore. Ha fallito, eppure non è il suo fallimento che mi attrae, ma la profondità del suo tentativo.

Ovviamente ho le foto di April sullo schermo del computer mentre lavoro. Quelle da morta, non quelle noiose con la mela caramellata. Non è del tutto vero che April stia cercando di dirmi qualcosa. Sarebbe più corretto dire che io questa cosa la so già – qualunque essa sia – e il compito di April è ricordarmela. Non riesco a capirla, però. Distolgo lo sguardo dalla scrivania e osservo i ragazzi che fanno gli scemi con la pallina.

Dovrei fare altre cose adesso.

A Londra stanno perquisendo la casa di Karol Sikorsky.

Ieri sera Dave Brydon mi ha baciato e oggi mi ha quasi baciato un'altra volta.

Nel vano portaoggetti della mia auto ho una pistola. A casa quattrocentonovanta pallottole. Le dieci mancanti sono già caricate.

Mentre tutti questi pensieri mi attraversano la testa, mi alzo per preparare una tisana. Sto andando verso il cucinotto quando squilla un telefono. Non è la mia scrivania – è quella di Mervyn Rogers –, ma visto che non c'è nessun altro in giro, rispondo io.

È Jackson. «Chi sei? Fiona?»

«Sì. Mervyn non è nei paraggi. Vuole che glielo...»

«No, non preoccuparti. Ascolta. Siamo qui a Londra nella casa di Sikorsky e abbiamo trovato quasi un chilo di eroina. Ne siamo praticamente sicuri. Questa roba va dritta in laboratorio, ovviamente.»

«Okay, quindi vuole che mi metta in contatto con il laboratorio...»

«Sì. Vediamo se esiste un collegamento tra l'eroina che abbiamo noi e quella di Allison Street.»

«E Tony Leonard? Kapuscinski? Vuole che indaghi su un possibile legame fra loro e la droga?»

«Esattamente. E ascolta. Voglio tutti i mandati possibili. Leonard. Kapuscinski. Gli amici di Sikorsky, fondamentalmente. Credi che ci sia qualche possibilità che la tua prostituta...»

«Ioana Balcescu...»

«Esatto, qualche possibilità che ci fornisca nuove prove? Che faccia qualche altro nome?»

«Non lo so. Posso tentare. Ma se abbiamo ragione noi, un bel numero di prostitute potrebbe testimoniare contro questa gente.»

«Qualunque cosa tu riesca a trovare su di loro, anche roba marginale. Va bene lo stesso. Quello che basta per giustificare un arresto e un mandato di perquisizione. Voglio cominciare a fare gli interrogatori avendo già un elenco dei capi d'imputazione.»

«Me ne occupo subito.»

«Fai pure il mio nome se serve. Ma non rallentare le cose per carenza di risorse»

«Certo.»

«Okay, bene. Per qualsiasi problema, fai un fischio. E aggiornami immediatamente su qualsiasi passo in avanti.»

«Sì, signore.»

Jackson riattacca prima che io abbia finito di dire «signore». L'ufficio sembra ancora più silenzioso adesso. Per un attimo non mi ricordo perché sono alla scrivania di Rogers invece che alla mia, poi mi torna in mente la tisana, ma decido di non prepararla.

Chiamo subito il laboratorio e li informo degli sviluppi di Londra. Il laboratorio londinese si metterà di sicuro in contatto con il nostro, ma non c'è niente di male se facciamo sapere a tutte e due le squadre che gli stiamo con il fiato sul collo.

Chiamo Jane Alexander e le dico che magari vorrà venire in ufficio, indipendentemente da suo figlio. Ci pensa un attimo e poi risponde: «Vedo cosa riesco a fare. Sarò da te il prima possibile».

Chiamo Ioana Balcescu, ma anche la segreteria telefonica è staccata. Non credo che ci dirà altro, ma riproverò più tardi.

A questo punto Mervyn Rogers è tornato alla sua scrivania e io passo da lui per fargli un riepilogo della telefonata di Jackson.

«Tu sei stato uno di quelli che ha fatto l'interrogatorio a Tony Leonard, giusto?»

«Sì.»

«In sostanza Jackson vuole che tu lo riporti qui e gli faccia un terzo grado. Digli che possiamo collegarlo a un grosso giro di droga a Londra, oltre che all'uccisione delle due Mancini. E di Stacey Edwards, ora che ci penso. Terrorizzalo, insomma.»

Rogers fa un gran sorriso. È il tipo di incarico che gli piace. So bene di aver aggiunto un po' di pepe alle istruzioni di Jackson, ma se c'è una violazione della procedura è colpa mia, non di Jackson. Inoltre sono al novantanove per cento sicura che Jackson vorrebbe tanto che Rogers ci andasse giù duro con Leonard. La carriera e il carattere di Leonard fanno pensare che sia solo una comparsa nella vicenda, e questo significa che è più probabile che crolli se messo sotto pressione.

«Inizio a fare alcune telefonate» continuo. «Vedo se trovo qualcuno che faccia il nome di Leonard come spacciatore.»

«D'accordo.»

Torno alla mia scrivania. Chiamo Bryony Williams alla StreetSafe, ma mi risponde la segreteria telefonica e non lascio alcun messaggio. Allora chiamo Gill Parker e la trovo. Le dico qual è la situazione e cosa voglio da lei.

Lei sembra perplessa. «Chiedo in giro, se vuoi. Ti faccio sapere se qualcuna delle nostre donne reagisce davanti a quei nomi.»

«Per noi è inutile, Gill, mi dispiace. Sarebbero voci, e siamo arrivati a un punto in cui ci serve qualcosa di schiacciante. Abbiamo bisogno di motivi validi per compiere un arresto: sospetti ragionevoli, donne che hanno un nome e rilasciano dichiarazioni ufficiali sui crimini di cui sono state testimoni. Non dobbiamo rivelare pubblicamente niente. Ci serve solo del materiale da esibire davanti ai magistrati.»

«Sì, ma…»

Gill comincia a dirmi tutte le ragioni per le quali non può fare quello che le chiedo. Parla come se avesse ingoiato un dizionario di psico-chiacchiere per assistenti sociali. Ogni tre parole una è «supporto», «facilitare», «responsabilizzazione». È il tipo di cose che di solito mi scatena la sindrome di Tourette. È per questo che avevo chiamato Bryony per prima. Non demordo.

A Gill sottolineo il fatto che è difficile aiutare un'operatrice del sesso a cambiare vita quando l'operatrice in questione è stravolta dall'eroina, ha del nastro adesivo sulla bocca e le narici tappate da un qualche stronzo coinvolto nel racket della prostituzione.

Siccome sono una ragazza educata, non uso la parola «stronzo».

Gill mi dice che «affronterà il problema con le sue colleghe» stasera. Le ricordo che finora due prostitute sono state uccise e un'altra è stata pestata a sangue. Le ricordo che la stessa sorte può toccare a molte altre, che né lei né noi conosciamo. «Sono pesci grossi, Gill. Abbiamo bisogno della massima collaborazione. Diventerà una situazione di merda per tutti se non ce la facciamo.»

È vero, uso l'espressione «situazione di merda», ma quello che avevo in mente era «situazione del cazzo», per cui la considero ancora un'espressione discretamente professionale. Gill mi dice di nuovo che vedrà cosa riuscirà a fare, e riattacchiamo.

Chiamo di nuovo la Alexander. Sembra stressata e mi dice che può arrivare per le tre e lavorare fino a sera, se per me va bene. Le dico che non ci sono problemi e che comincio a organizzare un po' di interrogatori.

Inizio. Chiamo numeri di telefono che abbiamo nella nostra banca dati. Qualche altro che arriva da fonti mie, incluse alcune ragazze che ho già incontrato. Per lo più trovo segreterie telefoniche, ma riesco a parlare con una ragazza – Kyra – che a quanto pare pensa che un interrogatorio della polizia sia una cosa divertentissima. Forse è fuori di testa per via di tutta la roba che si è fatta, ma fissiamo di incontrarci più tardi insieme alle «ragazze» in una casa poco distante dal fiume Taff.

Conclusione: spero che Kyra rimanga su di giri perché così sarà più disponibile. Mando un messaggio a Jane per farle sapere luogo e ora, poi afferro di nuovo il telefono per continuare il mio giro di chiamate.

Ma non le faccio.

Non ci riesco. Non riesco a lasciar perdere la faccenda di Huw Fletcher, e questo significa che non riesco a fare le cose che Jackson vorrebbe facessi nel modo in cui vorrebbe che le facessi. Ci provo sul serio però. Ho il telefono in mano e mi costringo a fare le altre chiamate, ma non ci riesco. E allora contatto il settore spedizioni della Rattigan, e chiedo che mi passino Huw Fletcher. Stessa tiritera dell'altra volta, ma adesso mi faccio passare un collega – Andy Watson – e gli dico chi sono.

«Agente Griffiths? Sì. Cosa posso fare per lei?»

«Sto portando avanti un'indagine che potrebbe coinvolgere il signor Fletcher, che a quanto mi risulta è scomparso da un po' di tempo.»

«Esatto. Saranno passati quindici, venti giorni dall'ultima volta che l'abbiamo visto.»

«E ne avete denunciato la scomparsa?»

«No. Io… No, non l'abbiamo denunciata.»

«Avete provato a contattarlo ai numeri di telefono abituali?»

«Ehm, sì.» Watson fa una rapida verifica con un collega, e poi con un tono di voce più sicuro dice: «Sì, telefono fisso e cellulare. E anche e-mail. Fletcher ha la possibilità di controllarla da casa».

«E ha risposto?»

«No.»

«Quindi un uomo è scomparso da due settimane e mezzo senza spiegazioni. Non ha risposto ai tentativi fatti per comunicare con lui. E non vi siete preoccupati di informare le autorità. È esatto?»

Watson deglutisce in modo rumoroso. Ecco cosa mi piace del lavoro in polizia: la capacità intimidatoria, l'essere minacciosi senza fare minacce. Mi piace proprio.

Alla fine dice: «Sì, è esatto».

E io proseguo: «Se volete, potete denunciarne la scomparsa. Un cittadino deve sporgere denuncia, altrimenti l'indagine non parte».

«Sì. Sì. La faccio io, senza problemi.»

«Bene. Devono essere riempiti un po' di moduli. Sarò da lei tra circa mezz'ora.» Watson annuisce, e io riattacco.

Carico la mia relazione su Groove. Procedura di polizia corretta. In seguito a una soffiata di Bryony Williams, volontaria di StreetSafe, associazione che opera a sostegno delle prostitute, faccio una telefonata per indagare su Huw Fletcher. Scopro che Fletcher è scomparso. Ritengo il fatto rilevante per l'operazione Lohan. Decido di portare avanti le indagini sul posto. Jackson non ne sarà contento perché non sto preparando tè e prendendo appunti, ma cambierà idea non appena capirà che sono su una buona pista. In ogni caso, questo è il mio modo di ragionare.

Con un click sto per salutare la piccola April che mi sorride dallo schermo, ma invece di chiudere il computer, apro un'immagine di Brendan Rattigan. La faccia morta di un uomo morto, o probabilmente la faccia viva di un uomo vivo. C'è stato un periodo nella mia vita in cui non avrei assolutamente saputo gestire una simile ambiguità, ma adesso non sembra turbarmi più di tanto. A dire il vero, mi piace molto. Trovo un tantino noiose le persone che sono sempre e soltanto una cosa o l'altra. È un po' come il paradosso del gatto di Schrödinger, che può essere vivo e morto al tempo stesso. Solo che qui si tratta del milionario di Schrödinger. Brendan Rattigan e il suo esercito di morti viventi che costruiscono castelli sul fondo della baia di Cardiff.

«Sto venendo a prenderti, amico» gli dico.

Lui mi deride, ma questo non mi impedirà di andare.

29

Vista da vicino Newport è brutta, ma la sua bruttezza ha un senso. È industriale. Produce roba e la sposta. È un luogo di gabbiani e gru, linee elettriche dell'alta tensione, rotatorie, magazzini e camion. Acciaio e acqua di mare.

Gli uffici di Rattigan sono in un'area tutt'altro che prestigiosa nella periferia della città, sotto Usk Way, sulla riva occidentale del fiume. L'erba intorno al parcheggio è tagliata talmente corta che è bruciata e marrone. I parabrezza delle auto attirano il sole e lo scagliano contro di me sull'asfalto. Dall'altra parte della strada c'è un campo spinoso, ricoperto di fango. È in vendita.

L'edificio di Rattigan ha le pareti di lamiera dipinte di un colore tra il grigio e il blu. Un'insegna indica il nome della compagnia, nient'altro, niente fronzoli. Rattigan non ci ha speso molti dei suoi milioni. Alla reception mi spediscono difilato nella sala conferenze. Voglio un tè? Un caffè? Acqua frizzante? Coca-Cola? Una ragazza con l'espressione di un vitello mi chiede queste cose, come se la provvista di liquidi fosse un sistema sicuro per deviare l'ira del dipartimento di indagini criminali. Poco dopo compare Andy Watson, due dei suoi colleghi e una segretaria. Sono tutti in ansia. Gli uomini mi passano i loro biglietti da visita, come se io ci tenessi.

Parto decisa a muso duro, e le informazioni fluiscono come vino a una festa di sole donne.

Huw Fletcher è stato visto l'ultima volta il 21 maggio 2010, quando ha trascorso un'intera giornata in ufficio.

Il 24 non si è presentato al lavoro. E nemmeno il 25. Né nessun altro giorno di quella settimana. La sua segretaria – Joan, che adesso è lì con me – lo ha chiamato sul cellulare e sul fisso, lasciando dei messaggi. Gli ha spedito anche un'e-mail. Posso avere una copia dell'e-mail, se lo desidero. Lo desidero, e l'e-mail mi viene subito portata. A leggerla ci metto un minuto o giù di lì, anche se sono appena due righe di nessun interesse, ma il silenzio spaventa chi è spaventato, e io ne creo a volontà. Mi interessano le date però. Le Mancini sono state trovate morte la domenica notte – il 23 – ma sono state uccise il venerdì notte o nelle prime ore del sabato. Il tempismo della scomparsa di Fletcher potrebbe essere solo una coincidenza, ma per quanto mi riguarda, è una coincidenza rassicurante.

«L'e-mail che avete spedito. Ovviamente significa che il signor Fletcher può controllare la posta elettronica a distanza.»

Sì.

«Sapete dirmi da qui se ha avuto accesso alla sua casella?»

Ne discutono un po'. L'opinione generale è negativa, forse alcuni del settore informatico ne saprebbero di più. Non insisto. E invece dico: «In quale data lo avete contattato?».

La segretaria, Joan, dice: «Ho mandato l'e-mail il 27. Che era giovedì. Credo di aver telefonato e lasciato i messaggi lo stesso giorno. Sia sul fisso sia sul cellulare.»

Appunto la data sul taccuino. Lentamente. In silenzio.

«Può darmi tutti i suoi recapiti, per cortesia?»

Sì, sì, certo. Joan corre fuori dalla sala per dimostrarsi compiacente.

Mi rivolgo agli uomini.

«Chi di voi è il capo di Fletcher?»

Il tizio in mezzo, Jim Hughes, dice di essere lui. Hughes ha l'aria di un uomo grasso che è dimagrito. O è così oppure gli è stata fornita una pelle di due taglie in più. Ha i capelli scuri e un colorito quasi mediterraneo.

«È normale che i vostri dipendenti si assentino senza permesso in questo modo?»

«No. Non è normale, no.»

«Capisco che il lunedì non fosse impensierito. Un giorno non è niente di che. Ma il mercoledì o giovedì di quella settimana, deve aver avuto una bella preoccupazione, no?»

«Sì.»

«Sì, ma non ha fatto né detto niente a nessuno?»

Hughes è – fra tutti – quello meno turbato dalla mia scenetta, ma sta attento a rendersi utile.

«Abbiamo mandato qualcuno – Andy, sei andato tu, in effetti, no? – a casa sua per vedere se era lì. Non c'era anima viva, nemmeno la macchina. Abbiamo supposto che fosse andato via.»

«Non avete provato a contattare la sua famiglia?»

«La famiglia? Non è sposato. Vive solo.»

Questa è nuova per me, ma lo nascondo. «Volevo dire i suoi genitori. Altri parenti.»

Hughes solleva le mani. «Non abbiamo nessun recapito della sua famiglia. Non so neanche dove vivano.»

Joan torna con una scheda piena di dati su Huw Fletcher. Un indirizzo, tra le varie cose. Lo prendo senza ringraziare, ma le chiedo di lasciare nuovi messaggi su tutti i recapiti di Fletcher, e-mail inclusa. Le dico di informarlo che è stata aperta un'inchiesta per la sua scomparsa, e che è pregato di contattare Fiona Griffiths. Lascio il numero verde della polizia.

Rivolgo di nuovo la mia attenzione a Hughes.

«E quindi le settimane passano, e lei non dice niente a nessuno. Perché?»

Hughes tace mentre si ricompone. È un tipo astuto, davvero astuto.

«Perché? Questa è una bella domanda, e mi imbarazza un po' risponderle. Quando Huw lavorava qui, e quando il signor Rattigan era ancora vivo, loro due avevano un rapporto molto stretto. Andavano a pesca insieme. Pesca d'altura, non sulla riva di un fiume. Huw andava e veniva, lavorava le ore che voleva, faceva il proprio comodo, a dire il vero. All'epoca se stava via una settimana, era normale. Non me lo diceva necessariamente in anticipo, ma tornava sempre. All'inizio ho cercato di farlo rigare dritto, ma se partiva con il signor Rattigan o si spostava per gli affari del signor Rattigan, avrei avuto ben poco successo a continuare su questa strada. Per cui immagino che la cosa sia nata così, in effetti.»

«Pesca d'altura? Oltremare o...?»

«Non so. Credo che...»

«Crede che...?»

«Be', ho sempre supposto che fosse in zona. Non aveva l'aria di uno che vedeva il sole.»

«E dopo la morte del signor Rattigan?»

«Lo stesso. Andava via un po' meno, tutti i mesi per qualche giorno, che noi conteggiavamo come ferie o permessi per malattia. Ho immaginato che svolgesse dei servizi o qualcosa del genere per conto della famiglia Rattigan. Non andrebbe fatto durante l'orario di lavoro, in tutta onestà, ma...»

«È per questo che ha pensato che anche stavolta fosse la solita solfa?»

«Suppongo di sì. La verità è che non mi piace lavorare in questo modo. Se Fletcher era sparito, tanto meglio. E se fosse tornato, lo avrei licenziato. Adesso che il signor Rattigan non è più con noi, non devo fargli le stesse concessioni di prima.»

«Ha idea di quello che poteva fare per Rattigan o per la sua famiglia?»

«No.»

«Era specializzato in qualche settore particolare? Aveva qualche abilità?»

«No.»

«Era bravo nel suo lavoro? O meglio, qual era di preciso il suo lavoro? Cosa faceva per voi?»

«Gestione delle spedizioni. Organizzazione degli orari. Selezione delle prenotazioni per gli spedizionieri. Localizzazione di container andati persi. Individuazione dei problemi dei clienti. Roba noiosa in realtà, a meno che uno non sia del ramo. Huw se la cavava bene, ma niente di speciale.»

«Si occupava di qualcosa in particolare, o tutti fate tutto?»

Hughes guarda Watson e l'altro uomo, che non ha quasi aperto bocca. «Tutti facciamo tutto, direi. Andy e Jason trattano più con la Scandinavia, forse. Huw gestiva la maggior parte dei cargo provenienti da Kaliningrad, e alcuni di quelli da San Pietroburgo. Ma ognuno di noi fa quello che va fatto.»

«E di base siete sempre qua? O dovete andare nel Baltico?»

«Di tanto in tanto sì. Per lo più sono questioni che è possibile sbrigare per telefono o via e-mail, ma è sempre utile conoscere il cliente. Andy era a Stoccolma la scorsa settimana, e Jason andrà a Danzica – quando? – la settimana prossima?»

«Per cui Fletcher di tanto in tanto andava in Russia? A San Pietroburgo e a Kaliningrad?»

«Sì. A volte è stato anche in Svezia, diverso tempo fa a dire il vero. È quello che succede se si lavora per una compagnia di spedizioni verso il Baltico.»

Faccio altre domande, ma le risposte non sono molto illuminanti. Che merci trasportano? Tutti i tipi. Pasta di legno e carta. Minerali. Container. Veicoli. Alcuni prodotti petrolchimici. Qualsiasi cosa.

Per quanto ne sa, Fletcher non aveva problemi di alcol. Né di droga. Nessuna difficoltà finanziaria. Nessun problema di salute. Riempio il modulo prestampato per la denuncia di scomparsa e chiedo una foto. Mi dicono che vedranno cosa hanno e che me la invieranno per e-mail.

«Vi stava simpatico? Voi colleghi socializzavate con lui?»

Si guardano tutti, ma è Hughes a dire: «Non molto. Avevamo la sensazione che si prendesse troppe libertà. Non vedevo l'ora che tornasse qui per licenziarlo».

Lascio l'ufficio. Nel parcheggio chiamo la centrale, fornisco l'indirizzo di Fletcher e chiedo l'eventuale numero di targa collegato. Una volta ottenute le informazioni che cercavo, faccio inserire il numero di targa nell'elenco dei ricercati. Se Fletcher è in giro con la sua auto, sarà individuato dal primo autovelox o dalla prima pattuglia di polizia davanti a cui passa.

Ma non credo sia in giro.

Torno alla macchina e chiamo le prostitute di cui ho i numeri di telefono. La maggior parte non risponde. Una lo fa, ma non vuole parlare. Un'altra a malincuore dice che non ha niente in contrario a vedere Jane e me più tardi. Potrei fare altre telefonate, ma decido di rimandarle a dopo. Per lo meno ci ho provato.

Continuo a girare in macchina finché non trovo un posto dove fermarmi a pranzo.

Sono passati quaranta minuti da quando sono uscita dalla Rattigan Transport. Non abbastanza, forse. Guido senza meta per un altro quarto d'ora, poi mi dirigo verso casa di Fletcher, a Bettws. Un posto piuttosto carino, che sarebbe ancora più carino se non fosse a un chilometro e mezzo dall'imbocco dell'autostrada, e a poco più di due da una delle più brutte città del mondo. Case moderne in mattoni, con i doppi vetri e tutte le comodità. Dossi artificiali lungo la strada e macchine parcheggiate con cura nei vialetti.

Niente di straordinario, né la casa né la strada, se non fosse che davanti all'indirizzo di Fletcher c'è una Toyota Yaris blu scuro malmessa. Il finestrino è abbassato e da lì spunta il braccio villoso di Brian Penry, che batte il tempo a una canzone che io non riesco a sentire.

Non mi sorprende vederlo. Non ho capito fino in fondo quali siano i fili oscuri che collegano Rattigan, Fletcher e Penry – anche se ho le mie idee in proposito –, ma ho capito che Penry è stato bravo a proteggersi. Non parlo dell'appropriazione indebita di denaro: ha rubato somme ridicole in modo ridicolo perché una parte di lui voleva essere beccata e punita, eppure si è tenuto alla larga dalle cose più gravi. Ero praticamente sicura che avesse modo di controllare l'e-mail o i messaggi vocali di Fletcher, o per lo meno di tenersi aggiornato se la polizia si fosse messa sulle sue tracce. È il motivo per cui sono stata così categorica nel chiedere alla segretaria di lasciare messaggi a Fletcher su ogni telefono e indirizzo e-mail che aveva. Il motivo per cui volevo che gli desse il mio nome.

Non ero sicura che qualcuna di queste mosse avrebbe portato qui Penry, né di cosa avrei fatto in caso contrario. Ma non devo preoccuparmene adesso. Eccolo qua.

Penry esce dalla Yaris e ci si appoggia sopra, aspettando che io arrivi.

«Bene, bene, agente.»

«Buongiorno, signor Penry»

«La casa del misterioso signor Fletcher.»

«Il misterioso e scomparso signor Fletcher.»

Penry controlla la strada. Nessun'altra auto, nessun altro poliziotto. «Nessun mandato di perquisizione.»

«Esatto. Stiamo facendo delle indagini preliminari in seguito alla denuncia di scomparsa. Nel caso sia in possesso di informazioni legate alla scomparsa, le chiederei di rivelarle integralmente.»

«No. Nessuna informazione, agente.» Ma tira fuori di tasca una chiave. Una Yale d'ottone che lui solleva e fa luccicare alla debole luce del sole. «Voglio che tu sappia che non ho niente a che vedere con tutto questo. Ho guadagnato dei soldi sporchi. Non ho denunciato alcune cose illecite. Insomma, ho fatto delle cazzate. Ma non le cazzate che ha fatto lui.» *Lui* equivale a una ditata sulla mia spalla, che equivale a sua volta a Huw Fletcher. «Non sono un idiota del genere. E non sono neanche un bastardo del genere.»

Allungo la mano per prendere la chiave.

Lui la scosta, la pulisce con un fazzoletto per eliminare le impronte digitali e il sudore, e poi me la porge. La prendo.

«È ora di scoprire che tipo di idiota lei non è» dico.

Penry annuisce. Mi aspetto che si sposti, ma invece rimane appoggiato alla Yaris con un mezzo sorriso sulle labbra.

«Entri da sola?»

«Tanto per cominciare, sì. Dato che sono sola.»

«Sai, quando ero un giovane poliziotto, un detective alle prime armi, è quello che avrei fatto anch'io.»

«Agli agenti in erba è richiesto spirito di iniziativa nell'affrontare situazioni impreviste» concordo. Non so perché comincio a parlare come un libro stampato proprio con Penry. Forse perché è strano avere una conversazione con lui qui, in questo modo.

L'ultima volta che l'ho visto, mi ha praticamente staccato la testa, un pensiero che mi fa indietreggiare un po'.

«Sei come me. Lo sai? Sei come me e finirai come sono finito io.»

«Chissà.»

«Non chissà. Di sicuro.»

«Sa suonare il pianoforte?»

«No, neanche una nota. Ho sempre pensato che mi sarebbe piaciuto, ma ho un pianoforte nuovo di zecca a casa e non l'ho mai toccato.»

«Proprio come me» annuisco. «Proprio come farei io.»

Il suo mezzo sorriso diventa un sorriso a tre quarti che dura tre quarti di secondo, poi svanisce. Accenna un saluto, si infila dentro la Yaris e parte, lentamente per via dei dossi.

La strada è deserta e silenziosa. La luce del sole riempie lo spazio vuoto come un esercito invasore. Ci siamo solo io, la casa e la chiave. La mia pistola è in macchina, ma può restare dov'è. Qualunque cosa ci sia in quella casa non dovrebbe essere aggressiva, o almeno spero.

Mi avvicino alla porta, infilo la chiave e giro.

Mi meraviglio nel sentire che fila tutto liscio. È come girare la pagina di un libro di favole e scoprire che la storia continua nello stesso identico modo di prima. A un certo punto, questo racconto dovrà pur finire.

La casa è... una casa. Ci sono probabilmente altre venti abitazioni nella stessa strada che sono esattamente come questa, o quasi. Nessun cadavere. Nessun manager di compagnie navali emaciato e incatenato ai radiatori. Nessun'arma. Nessuna scorta di droga. Nessuna prostituta che si inietta eroina e nessuna bambina con solo mezza testa.

Mi muovo in punta di piedi cercando di rompere il silenzio che la casa ha accumulato. Mi sono tolta la giacca e la avvolgo attorno alla mano tutte le volte che tocco le maniglie o sposto degli oggetti.

Non mi piace stare qui. Credo che Brian Penry abbia ragione. Dentro di me sono più come lui che, diciamo, come Dave Brydon. Vorrei non fosse vero, ma è così.

In camera c'è un grande letto matrimoniale rifatto con cura: lenzuola bianche e copripiumone color malva.

In bagno trovo un solo spazzolino da denti. Tutti i prodotti da toilette sono da uomo.

In salotto, tre grosse mosche nere ronzano e vanno a sbattere contro un vetro. Una dozzina di compagne giacciono morte per terra.

In cucina apro credenze e cassetti, e insieme ai canovacci e alle tovagliette per la colazione trovo dei soldi. Banconote da cinquanta sterline. Grosse mazzette. Legate con un elastico. Nel cassetto di sotto ci sono sacchetti per la spazzatura, rotoli di alluminio e altre mazzette di banconote. Questi sono impilati in fondo al cassetto in file multiple. Una piccola parete di carta. Con un dito, sempre attraverso la giacca, sfoglio una delle mazzette. Sono tutti pezzi da cinquanta sterline.

Non mi piace per niente stare qui. Non mi piace essere Brian Penry. Voglio tornare al piano A, che consisteva nell'allenarmi a diventare la nuova ragazza di Dave Brydon. Voglio sperimentare la mia nuova cittadinanza putativa nel Pianeta Normale.

Chiudo il cassetto ed esco di casa. La serratura scatta alle mie spalle. Trovo un vecchio vaso in terracotta e ci infilo sotto la chiave di Penry.

Appena arrivo in macchina, mi accorgo che sudo e ho freddo al tempo stesso. Cerco di ricreare la sensazione che ho provato sulle scale dell'ufficio riproduzioni. La sensazione di trovarmi abbastanza vicino all'amore e alla felicità, vicina di casa di questi due sentimenti gemelli, splendenti come il sole. Non riesco a trovarli da nessuna parte, adesso. Battendo le gambe sul tappetino della macchina, sento a malapena i piedi.

Chiamo la stazione di polizia di Newport. È l'unica cosa che posso fare, e provo sollievo quando il silenzio finisce.

30

Diventa una giornata folle e la follia mi mantiene sana di mente.

Newport non è territorio di nostra competenza, ma della polizia di Gwent. Per chiunque altro non esiste alcun collegamento concreto tra Huw Fletcher e l'operazione Lohan, per cui non dovrei neppure essere qui. Ma visto che ci sono, ci rimango.

La prima cosa che accade – a velocità impressionante, devo ammettere – è la comparsa di una gazzella da cui scendono due ufficiali in uniforme.

Mi presento e gli spiego che stavo seguendo una pista poco rilevante di un caso su cui indaga il dipartimento di indagini criminali di Cardiff. Riferisco il nocciolo della conversazione che ho avuto con i colleghi di Fletcher e gli mostro la chiave che ho «trovato» sotto il vaso di fiori.

«Ha fatto una verifica con i vicini?»

«Sì» rispondo, essendomi ricordata di farlo solo pochi minuti fa. «Sono quasi tutti fuori. L'unica coppia con cui sono riuscita a parlare ha detto di non aver visto il soggetto in questione da diverse settimane.»

Il poliziotto con cui sto parlando – un sergente dall'aria sveglia che sembra una buona forchetta – chiama via radio la centrale. Gli serve il permesso per entrare in casa e in breve se lo assicura.

Prende la chiave e va alla porta, suona il campanello e poi bussa. Sbatte forte il batacchio a forma di testa di leone che probabilmente era l'orgoglio di Huw Fletcher.

Per un attimo ho la folle sensazione che Huw Fletcher verrà ad aprirci. Mi rendo conto che non so che aspetto abbia. Lo immagino tracagnotto e sulla quarantina, stempiato e con indosso un paio di jeans informi. Lo immagino che apre la porta, sconcertato dalla presenza della macchina della polizia sul vialetto, e degli agenti in uniforme sulla soglia di casa. Immagino che tutti si girino lentamente a guardarmi, la ragazza con la pistola nel vano portaoggetti e la testa piena di fantasie.

Un momento di comicità protratto a lungo. La fine della mia carriera.

Ma non succede. Non succede niente. Nessuno viene alla porta. Il sergente e il suo collega entrano in casa usando la chiave e io li seguo, perché mi sembra stupido non farlo. Guardiamo in salotto, in cucina, nella camera da letto, nella stanza degli ospiti. Apriamo gli armadi, cerchiamo sotto i letti. Nessuna traccia di Huw Fletcher. Niente di niente.

Il sergente dice: «Controlliamo il frigorifero. Vediamo se c'è del latte».

Che Dio ti benedica, sergente. Lei fa onore e lustro alla polizia. Entriamo tutti e tre in cucina. Il sergente apre il frigorifero. Il latte fresco significherebbe che di recente c'è stato qualcuno in casa. Il suo collega ispeziona un paio di credenze. Dato che non c'è nient'altro da fare, io spalanco i cassetti.

Il sergente non trova il latte fresco. Il collega non trova niente che non si aspetti di trovare. Ma io casualmente scopro il denaro, esattamente dove l'ho lasciato.

«Accidenti» dico arretrando velocemente. «Guardate qua!»

Il sergente guarda e dice anche lui: «Accidenti». Il suo subalterno è più preciso e dice: «Cazzo!».

Il sergente si abbassa, tira fuori la roba dai cassetti e osserva bene i soldi. Immagino che ogni mazzetta sia di cinquanta banconote. Cinquanta pezzi da cinquanta fa duemilacinquecento sterline ciascuno. E dozzine di mazzette, dozzine. Ci sono più di centomila sterline distese tra i fogli di alluminio e i canovacci di scorta.

Usciamo rapidamente dalla casa. Non si potrebbe definirla una scena del crimine, ma è abbastanza chiaro che i ragazzi della Scientifica vorranno darci un'occhiata. Il sergente è di nuovo alla radio e parla ininterrottamente con la centrale. Un ispettore arriva di corsa da Newport.

E all'improvviso il mio ruolo diventa molto più delicato. Mi fissano tutti. L'ispettore di Newport – un tizio di nome Luke Axelsen – mi porta nella sua macchina, mi offre una sigaretta ed esclama: «Okay, spara. Cosa sai?».

«Non molto. Non molto, sul serio.»

«Non male come inizio.»

Gli racconto di Bryony Williams e delle cose che avrebbe dovuto dirmi.

«E questo è successo ieri? Non mi sembra una mossa tempestiva da parte sua.»

«No, in effetti. La Williams non credeva ai pettegolezzi. Me ne ha parlato solo perché glielo ho chiesto io. Era un indizio di scarsa priorità. Quando stamani ho chiamato la Rattigan Transport e ho avuto conferma della scomparsa dell'uomo, è salito nella scala delle priorità.»

«Sì. Capisco.»

Axelsen si morde il labbro inferiore. Sta pensando. Sta pensando che non vuole passare il caso a Cardiff e alla polizia del Galles del Sud. Vuole tenerlo a Gwent e seguirlo lui.

«Per quanto possa valere la mia opinione,» dico con fare disponibile «non credo che abbiamo abbastanza materiale per incorporare questo caso nell'operazione Lohan. Si tratta, per ora, solo di voci.»

È contento di sentirmelo dire, e a quel punto la follia si scatena. Axelsen convoca una squadra per indagare sulla scomparsa di Fletcher. Dà istruzioni, e poi chiede a me di dare informazioni alla squadra. Faccio un discorso breve e conciso, che è praticamente tutto quello che ho da offrire. Mi domandano da dove credo che arrivino i soldi, e dico che non lo so. Droga. Prostitute. Droga e prostitute. Sottrazione indebita. Dio solo lo sa. «Tienici al corrente su tutto quello che trovi. Da parte nostra faremo lo stesso.»

Tutto questo ambaradan mi porta via più di un paio d'ore. Ho di nuovo fame, ma non trovo niente che sembri commestibile. Mando un messaggio a Brydon. Non so cosa dire, per cui scrivo solo: SPERO TUTTO BENE. A PRESTO. FI XX. Mi piacciono quelle XX. Mi piace che, una volta tanto, significhino davvero qualcosa.

Chiamo Jackson perché suppongo di doverlo informare su cosa sta succedendo, ma risponde la segreteria, e così gli lascio un messaggio un po' sfilacciato. Non sono brava con le segreterie. Mi tolgono il fascino e lo spirito che mi contraddistinguono.

A questo punto non so cosa fare. Voglio che mi affidino l'indagine su Fletcher, ma è Jackson che deve assegnarmela. E per di più adesso dovrei essere a Cathays Park, di ronda tra le squillo insieme a Jane Alexander.

Siccome non so cos'altro fare, torno a Cardiff. Prendo l'autostrada, e tengo gli occhi sulla sinistra come faccio sempre, per vedere il mare che appare e scompare tra gli alberi e il litorale. In un certo senso mi turba che qualcosa di così grande, profondo e oscuro, sia così bravo a nascondersi alla vista. L'Oceano Atlantico, il più vasto cimitero del mondo.

Penso a Penry. Non tanto a come ha fatto a intercettare i messaggi di Fletcher, ma piuttosto al motivo per cui è venuto lì. Perché aiutarmi? Perché darmi la chiave? Forse il Brian Penry onesto voleva fare qualcosa per riscattare il Brian Penry corrotto. Vorrei disprezzarlo, ma non ci riesco. Ho troppe cose in comune con lui.

Penso a tutto questo, guidando nella corsia di destra e ascoltando alla radio musica pop, quando ricevo una telefonata. Faccio un casino con il bluetooth, ma non appena riesco a sistemarlo, la voce di Dennis Jackson mi arriva fragorosa dall'efficientissimo impianto stereo della mia Peugeot.

«Fiona, che cazzo sta succedendo?»

Per via delle casse dolby surround, sembra che l'universo intero mi stia ponendo quella domanda. La voce di Dio che arriva da un amplificatore a quattro canali sparati al massimo.

«Non ne ho idea, signore» rispondo con una buona dose di sincerità, ma gli riferisco le poche cose che so. La conversazione con Bryony Williams. La telefonata di stamattina. «Tutto è nato da lì.»

«È un'altra impresa in solitario dell'agente Griffiths?»

«Una specie, direi. Ma non era partita così.»

«Non mi piace che gli agenti volino in solitario nelle mie indagini. E soprattutto non mi piace – a dire il vero lo detesto – che non vengano rispettate le specifiche istruzioni che do. Ti avevo detto di dare la massima priorità al filone principale dell'inchiesta.»

«Sì, signore.» Racconto a Jackson ciò che ho fatto su quel fronte. Le telefonate al laboratorio. A Bryony, a Gill Parker, a Jane Alexander. La chiacchierata con Mervyn Rogers. I miei primi tentativi di organizzare altri interrogatori con le prostitute.

Sono riuscita a fare un sacco di cose, in effetti, e Jackson sembra un po' rabbonito.

«E Rogers se ne sta occupando, giusto?»

«Credo che stia prendendo a calci in culo Tony Leonard in questo preciso istante, signore» rispondo. E mi domando se mi sto comportando in modo impertinente o se sono solo in sintonia con l'umore del capo.

«Già, spero proprio di sì.» L'impianto stereo tace per un momento: o Dio sta pensando, o io ho perso il segnale. È la prima opzione, perché Dio si fa sentire di nuovo. «Sai quanti soldi hanno trovato in quella casa? Finora, intendo. Stanno ancora tirando via le assi del pavimento.»

«No, signore.»

«Duecentoventimila sterline. Centocinquanta in cucina. Altre in camera. Altre nel bagno. Me lo ha appena riferito Axelsen.»

Non so cosa dire, per cui non dico niente.

Neanche Jackson sa cosa dire, perciò rimane in silenzio ancora un paio di secondi prima di continuare: «Perfetto. Nel frattempo voglio che tu faccia quello che ti ho chiesto. Stai addosso a quel maledetto laboratorio e assicurati che non si dimentichino dei nostri maledetti campioni di eroina. Lavora con il sergente Alexander per ottenere altre dichiarazioni dalle prostitute. E trova un sistema per procurarci i mandati di perquisizione che ci servono, ovvero tutti quelli che hanno un collegamento con gli omicidi dell'operazione Lohan».

«Sì, signore.»

Non lo dico ad alta voce perché non credo ce ne sia bisogno, ma io *ho* appena ottenuto l'accesso della polizia a un luogo che contiene prove che farebbero decisamente pensare alla malavita organizzata. Le riflessioni di Jackson seguono lo stesso percorso delle mie perché la frase che rimbomba dalle casse subito dopo è: «Credi che ci sia una connessione fra i soldi e il traffico di droga? È questo che stai dicendo?».

«Fletcher lavorava nelle spedizioni, organizzava i cargo che venivano dal Baltico, per lo più dalla Russia. Faceva tanti viaggi lunghi. E poi il denaro. Sikorsky ha un mucchio di eroina a Londra e Fletcher ha un mucchio di soldi a Newport. Se in giro c'è la droga, ci devono essere anche i soldi, e magari li abbiamo appena trovati. E poi la maggior parte dell'eroina arriva dall'Afghanistan, il che significa che la rotta di trasporto russa avrebbe senso. Sono tutte prove indiziarie, ma i collegamenti ci sono.»

«E tu sei riuscita a scoprire questo collegamento grazie a un'operatrice sociale che ti rifila delle stronzate complottiste, sentite dire da una prostituta che probabilmente è strafatta quando gliele racconta.»

«Be', *c'era* una persona scomparsa. E una che è legata, anche se alla lontana, alla casa delle Mancini.»

«Molto alla lontana, cazzo.» Un'altra lunga pausa. «Ascolta, stai guidando?»

«Sì, signore. Sono in autostrada, di ritorno verso Cathays Park.»

«Okay, accosta appena puoi e richiamami.»

Dio riattacca senza aspettare un mio cenno di risposta.

Arrivo quasi a Pentwyn prima di potermi fermare rispettando il codice della strada, ma parcheggio appena possibile e lo richiamo.

Quando gli parlo, Jackson è chiaro e conciso.

«Ascolta. Ti ho detto di non prendermi per il culo. Ti ho ordinato di *fare* cosa ti veniva *detto* di fare, *quando* ti veniva detto e senza combinare casini. Non ti riesce, eh? Non ti riesce proprio, accidenti.»

Una parte di me vorrebbe attaccare briga. A dire il vero, signore, ho *fatto* tutto quello che mi ha detto di fare, velocemente e bene. È solo che ho fatto anche altre cose. Oh, sì, a proposito, ho ottenuto l'accesso a una casa con dentro duecentoventimila sterline che sono quasi certamente denaro sporco, e ho dato l'avvio a un'indagine per la scomparsa di una persona che ci mette sulla pista più probabile per risolvere il caso.

Ma non lo dico. Rimango seduta in silenzio, mentre Jackson mi dà una strigliata.

«Fiona, per quale motivo hai dato la caccia a Fletcher? E non venirmi a dire per via delle stronzate che hai sentito in giro, perché non ci credo.»

«Un po' si tratta di questo, ma c'è dell'altro. Solo che non posso dirle niente, mi dispiace.»

«Non c'entra tuo padre, eh?»

«No, niente a che vedere con lui. Ho fatto una promessa e devo mantenerla.»

C'è un attimo di pausa. Un fruscio sulla linea telefonica.

«Vorrei tanto farti un ammonimento formale. Lo vorrei proprio. La forza di polizia è un'organizzazione strutturata. Ci sono dei motivi per cui esistono le strutture e noi lavoriamo meglio perché ci sono.»

«Sì, signore.»

«Non è come… non è come lavora tuo padre. Non è, che ne so, come lavorano certi dipartimenti di Filosofia a Cambridge.»

«No.»

«E mi rincresce dirlo, mi rincresce davvero, ma per quanto abbia voglia di farti un cazziatone, non posso. Ho verificato con la Alexander, con Rogers e il laboratorio, e mi hanno detto che ti sei occupata di tutto. E hai anche trovato duecentomila sterline legate al traffico di droga.»

«Grazie.» Sì, *grazie tante*. Te ne sei accorto. Alleluia.

«Ma non sei fuori dai guai. Non sono sicuro che tu sia il tipo di detective utile nel Galles del Sud. O sei molto brava o sei pessima, o forse un po' tutte e due le cose. E io non so che farmene della parte pessima. Hai capito?»

«Sì, signore.»

«Ho parlato con Gethin Matthews e Cerys Howells, e concordano con la mia valutazione. Non riuscirai a metterci uno contro l'altro. La vediamo tutti e tre allo stesso modo.»

«Capisco. »

«Okay. Ora, se ti chiedessi cosa vorresti fare – proseguire gli interrogatori con la Alexander a Cardiff o spostarti sull'indagine di Gwent –, cosa mi risponderesti?»

«Vorrei seguirli entrambi. Il più possibile. Secondo me, io e Jane stiamo lavorando bene con le nostre prostitute, ma non dovremmo perdere di vista la pista di Fletcher.»

«Ce la farai a occuparti di tutte e due le cose?»

«Non ne sono sicura. Il lavoro con le prostitute è comunque una cosa da fare nel pomeriggio o la sera. Magari potrei lavorare a Newport la mattina e tornare a Cardiff dopo pranzo.»

«Okay, perfetto. Non ammazzarti, anche se un po' di sano autolesionismo quando si tratta di te... Be', non ti farebbe male. Chiamerò Axelsen per fargli sapere che ti aspetti. Non cacciarti in qualche guaio con lui, perché altrimenti ti ammazzo io. Letteralmente.»

«Sì, signore.»

«E non fare più voli in solitario con me, mai, in nessuna circostanza. È chiaro?»

«Sì, signore.»

«Okay.»

Jackson riattacca. Sono a Pentwyn e non sono stata licenziata.

31

Sei giorni scivolano via quasi senza che me ne accorga, come pesci scuri in un canale. Io e il sonno non siamo grandi amici in questo periodo. In media mi riposo quattro o cinque ore per notte, e solo con lo stratagemma del futon e della pistola. Non è un sistema normale per dormire, lo so, ma è da tanto che ho smesso di essere la normale. Sono sempre stanca e non mangio bene, ma sopravvivo. Tiro avanti. Quando mi sveglio all'alba, scendo a fumare, poi torno di nuovo su e mi metto a leggere a letto, bevendo tisane e ascoltando musica. Non è come dormire, ma è un surrogato decente. E poi è l'unica possibilità che ho.

Passo le mattinate a Newport. La polizia di Gwent ha occupato un'area della Rattigan Transport e la nostra piccola squadra lavora fuori dalla sala conferenze. Si sente odore di portatili surriscaldati, carta da fotocopie e sudore maschile. E mio anche, per quanto ne so. L'aria condizionata è un altro settore su cui Rattigan pare abbia risparmiato i suoi penny.

E quante cose imparo. Cose che non sapevo neanche esistessero. Come, per esempio, cose sulla pesca d'altura fuori dalle acque costiere britanniche. L'immagine tipica – tutta Hemingway e bicipiti sviluppati, sole californiano e pesci spada di quaranta chili appesi alle bilance – è una grande stronzata. Magari non è una stronzata nel Golfo del Messico, ma è una vera e propria stronzata oceanica quando si parla dell'estuario del Severn e del Mare d'Irlanda.

Nelle acque britanniche, dove Brendan Rattigan e il suo miglior amico Huw Fletcher andavano a pesca, non prendi i pesci spada, né i tonni. Non prendi pesci da attaccare alla bilancia e far vedere ai tuoi amici al pub.

Prendi il merluzzo, il merlango, le aringhe, per l'amore del cielo, i rombi. Piccoli pesci freddi che nuotano in piccoli mari freddi, onde grigie e pioggia. È uno sport per uomini che si portano dietro il thermos del tè e si vantano di quanto fosse brutto il tempo.

La prima mattina chiamo Cefn Mawr e trovo di nuovo Miss Ostruzionismo. Mi presento. Lei è gelida con me, ostile. Non dice niente che non dovrebbe, ma è quello che succede quando una domestica è pagata una cifra esorbitante. Anche la sua ostilità ha una certa classe.

«Senta,» dico «mi dispiace aver provocato del trambusto l'ultima volta. L'indagine era importante e le domande andavano fatte.»

«Probabilmente.»

«Non devo disturbare la signora Rattigan stavolta, ma forse posso fare a lei una serie di semplici domande. Solo tre.»

«Mi dica.»

«Ha mai sentito parlare di un uomo che si chiama Huw Fletcher? Un collega o un amico del signor Rattigan, forse?»

«No, mai.»

«Ha mai sentito parlare di un uomo che si chiama Brian Penry?»

«No.»

«Okay. Ultima domanda. Una certa persona attualmente sotto indagine sostiene di aver fatto pesca d'altura con il signor Rattigan. Non una, ma tante volte. Per diversi giorni di fila anche. Nel Regno Unito, probabilmente. O comunque partendo da qui. Per cui forse nel Mare d'Irlanda, nel Nord Atlantico. O magari nel Mare del Nord o nel Baltico.»

Non ho ancora finito che Miss Ostruzionismo mi interrompe. «No, le sue informazioni sono errate, non ho mai sentito dire che il defunto signor Rattigan mostrasse il minimo interesse per la pesca. Non pescava neanche nel fiume sotto casa. Non riesco a immaginare niente che gli piacesse di meno. È tutto, quindi?»

Colgo una vena di perfido trionfo nel suo tono di voce. Vuole farmi credere che ho sparato una cazzata, che ho capito male, che noi poliziotti siamo degli idioti. Per cui con molta cordialità le dico: «È stata straordinariamente utile. Nessun interesse per la pesca? *Ottimo*. Grazie *mille*.» Glielo dico per offenderla e irritarla, e riattacco contenta di aver fatto un buon lavoro.

E questo è stato il momento clou. Per il resto, io e i tre agenti della polizia di Gwent setacciamo mucchi di noiosissimi dati. Navi e rotte gestite dalla Rattigan Transport. Questioni di logistica. Contatti con i clienti. Polizze di carico. Tasse doganali. Depositi franchi. E-mail. Registri delle chiamate. Estratti conto bancari.

Nessuno di noi sa cosa stiamo cercando. Supponiamo tutti che lo capiremo quando lo troveremo, ma io non ne sono convinta. O ce l'abbiamo già sotto il naso o non è qui. Riuniamo Jim Hughes e i suoi colleghi e li incalziamo perché ci forniscano tutte le foto che hanno delle serate mondane organizzate da Rattigan per i suoi clienti, o qualsiasi altra immagine che magari possiedono dei contatti di Huw Fletcher. La maggior parte di loro non ne ha nessuna, ma salta fuori che Andy Watson ne ha diverse sul cellulare, e così cominciamo a raccogliere nomi e immagini. Possiamo controllare i nomi sul casellario giudiziale, e possiamo cominciare a mostrare le immagini alle prostitute e alle volontarie della StreetSafe. Sembra proprio di pescare al buio. Al buio di una notte fredda e piovosa.

Queste sono le mie mattinate.

I pomeriggi sono più o meno all'estremo opposto. Non esattamente i pomeriggi, ma l'inizio delle serate. Il mio trantran adesso è questo. Alle due circa rientro a Cathays Park. Mi rimetto in pari con le scartoffie per un'oretta, e poi alle tre ho la riunione con Jane Alexander. La domenica no, ovvio. Solitamente me la prendo libera, e il sabato faccio mezza giornata, anche se sono troppo sfinita per rilassarmi. A parte queste pause che non mi sembrano pause, andiamo avanti con determinazione e parliamo con quante più prostitute possibile, cercando di guadagnare la loro fiducia e cercando di fornire a Jackson una prospettiva da cui partire per risolvere il caso.

All'inizio la nostra tecnica era semplice. Riunivamo quante più prostitute possibile in un unico posto – case o appartamenti dove vivevano loro, ovvio, evitando nel modo più assoluto Cathays Park –, e all'occorrenza le corrompevamo con dolci e cioccolatini. Poi mostravamo loro le foto. Tantissime. Foto delle vittime: Janet e April Mancini, Stacey Edwards, Ioana Balcescu. Foto di chiunque fosse connesso alla scena del crimine o ai principali sospettati: Sikorsky, Kapuscinski, Leonard, Vaughan, Lloyd. E di chiunque altro fosse collegabile a quei nomi, a quello di Sikorsky in particolare. Tutte le immagini delle telecamere a circuito chiuso che avevamo e che ci sembravano rilevanti per qualche motivo. Le foto dell'inchiesta su Fletcher: i clienti russi che potevano aver avuto qualche contatto con il traffico di droga. Mucchi di foto.

Non ha funzionato. I primi giorni non abbiamo concluso proprio niente. Kyra, che al telefono con me era stata tanto stupidamente disponibile, si è cucita la bocca quando ha capito cosa volevamo. Le altre ragazze sono state scontrose. Non appena gli abbiamo mostrato foto che erano davvero importanti – Sikorsky, Kapuscinski, Stacey Edwards – hanno smesso di parlare. Mangiavano i nostri dolci, fumavano una sigaretta dietro l'altra e si schermivano alle nostre domande come ragazzine a una riunione di famiglia. Jane diventava acida e assumeva l'atteggiamento duro da poliziotta, e l'atmosfera si guastava completamente.

Dopo due giorni passati in questo modo, su mio suggerimento, abbiamo tentato un'altra strategia. Abbiamo chiesto a Tomasz di stamparci pacchi di foto di personaggi famosi trovati su internet. Stelle del cinema, attori della tv, cantanti. Con astuzia Tomasz ha aggiunto foto di persone famose solo in Polonia o nei Balcani, foto che avrebbero spinto le ragazze dell'Europa dell'Est a chiacchierare.

E hanno chiacchierato davvero. La conversazione fluiva leggera. Abbiamo mescolato le foto perché non avessero un ordine particolare, e le ragazze sono state molto più loquaci. Quando gli abbiamo mostrato la foto di Tony Leonard, due di loro hanno riferito che gli aveva venduto della droga poco tempo fa. Davanti alle foto di Sikorsky e Kapuscinsky si sono cucite la bocca, ma anche quel silenzio è stato significativo – segno che sapevano cose che non volevano dirci, non una generica protesta contro la presenza di due detective di polizia nel loro salotto.

Quella sera, uscendo dalla casa – due stanze al piano superiore e due di sotto, a circa duecento metri dall'argine del Taff –, Jane Alexander era stordita dalla gioia e ha fatto un balletto trionfale sul marciapiede, una Ginger Rogers bionda e magra che balla il valzer lungo il fiume.

«È stato fantastico» mi ha detto. «È stata probabilmente la cosa migliore che mi sia successa da quando sono nel dipartimento di indagini criminali.»

Ha chiamato Jackson sul cellulare e lo ha tenuto al telefono fino a casa. Gli ha raccontato che avevamo prove sufficienti per arrestare Tony Leonard per reati di droga, e motivi sufficienti per chiedere un mandato di perquisizione in casa sua.

È rimasta ad ascoltare quello che Jackson aveva da dire. «Sì» rispondeva. «Sì... Sì.» A ogni nuovo «Sì», Jane cercava di spostare un ciuffo di capelli dietro l'orecchio con cui stava ascoltando, poi però si chinava in avanti e i capelli le ricadevano giù. Finita la telefonata, si è lanciata in un altro passo di danza agitando i pugni in aria per la gioia.

«Jackson ha intenzione di organizzare un'irruzione all'alba. A quanto pare, il laboratorio londinese ha appena confermato che l'eroina di Londra corrisponde ai campioni trovati in Allison Street. È fatta, forse. Potrebbe essere la chiave per risolvere il caso.»

Dato che Jane era così palesemente felice mi sono concessa di battere un cinque con lei. Mi sono sentita un'idiota – e tra l'altro non ero convinta che l'irruzione in casa di Tony Leonard ci avrebbe fornito quello di cui avevamo bisogno – , ma mi piaceva Jane in versione Ginger Rogers e non intendevo fare la guastafeste.

Come volevasi dimostrare, Jackson organizza un'irruzione e comincia a fare a pezzi la casa di Leonard. Dato che sono spesso a Newport, non conosco tutti i particolari, ma scommetto che i ragazzi coinvolti saranno entusiasti. A Mervyn Rogers è stato assegnato l'interrogatorio e non ho dubbi che se la spasserà. Conduce gli interrogatori in modo tosto, e Leonard sarà un bersaglio facile. C'è anche una discreta probabilità che lui ci dica qualcosa che possa incastrare Sikorsky.

Nel frattempo io e Jane sgobbiamo come muli alla macina.

Una macina che gira e non ci porta oltre quelle maledette facce.

Sikorsky è ancora fuori. Come Fletcher. Kapuscinski. E Brian Penry, che probabilmente conosce tutta la faccenda. E tiene la bocca chiusa mentre la gente muore.

Io, ormai, non so più chi sono.

32

Arrivata a giovedì mi sento uno straccio.

Ho passato la mia nottata peggiore in assoluto, finora. Tre ore scarse di sonno. Dall'alba ho fumato in giardino per due ore di fila. Poi sono tornata a letto con tisana alla menta, barrette energetiche e Amy Winehouse che canta per me al piano di sotto.

Penso a Brydon. Nel fine settimana libero – che non mi è sembrato un fine settimana e durante il quale non mi sono mai sentita libera – abbiamo provato a uscire insieme una seconda volta. Ci siamo incontrati nella stessa enoteca del primo appuntamento. Cathedral Road. Tutto molto borghese. Mi sono vestita carina e mi sono lavata i capelli solo per Brydon. Mi sono ricordata di sorridere e di interessarmi a lui. Mi sono ricordata tutto quello che dovevo fare per essere femminile e arrendevole, comprensiva e non dura. Ma la serata è stata lo stesso un fiasco. Dopo aver fatto a Brydon le stesse identiche domande per la terza volta – «Allora, cosa ti piace fare d'estate? Non mi sembri il tipo che sta disteso al sole in spiaggia.» –, lui ha preso la situazione in mano.

«Fi, dormi bene in questo periodo?»

«No.»

«Fai brutti sogni?»

«No.»

«Ma è questo caso, vero? Ti sta prendendo.»

«Suppongo di sì. Me lo dicono tutti.»

«Ma niente brutti sogni?»

Ho scosso la testa. Nessuno che prenderei in considerazione.

Brydon ha annuito. Quest'uomo un tempo era un soldato e probabilmente di brutti sogni ne sa qualcosa. Dopo il nostro drink, mi ha portato nel locale accanto per una pizza. Io ho chiesto un'insalata, ma lui ha rettificato il mio ordine aggiungendo pizza, focacce e un succo d'arancia. Si è anche assicurato che mangiassi tutto, comandandomi a bacchetta per farmi finire gli avanzi che volevo lasciare.

Io l'ho lasciato comandare. Forse ho dimenticato di sorridere spesso e di fargli domande, ma sono abbastanza sicura di non avergli detto nulla di offensivo. Dopo che avevo finito di mangiare quanto possibile, Brydon ha chiesto il conto e mi ha accompagnato a casa.

«Non preoccuparti, Fi. Qualunque cosa sia, presto finirà. E non c'è fretta. Per noi, intendo dire. La prenderemo con calma. Okay? Dormi un po'. Prendi ogni giorno come viene. Noi ce la caveremo benissimo.»

Io ho annuito. Gli ho creduto. Ci siamo baciati. Non ho sentito molto il bacio, ma in questi giorni non sento granché. Proprio ora sono tornata a letto con una tisana alla menta sul comodino, Amy Winehouse che urla sotto di me e la pistola distesa sulla pancia. La pistola è l'unica cosa che sento e non la mollo per tutto il tempo che rimango lì.

Alle otto e trenta Amy Winehouse si è ammutolita. Si è messa a lutto, *Back to black*. Chiamo Axelsen a Newport e gli dico che non mi sento bene e che non andrò in ufficio. Per lui non ci sono problemi. Non credo mi voglia nella sua squadra, comunque.

Sikorsky non è ancora stato trovato.

Sotto la raffica di domande di Rogers e compagni, Tony Leonard ha confessato di spacciare droga. Droga che compra da Sikorsky. Conosce Kapuscinski di vista, ma niente di più.

Mi sento sempre più distaccata da me stessa, dall'indagine, da Brydon, da tutto. Sapendo che ho bisogno di contatto umano quando mi trovo in questo stato, mi attengo alle regole. Chiamo mia madre e parlo con lei. Chiamo Bev e parlo con lei. Chiamo Brydon, mi risponde la segreteria, non lascio un messaggio, ma gli mando un sms.

Chiamo Jane, in ufficio. Le dico che prendo la mattinata libera. Lei mi dice di non preoccuparmi. «Ne hai davvero bisogno.» Aggiunge che ha altri interrogatori con le prostitute fissati per stasera, ma «vieni solo se te la senti. Hai bisogno di un po' di riposo».

Io e lei non sappiamo mai come chiamare le prostitute. Tra di loro si chiamano «ragazze», il che mi sembra piuttosto condiscendente. Noi per lo più le chiamiamo «prostitute», il che mi sembra offensivo. Gill Parker ne parla definendole sempre «la comunità delle operatrici del sesso», il che le fa sembrare una via di mezzo tra un'impresa di import-export e un gruppo di bambini disagiati. E questo, ora che ci penso, ha per lo meno il pregio dell'accuratezza.

A mezzogiorno, mi accorgo di non aver mangiato nulla. Sposto la pistola dalla pancia, mi infilo dei vestiti e scappo a cercare qualcosa da mettere sotto i denti. Vado in una paninoteca accanto ad Aldi, il supermercato in fondo a Glyn Coed Road. È un locale orribile, ma almeno so come muovermi lì dentro e convinco una commessa mezza addormentata a farcirmi una baguette stantia con una miscela appiccicosa di tonno e mais. Lei completa il miscuglio con una foglia di lattuga che è marrone ai bordi. Ma è comunque cibo.

Mi siedo fuori al sole a mangiare.

Su un fazzoletto d'erba davanti ad Aldi, controllo il telefono. Trovo un messaggio di Brydon. Mi ero scordata che era tornato a Londra. Il suo sms dice: FORSE DOMANI SARÒ ANCORA QUI. CI VEDIAMO APPENA POSSO. DAVEX. In questi giorni mi manda messaggi con un bacio alla fine. Per farlo, però, ha trovato un sistema da macho: ha trasformato Dave in Davex. O magari gli fa solo fatica inserire lo spazio. O magari io analizzo tutto e troppo. Penso di rispondergli, ma più sto male più mi attengo strettamente alle procedure. E la Procedura Standard dell'Aspirante Corteggiatrice è far finta di niente, come faccio io. Non lo chiamerò né gli invierò un sms fino a stasera.

Non riesco però a mettere via il telefono. Continuo a masticare la baguette, che in bocca non è male ma poi – nello stomaco – si trasformerà in gesso. Ho fatto bene a prendere la mattinata libera, ma mi sento un po' persa. Mi piacciono le frecciatine dei colleghi. Mi piacerebbero perfino se Jim Davis lavorasse al caso insieme a me, lui e i suoi denti gialli, i suoi sibili di disappunto e la sua risata cinica «Ah, ah, ah».

Faccio progressi con la baguette, ma la punta arrotondata è come blindata e non riesco a morderla. Tolgo l'ultimo pezzetto di tonno con le dita, lo inghiotto e butto via il resto.

Poi smetto di esitare. Mi lecco via dalle dita i rimasugli e mando un messaggio. A Lev. Il mio amico, non l'amico di papà. Il mio assistente personale quando sono all'ultima spiaggia. Un vagabondo che si aggira nel lato oscuro.

Il mio messaggio dice: SE SEI IN ZONA, MI FAREBBE PIACERE VEDERTI, FI.

Ancora prima di arrivare a casa, ricevo la risposta. STASERA.

Mi sento sollevata. Viene Lev. Andrà tutto bene.

La sera io e Jane siamo sedute insieme a cinque prostitute in un monolocale vicino Llanbradach Street. Foto, torta al cioccolato, sigarette. Tendine di tulle alle finestre e moquette consumata fino all'ordito. Dall'allarme antincendio è stata tolta la pila perché altrimenti scatta. Una maglia di pizzo rosa è appesa all'abatjour sul comodino, altrimenti la casa rischiava di essere troppo elegante.

Ragazze sciocche che si scambiano vestiti, confrontano la biancheria intima e ridacchiano davanti alla foto di George Clooney senza dirci niente che ci permetta di salvarle da chiunque sia il bastardo che va in giro ad ammazzare le loro amiche.

Perdo la testa. Jane ha messo la foto di Wojciech Kapuscinski sotto i loro occhi, ma le ragazze vogliono passare rapidamente a un'altra immagine. E io perdo la testa.

Urlo. Urlo sul serio. In queste cose non è solo una questione di volume – per quanto mi sgoli al massimo –, è anche una questione di energia. È questione di fare sul serio. E io faccio sul serio.

«*Non la toccare!*» urlo alla ragazza, Luljeta, che sta per buttare da una parte la foto di Kapuscinski. «Non ti azzardare a toccarla, cazzo! Lo conosci quest'uomo, vero? Guardami. *Guarda* me! Lo conosci quest'uomo, vero? Sì o no? Dimmi sì o no, cazzo! Non mentire.»

Luljeta è terrorizzata. La stanza – inclusa Jane Alexander seduta accanto a me sul divano con il suo abito di lino color carta da zucchero – è nel silenzio più assoluto. E Luljeta annuisce.

«Sì.»

«Come si chiama? Dimmi come si chiama.»

Luljeta si sofferma, cercando una tattica efficace, ma io sono troppo arrabbiata per star dietro alle tattiche. Apro bocca, pronta a urlare di nuovo, ma Luljeta mi previene. Ha un tono di voce impercettibile ma sincero.

«Wojtek. È polacco.»

«Cognome?»

Luljeta scrolla le spalle, ma probabilmente stavolta è vero. Probabilmente non lo sa.

«Kapuscinski, giusto? Wojciech Kapuscinski. È esatto?»

«Sì, credo di sì.»

«E cosa sai di lui? Devi dirmi tutto. E non solo tu, Luljeta. Ma tutte voi dovete parlare.»

Ci vuole tempo, e devo gridare altre due volte, ma ce la facciamo. Kapuscinski è uno degli scagnozzi di Sikorsky. Sikorsky sembra aver organizzato e forse commesso gli omicidi delle Mancini e della Edwards. Ma sono solo voci. Non si ottiene nessun mandato di perquisizione esibendo delle voci. Ma poi Jayney, una delle ragazze gallesi, si solleva la maglia. È piena di lividi e di tagli dal bordo degli slip fino alle spalle. Vecchi lividi ormai, gialli e viola, ma sempre orrendi. E non sembrano solo pugni. Mi sembrano stivali, e forse un bastone o una sbarra di ferro o qualcosa del genere.

«È stato lui» dice. Piange mentre lo dice e indica la foto di Kapuscinski. «Sikorsky usa quasi sempre lui. Sosteneva che mi fossi rifornita da qualcun altro, ma non è vero. Non ne ho usata tanta negli ultimi tempi. Ho avuto l'influenza e non ho lavorato, ma lui non mi ha creduto. È venuto dentro casa e…»

Jayney continua.

Adesso è necessario l'atteggiamento da poliziotta perfetta di Jane. La sua matita scorre veloce sulle pagine del taccuino suggerendo nomi e date, orari e luoghi. L'ammissione di Jayney innesca una reazione analoga da parte di Luljeta, e poi a catena altre confessioni. Accuse, in realtà, ma sembrano a tutti gli effetti delle confessioni. Una volta finito, abbiamo prove concrete non solo su

Sikorsky, per il quale già ne possedevamo, ma su Kapuscinski, un russo di nome Yuri e un altro tizio che si chiama Dimi.

Arresti da fare. Mandati da ottenere.

Jane ci mette quasi due ore per rimettere assieme le prove che ora spuntano come funghi. Io non partecipo, o quasi per niente. Mi sento sfinita e vuota. Dovrei prendere appunti, per integrare quelli di Jane, ma non ce la faccio. Fingo di prenderli, ma non cavo un ragno dal buco. Adesso Jayney ha la maglia tirata giù, ma io ci vedo attraverso. Tutte queste ragazze sembrano nude a miei occhi. Piccoli corpi pieni di lividi. Lividi che esistono qui e ora, come nel caso di Jayney. Lividi che esistono solo nel passato o nel futuro – oppure nel passato *e* nel futuro – per le altre ragazze che sono in questo appartamento. Lividi che continueranno a esistere e a moltiplicarsi, a prescindere dalla banda di stronzi che controllerà il mercato della droga. Perché tutte le volte che delle giovani donne venderanno il proprio corpo per il sesso, ci saranno uomini con un giubbotto di pelle pronti a controllare che il profitto finisca in altre mani, in altri pugni.

Per due volte, mentre Jane scrive, porto i palmi agli occhi. Voglio vedere se riesco a sentire le lacrime. Non ci riesco, ma non so se gli altri si accorgono in modo automatico di piangere o se devono controllare per esserne sicuri. Anche se non ci sono lacrime adesso, dentro di me ho una sensazione che potrebbe essere quella che di norma si abbina al pianto. Non lo so, però. Non sono la persona più adatta a cui chiederlo.

Vorrei uccidere Sikorsky e Kapuscinski e Fletcher e Yuri Chissàcome e Dimi Chiunquesia.

E dopo aver fatto tutto questo, dalle acque della Baia di Cardiff vorrei far resuscitare Brendan Rattigan, l'uomo affogato e mangiato dai pesci, per uccidere anche lui.

Lascio finire Jane, e mi siedo accanto a lei imbambolata. Sono contenta sia qui insieme a me.

Quando arriviamo in strada, sono le nove di sera. Come per magia Jane fa apparire un cardigan blu da chissà dove e se lo infila. Io indosso un paio di pantaloni e una maglia bianca, ma non ho freddo, o meglio non così tanto.

«Ti senti bene?» chiede Jane.

«Sì.»

Jane brandisce il taccuino. «Me ne occupo io, se preferisci. Jackson vorrà essere informato.»

Annuisco. Sì. Jackson vorrà essere informato. Adesso ha quello che voleva.

«Se vuoi… cioè, se vuoi parlarne a Jackson insieme a me, va bene.»

Rimango perplessa. Non capisco. Presumibilmente dico o faccio qualcosa che indica la mia perplessità, perché Jane mi spiega.

«Glielo dirò comunque. Sei stata tu a sbloccare la situazione. Non so come tu abbia capito cosa andava fatto, ma ha funzionato. Mi assicurerò che Jackson lo sappia.»

Scuoto la testa. Non l'ho capito. L'ho fatto e basta. «Ho perso la testa, Jane. Tutto qua. Non sopportavo più che le ragazze continuassero a tenere la bocca chiusa. Ho solo perso la testa.»

«Sei sicura di star bene?»

«Sì.» Me lo chiedono tutti adesso. «Mi sa che vado a casa, se non è un problema. Mi dispiace lasciarti, con tutto quello che c'è da fare.»

«Vai pure.»

Il cielo è dell'azzurro tipico delle sere d'estate, né chiaro né scuro. I lampioni cominciano lentamente ad accendersi, ma la loro luce non serve, per ora. La casa alle nostre spalle è tranquilla.

Anche la stradina è piuttosto tranquilla. In fondo alla via, il fiume scorre lontano mantenendo il suo segreto. Un insetto, stordito dai lampioni, finisce per svolazzare tra i miei capelli. Jane allunga una mano per prenderlo e lo libera.

«Grazie» le dico.

Lei mi sorride, mi risistema i capelli nel punto in cui lei e l'insetto me li hanno arruffati e poi dice: «Guida con prudenza».

Io annuisco e faccio come mi ha detto. Guido in modo responsabile, cauto, sotto il limite di velocità. Non è quello che voglio, però. Una parte di me desidera l'esatto contrario. Vorrebbe guidare per due ore su strade vuote e senza autovelox. Un percorso pieno di curve tra i Brecon Beacons e le Montagne Nere. Il tramonto che non svanisce mai e ti invita a seguirlo nella prossima valle, sulla prossima salita, dietro il prossimo tornante. Nessuna macchina, nessuna direzione, nessuna destinazione.

Non me lo concedo, ma arrivo a casa intera.

C'è un piatto pronto nel freezer e lo metto nel microonde ancora congelato. È gelido al centro quando lo mangio, ma almeno mangio.

Non so se fumare, ma decido che è meglio di no.

Mi faccio un bagno caldo. Prendo in considerazione l'idea di mettere un po' di musica, ma non riesco a pensare a niente che cambi niente, per cui scelgo il silenzio.

Quando esco dalla vasca, non mi infilo di nuovo i vestiti da lavoro. Tra un po' arriva Lev e lui non è un tipo da vestiti da lavoro. Indosso jeans, scarpe da ginnastica e maglietta. Se usciamo, mi prenderò un pile.

Poi mi chiama Brydon. È a Londra, ma ha appena saputo le novità che Jane ha portato a Cathays Park. Sono tutti entusiasti, a quanto pare. Lui vuole parlarne, ma io lo blocco. Abbiamo passato anche troppo tempo a parlare di cose di lavoro nella nostra vita, perciò parliamo di stupidaggini – stupidaggini carine, affettuose, sconclusionate – per venti minuti. Poi lui sbadiglia e io gli dico che dovrebbe andare a letto.

«A presto, Fi.»

«Sì, a presto. Mi manchi.»

«Anche tu. Abbi cura di te.»

Ho un'immagine di lui che fa l'amore con me sul pavimento del salotto. In modo impetuoso e intenso, senza più parole del necessario. Né troppo gentile né troppo premuroso. L'amore che lascia i segni dei morsi. Mi domando se è come fanno l'amore le persone normali. Non è stato così per me, neanche con Ed Saunders.

Ci salutiamo.

Farei un pisolino se potessi, ma ho l'adrenalina a mille e non so quando arriverà Lev. Non lo so mai, ma so che sarà sicuramente troppo tardi. Non è uno mattiniero, il nostro Lev.

Ho la televisione accesa. *Newsnight* è già finito e sulla Bbc2 c'è un film in bianco e nero. Parla di violenza sulle donne, per cui lo guardo senza volume, ma anche in questo modo l'unica cosa che vedo sono i lividi di Jayney. Non dovrei neanche guardarlo, a dire il vero. Un po' dopo la mezzanotte, mi appisolo. Poi sento il motore di una macchina che si ferma davanti casa mia e scorgo un paio di fari che si spengono.

Prendo la borsa, controllo la pistola e vado alla porta.

33

Lev.

Ha la stessa aria di sempre, ma questo non significa poi molto. Indossa dei vecchi jeans, una felpa un po' sbiadita e un paio di scarpe da ginnastica. Non è molto alto, sarà un metro e settanta circa, e nemmeno robusto. È magro e muscoloso, come ti aspetteresti da un navigatore di oceani o da uno scalatore. Ha i capelli scuri, sempre un po' troppo lunghi e mai pettinati per bene. Il colore della sua carnagione è incerto, tanto che potresti collocare Lev in un punto qualsiasi su un arco che va dalla Spagna al Kazakistan e oltre, anche se sono sicurissima che non è spagnolo. La sua età è altrettanto indeterminata. Pensavo fossimo più o meno coetanei quando l'ho conosciuto, che avesse qualche anno più di me magari, ma non molti. Poi ho capito, da uno o due dettagli che si è lasciato scappare sul suo passato, che poteva averne diversi di più. Potrebbe avere una qualsiasi età compresa fra i trenta e i cinquanta. Onestamente non riuscirei a restringere il campo più di così. L'unica cosa che noti di Lev – per essere più precisa, una cosa che non noti affatto e alla quale ti ritrovi a pensare dopo – è il modo in cui si muove. Come un gatto. È un luogo comune, certo, ma immagino che chiunque abbia inventato questa espressione non abbia passato molto tempo a osservare i gatti, che stanno di continuo a leccarsi il pelo o cercare nuovi sistemi per grattarsi. Ecco, Lev non c'entra nulla con loro. Lui sta quasi sempre immobile, ma c'è una compostezza nella sua immobilità, un potenziale che potrebbe scatenare un improvviso flusso d'azione, e ciò significa che la sua immobilità ha in sé uno scatto maggiore del movimento di chiunque altro. Più scatto e più violenza.

«Ciao, Fi» dice, la luce che si riversa fuori dall'ingresso e i suoi occhi che controllano già lo spazio dietro.

«Lev. Ciao. Entra.»

Non ci baciamo né ci stringiamo la mano. Non so perché. Ma è difficile sapere quali regole sociali applicare quando sei in sua presenza. Non credo lui se ne renda conto.

Lo lascio camminare un po' in giro per la casa, senza dire niente. La sua procedura standard quando viene a trovarmi. Porte, finestre, uscite. Nascondigli, punti ciechi, armi potenziali. La mia cucina si trasforma in una specie di serra, ovvero una grande superficie di vetro che si affaccia sul giardino buio. Lev armeggia finché non trova l'interruttore della luce di sicurezza, che inonda il giardino con centocinquanta watt di bagliore alogeno. La lascia accesa.

A questo punto è felice. Prende una sedia e si mette a sedere. Adesso ispeziona me.

«Che succede?»

«Niente di particolare. Volevo solo vederti.»

«Certo.»

«Ti offro qualcosa? Tè? Caffè? Alcol?»

«Hai sempre la tua coltivazione?»

«Sì»

«Allora non voglio né tè, né caffè, né alcol.»

Rido, mi alzo e prendo le chiavi. Apro la portafinestra, e andiamo fuori. Appena Lev arriva in giardino comincia a valutare l'aria e a sbirciare dietro la staccionata. Io armeggio un po' con il lucchetto del capanno prima di riuscire ad aprirlo.

Dentro non c'è quasi nulla, perché non mi piace il giardinaggio. Solo un tagliaerba e una zappa, e la zappa non l'ho mai usata. E poi c'è la panca con le lampade e le mie piante di marijuana. Poverette, hanno sofferto molto il caldo negli ultimi tempi, ma se la cavano bene. Ho portato i semi dall'India, una volta che ci sono andata in vacanza quando ero studentessa, e queste piante sono le loro figlie e nipoti. Controllo che abbiano abbastanza acqua, ma per il resto le lascio stare. Ho quasi smesso di fumare la resina, ma secco le foglie nel forno e le conservo sottochiave nel capanno. Prendo un bel sacchetto di foglie e richiudo a chiave.

Rollo una canna in cucina, decido però che mi va anche una tisana e chiedo a Led di mettere su il bollitore. Lui lo accende, poi se ne va in salotto a dare un'occhiata ai miei cd e manifesta la sua disapprovazione bofonchiando prima di trovare qualcosa di Šostakovič, un regalo di un amante molto passeggero, credo. Nel giro di poco tempo l'aria si riempie di pessimismo russo, dai toni cupi, interpretato da un fagotto e da un mare di violini.

«Nel 1948 Šostakovič dormiva fuori dal suo appartamento accanto alla gabbia dell'ascensore, lo sapevi?»

«No, Lev. Per quanto possa sembrare incredibile, non lo sapevo.»

«Era stato denunciato per il suo lavoro. Denunciato per la seconda volta. La prima era successa negli anni trenta.»

«Be', non capisco cosa c'entri con il dormire accanto alla gabbia dell'ascensore.»

«Si aspetta di essere arrestato e non vuole che la polizia disturbi la sua famiglia.»

«Che cazzo, Lev, vieni a stordirti.»

Lo spinello è pronto. È il secondo oggi, ma il fumo in compagnia è un'eccezione alle mie regole, che mi consentono di fumare due o tre volte la settimana, di solito in giardino. Quattro o cinque se sono sotto pressione e ho bisogno di conforto. Non fumo mai tabacco.

Preparo una tisana alla menta per me e tiro fuori un po' di cioccolatini. Di Lev non mi preoccupo, perché so che ci pensa da solo, come infatti fa. Si prepara un tè nero, pericolosamente forte, trova un bricco e ci versa dell'acqua calda dentro e infine prende della marmellata di lamponi dalla credenza. Marmellata un po' ammuffita, a giudicare da come Lev aggrotta le sopracciglia e ne butta diverse cucchiaiate nel lavello prima di raggiungermi al tavolo. Mi siedo a fumare, bere la tisana e mangiare cioccolata, mentre Lev fuma, mescola la marmellata, il tè e l'acqua calda nella tazza e poi beve il tutto.

«Allora, cosa sta succedendo?»

Scuoto la testa. Non perché non abbia niente da dire, ma perché non so da dove cominciare. Magari non importa. E comincio a caso.

«Ho una pistola.»

«Qui? In casa?»

Prendo la borsa e gli do la pistola.

Lev si comporta in tutto e per tutto da Lev, come immaginavo. Tira indietro il carrello per vedere se c'è un proiettile, ma non c'è. Tira fuori il caricatore per vedere se è carico, e lo è. Controlla la sicura. Controlla il mirino. Controlla la consistenza e il peso della pistola. Con il caricatore fuori e nessun proiettile nella camera di scoppio, prende la mira e spara. Prima da fermo, stando seduto, verso un bersaglio fittizio e immobile. Poi in movimento. Lui, la pistola e il bersaglio immaginario.

«È una buona pistola. L'hai mai usata?»

«Sì. In un poligono di tiro. Ho imparato a tenere le spalle rilassate e le mani morbide.»

Gli faccio vedere.

«Brava. L'impugnatura come va? Tu hai le mani piccole.»

«Bene, credo. È una pistola piccola, no?»

«*Tak.*»

Tak, come casualmente so grazie al mio collega Tomasz Kowalczyk, il re della carta, in polacco significa «sì». Sono abbastanza sicura che Lev non sia polacco. Ma d'altra parte non sono sicura di quale nazionalità sia, e nel suo inglese inserisce parole straniere di cinque o sei lingue diverse, forse di più, temo.

«Hai mai sparato nella vita reale?»

«No.»

«È per questo che hai chiamato me?»

«Suppongo. Non lo so.»

«Ti hanno minacciata?»

«No. Non lo so. Forse sì.»

«Non è una risposta molto logica per una ragazza di Cambridge.»

«Nessuno mi ha minacciato. Non proprio. Un tizio mi ha picchiata, ma questa è un'altra storia.»

«Ti ha picchiata? Come? Cos'è successo?»

Glielo racconto. Non i momenti salienti rivisti e corretti, la versione integrale. Lev vuole che ripetiamo la scena per finta in modo da visualizzare dov'ero io, dov'era Penry, dove sono caduta, cosa è successo dopo.

«Tu non l'hai colpito?»

«No.»

«Ma sei sugli scalini, là, in quella posizione?»

Lev mi fa assumere la stessa identica posizione in cui mi trovavo dopo essere stata colpita da Penry. Il sedere sull'ultimo scalino, le gambe stese, la testa e il busto accasciati contro la parete. È strano essere qui. È spaventoso. Lev non è Penry. Non è alto né forte come lui. Ma da quaggiù anche un uomo qualsiasi sembra alto tre chilometri.

«Sì, in questa posizione. Te l'ho già detto.»

«E quel tizio. Come si chiama?»

«Penry. Brian Penry. Non è una persona cattiva in realtà. Mi potrebbe stare anche simpatico.»

«Quindi Penry. Io sono Penry. Sono nel punto giusto?»

«Sì. No. Un po' più vicino e spostato verso la parete. Sì, lì. Più o meno lì.»

Sono davvero a disagio adesso. Penry è scuro. Lev è scuro. Lo stesso punto. La stessa postura. Visto che la luce dell'ingresso è dietro la testa di Lev, potrebbe sembrare Penry.

«Okay. Io sono Penry. Ti ho appena colpito. Tu cosa indossi?»

«Cosa indosso? Una gonna. Era una giornata di sole, cazzo, Lev. Avevo una gonna, okay?»

«No. Questo non mi interessa. Le scarpe. Che scarpe avevi?»

«Un paio di ballerine.»

«Non so cosa siano, le ballerine. Hanno la suola o altre parti spesse?»

«No, Lev. Non vivo in una zona di guerra. Sono una ragazza. Ed era una giornata di sole.»

«Okay, per cui niente scarpe. Puoi sempre colpire con un ginocchio. Fallo.»

«Lev, ho una pistola adesso. Penry mi ha dato una botta e si è levato di torno. Non era necessario che lo colpissi. È semplicemente uscito di casa e se ne è andato via in macchina.»

«Quindi stai dicendo che la tua è stata una tattica? Hai scelto di non colpire?»

«No, non è andata così.»

«Io sono Penry. Ti colpisco una volta. Sto per colpirti di nuovo. Magari ti ammazzo. Magari ti scopo e poi ti ammazzo. Sì, forse così. Prima ti scopo.»

Lev fa dei minuscoli movimenti verso di me. C'è un che di minaccioso in lui, la luce dietro la testa, il modo in cui inasprisce la voce, il modo in cui sta dritto. Sono terrorizzata adesso. Magari è la marijuana che si fa sentire, ma non credo. Non divento paranoica con l'erba, mi calma invece. È il motivo per cui ho cominciato a fumare. Ed è anche il motivo per cui continuo. Auto-medicazione. Ma la marijuana non ha alcun potere contro il terrore che provo adesso. Mi sento esattamente come mi sentivo davanti a Penry. Una memoria corporea, forse, ma non per questo meno terrificante.

«Prima ti scopo e poi ti ammazzo.»

Lev si avvicina appena.

E poi un istinto dentro di me prende il sopravvento. L'istinto combattivo, l'istinto omicida.

Sferro un colpo con la gamba destra. Miro alla rotula di Lev e la prendo in pieno. Lev stramazza all'indietro, io continuo calpestandogli i testicoli e poi schiacciandoli due volte con il tacco. A questo punto comincio a dargli calci sul collo finché non gli disintegro laringe e trachea, e il povero stronzo non si mette in ginocchio, soffocando e supplicando pietà, pronto a beccarsi una ginocchiata in pieno viso.

«Bene, bene. Molto bene.»

Lev non mi permette mai di fargli realmente male. All'ultimissimo secondo ha sollevato il ginocchio, per cui io l'ho colpito sulla parte alta del polpaccio. E per la pedata ai testicoli, be', mi ha afferrato la gamba con entrambe le mani facendole scaricare il peso mentre scendeva, e poi l'ha spostata di lato su una coscia.

Ma io non sono lì. Non sono nel mondo di Lev. Un mondo fatto di esercitazioni di combattimento a mani nude, di tutta una serie di mosse e contromosse. Ansimo, in parte per lo sforzo, ma soprattutto per la valanga di sentimenti che non riconosco. Non li percepisco neanche come sentimenti veri e propri. Mi sento solo stordita e fuori dal mio corpo, desiderosa di prendere a calci Lev sulla trachea finché non comincia a respirare dalla punta della mia scarpa.

So che mi sta parlando, ma ho difficoltà a seguire le sue parole. Faccio del mio meglio. Lui si ripete.

«Eri impaurita? Quando è successo, eri impaurita?»

«No. Era qualcosa di più della semplice paura. Ero terrorizzata. Mi sentivo inerme.»

«Ma non eri inerme. Avresti potuto metterlo fuori combattimento. Proprio come hai fatto adesso.»

«Lo so. Ma non ero in questo stato mentale allora.»

«Non lo è mai nessuno quando succede. Devi trovare un modo per calarti nello stato giusto, così.» Lev schiocca le dita. Poi, dato che Šostakovič sta facendo qualcosa che lo rende felice, solleva un dito per chiedere un attimo di silenzio, in modo da poterlo apprezzare, e quindi per un po' stiamo ad ascoltare i violini e gli oboi.

Torniamo in cucina. Io ho bisogno di finire lo spinello, Lev ha bisogno di tè e marmellata.

«L'altra brutta situazione in cui ti sei trovata. Non negli ultimi tempi, l'anno scorso o giù di lì. Quando hai ferito quel tizio.»

«L'abbiamo già analizzata.»

«E adesso la analizziamo di nuovo. Ti sei ritrovata solo in due situazioni del genere, giusto? Dobbiamo capire come reagisci.»

«Okay. In un caso ho malmenato il tizio, nell'altro mi sono fatta scaraventare a terra e poi ero così terrorizzata da non sapere più che pesci pigliare.»

«Bene. Torniamo alla prima. Ripetiamo di nuovo la scena.»

Faccio un lungo tiro di spinello, finché non arrivo al cartoncino che ho usato come filtro e l'erba rimasta non finisce dentro i miei polmoni. Non so perché a volte coinvolgo Lev nelle mie cose. Lui non molla mai. Ma d'altra parte è proprio questo il motivo per cui lo coinvolgo. Butto la cicca nella tisana avanzata e sposto la sedia per metterla nella posizione giusta rispetto al tavolo.

«Io sono qui. L'agente tirocinante Griffiths, detective alle prime armi, sta scrivendo sul suo taccuino. Tu sei in piedi e giri per la stanza. Non mi sembra che stia succedendo niente di strano. Poi ti sposti dietro di me. Non da questo lato, dall'altro. Allunghi una mano e mi palpi il seno.»

Lev allunga una mano verso il basso e l'appoggia sul mio seno. Non c'è la minima titubanza in questo gesto. Nessuna scusa ma nemmeno niente di losco. Per Lev è solo una questione di realismo.

«Pronto?» gli chiedo.

È superfluo. Lev è sempre pronto. Tiene ancora la mano sul seno.

«Pronto» mi dice.

E io mi muovo. Ripetendo il più esattamente possibile quello che è successo. La sedia spostata. Io che alzo velocemente la mano e gli colpisco la mandibola. Sento che Lev sobbalza all'indietro imitando il dolore e la sorpresa. E così la mano con cui mi palpeggiava il seno schizza via, dandomi la possibilità di afferrargli le dita e di strattongliele nella direzione opposta. In questo modo quel tizio si è rotto le dita. Adesso sono in piedi e posso prenderlo a pedate sulla rotula. Lev ha la fissazione delle rotule, perlomeno quando si tratta di me. Con chiunque faccia a botte, sono destinata a perdere se dura più di qualche secondo. In modo analogo, chiunque riesca ad afferrarmi, sarà sempre troppo forte per me. Le rotule e, in misura minore, i testicoli rappresentano i miei principali bersagli per immobilizzare l'avversario. Per questa ragione, gran parte delle esercitazioni che ho fatto con Lev si sono concentrate su queste parti sensibili del corpo umano.

Stavolta, appena gli ho colpito la rotula con un colpo violento, Lev si ferma.

«Adesso cado, giusto?»

«Sì. Un po' di sbieco. In questo modo, sì.»

«Ma c'è dell'altro, vero?»

«Il tizio cadendo si è girato. Io l'ho spintonato contro il tavolo, è stata una cosa istintiva. Ma l'ho spinto piuttosto forte e l'angolo gli è penetrato nella guancia. C'era un sacco di sangue.»

«E poi?»

«La rissa è finita. Lui aveva tre dita rotte e una rotula lussata. E piagnucolava come un bambino di sei anni, e c'era del sangue che zampillava dallo squarcio nella guancia.»

«Okay, poi però lui è qui a terra. Com'è caduto? In questo modo? Così?»

«Sì, così. No, le gambe appena un po' più divaricate. Sì. Proprio così.»

«E poi?»

«Lev, è stata la primissima volta che succedeva, okay? Non ero in uno stato mentale comune.»

«Ovvio. Stavi combattendo.»

Questo è un tema fondamentale per Lev. Il motivo per cui insegna Krav Maga. Il motivo per cui le forze speciali israeliane hanno sviluppato questa tecnica. I combattimenti – i combattimenti veri – non avvengono sul tatami. Non cominciano con persone che si rivolgono un inchino e spruzzano acqua da ciotole di ottone. Cominciano nei pub, nei vicoli, in luoghi dove non vorresti combattere. Si usano tutte le armi a portata di mano. Non ci sono regole. Non ti lasci sottomettere in modo cortese né fai un inchino rispettoso alla persona che ti ha atterrato.

Il Krav Maga è realistico, funzionale. Nel Krav Maga non ci sono istruttori che ti dicono cose come: «E se il vostro assalitore vi attacca con una spada...». Si tratta di adoperare tutto quello che si ha a disposizione. Di mettere in pratica strategie efficienti a basso rischio. E di passare il più rapidamente possibile dalla difesa all'attacco. Massima violenza, massima riuscita. Mosse rapide, cattive, decise.

A Hendon, quando seguivo il corso di addestramento della polizia, abbiamo imparato una serie di tecniche basate più che altro sul jujitsu. Abbastanza utili e piuttosto interessanti. Ma io ero molto più avanti rispetto a loro. Avevo lavorato sul Krav Maga insieme a Lev fin dagli anni di Cambridge, e il mio scopo – durante quel corso – è stato evitare di far capire quanto ne sapessi realmente. Ho superato l'esame con il voto più basso possibile. Minuta, secchiona, imbranata. Nessuno si aspettava altro da Fiona.

«Okay» dico, perché so che Lev non mollerà finché non glielo racconto. «Ero in piedi sopra di lui e l'ho preso a pedate tra le gambe finché non ho più sentito le dita dei piedi o quasi.»

«È rimasto compromesso?»

«Gli è scoppiato un testicolo. Tutto il resto gliel'hanno rimesso a posto abbastanza bene.»

«E i tuoi datori di lavoro? Ti sei cacciata nei guai per questo?»

«Sì. Un po'. Più di quanto volessi. Ma tutti mi hanno creduto quando ho detto che era stato lui a cominciare. Ho spiegato che ero spaventata e che lui aveva tentato di nuovo di afferrarmi, quindi io ho dosato la forza in misura ragionevole per difendermi.»

Lev, il cui senso dell'umorismo è in genere morto e sepolto, lo trova divertente e lo ripete due volte. «In misura ragionevole. In misura ragionevole.» Con questa battuta esaurisce la sua riserva di ilarità e passa ad altro. Controlla il tè, scopre che si è raffreddato, che io ho finito lo spinello e che Šostakovič è ammutolito. Trova altra musica da mettere su e accende di nuovo il bollitore.

«Non eri spaventata, credo. È un trauma.»

Lev dice «trauma» con una pronuncia poco ortodossa, come gli capita ogni tanto. *Tvau*-ma. *Tvau*-ma.

«Santo cielo! E perché mai? Un tizio mi dà un ceffone nell'ingresso di casa mia e io mi spavento. Che strano!»

«Non quella volta. L'altra, quando il tizio ti ha palpato il seno.»

«Lì non è stato traumatico. Ho iper-reagito e basta.»

«Esatto. E come mai?»

«Come mai? Lev, io non sono come te. Tu hai passato metà della tua vita ad addestrarti per affrontare queste situazioni. Io no.»

Lui scuote la testa. «Okay. So come ci si sente a essere inesperti, addestro le persone, per cui lo so. Questa non è inesperienza. È un trauma. A volte ti spaventa a tal punto da paralizzarti, altre ti fa impazzire. Quando eravamo di là nell'ingresso, a fare pratica, e hai deciso di non lasciarti spaventare, dentro di te c'era una scintilla di pazzia. Stavamo facendo pratica, ma dentro di te c'era della pazzia. Io la sentivo.»

«Mi hai impaurito. E lo hai fatto apposta. Penry non mi diceva le cose che mi hai detto tu.»

«E allora? Erano solo parole ed era una finzione. Hai un trauma dentro di te. È il motivo per cui io lo individuo alla svelta.»

Tutto questo mi fa arrabbiare. Non so di preciso perché ho chiesto a Lev di venire. O meglio, fin dal primo momento in cui ho preso la pistola ho capito che avrei dovuto allenarmi insieme a lui per imparare a usarla. Ovvio che lui disprezzasse i poligoni di tiro.

Non è lì che si spara sul serio con una pistola. Ovvio che volesse farmi esercitare con la pistola come con il Krav Maga. Stanca, con poca luce o con la luce a intermittenza, in movimento, di corsa, con i bersagli mobili. Con un sacco di cose che succedono in contemporanea. E con il rumore. Tutta la storia delle mani morbide, delle spalle rilassate e del piede sinistro in avanti è una balla pazzesca. Qualcosa di cui preoccuparsi in un poligono di tiro e in nessun altro luogo al mondo.

Ma Lev, come al suo solito, maledizione, non agisce mai in base ai miei programmi, sempre e solo in base ai suoi. E in questo preciso istante i suoi programmi prevedono l'invenzione di una qualche insulsa teoria sul mio passato.

«Lev, durante l'adolescenza ho avuto un esaurimento nervoso. Un esaurimento molto forte, molto brutto e molto grave. Roba che tu non capiresti. Se vuoi definirlo trauma, bene. È stato un trauma. Ma se vuoi insinuare che c'è stato dell'altro, allora hai torto. Hai semplicemente torto. Non sono mai stata violentata. Prima di quell'idiota, nessuno mi aveva mai toccato in modo sconveniente. Ho una famiglia sana, stabile, affettuosa. Non ho mai fatto a botte con nessuno finché non ho cominciato a prendere lezioni da te.»

«Hai avuto un crollo. Quando?»

«A sedici anni. È durato fino ai diciotto.»

«E a Cambridge, quando ti ho conosciuto, quanti anni avevi?»

«Diciannove. Ero ancora in fase di recupero. Lo sono ancora, a dir la verità. E immagino che lo sarò sempre.»

Ho conosciuto Lev a Cambridge. Era appena arrivato in Inghilterra e tirava su un po' di soldi insegnando tecniche di combattimento agli studenti. Mi sono iscritta a un corso. Allora non sapevo perché. E non saprei dirlo neanche adesso. Non ho provato ad analizzare la cosa. Mi sento semplicemente più sicura sapendo che posso difendermi in caso di bisogno.

«E mi parli solo adesso di questo esaurimento nervoso?»

«Non ne parlo con nessuno, Lev. Non ne parlo mai con gli altri.»

«Okay, fammi capire la situazione. La piccola Fiona Griffiths attraversa felice l'esistenza, e poi a un certo punto arriva di soppiatto questo enorme esaurimento nervoso, arriva senza alcuna motivazione apparente. Quindi guarisci, ma se ti ritrovi per caso in una brutta situazione ti comporti come una pazza o sei troppo spaventata per muoverti. Perché mai dovrei pensare a un trauma?»

Silenzio. O almeno silenzio tra di noi. I violini suonano nell'altra stanza.

Lev si accorge che l'acqua nel bollitore è pronta e si prepara un altro tè. Inarca le sopracciglia per chiedermi se ne voglio anch'io. Dico di no, poi cambio idea e dico di sì. Ma non voglio un tè. Non voglio uno spinello. Voglio dell'alcol, che mi annienta la mente molto più di quanto faccia uno spinello e che io bevo a malapena perché ho avuto delle bruttissime esperienze. In periodi in cui ho quasi avuto la sensazione che la mia malattia fosse tornata, insinuandosi nelle mie ossa e sorridendomi come uno scheletro sdentato. È questo il motivo per cui sono astemia, o quasi, e fumo l'erba.

«Magari l'esaurimento nervoso è stato il trauma di cui parli» aggiungo. «Per due anni non ho saputo se ero viva o morta. Non puoi capire come ci si senta. Non potresti.»

Cosa sbagliata da dire.

Cosa sbagliata da dire a Lev.

Prende ancora un po' di marmellata e beve un sorso di tè. Poi si accovaccia davanti alla mia sedia. Mi chiede di guardarlo negli occhi. Marroni e impenetrabili. Profondi come la storia. Cavi come le ossa.

«Per quasi due anni sono stato a Grozny. Grozny, in Cecenia. C'erano i russi. E anche i ribelli, i banditi, gli estremisti islamici, i mercenari e le spie. Tutti i bastardi che ci sono sulla faccia della terra erano là. Bastardi armati. Io ero lì perché... non importa. Fatto sta che rimango per via di una signora e di un bambino piccolo a cui tengo molto. Per quasi due anni. Visto quello che faccio, tutti mi vogliono, ma nessuno si fida di me, ci sono... casini ovunque, Fiona. Ci sono casini ovunque. Tutti i giorni. Gli amici vengono assassinati, e a volte sono loro stessi gli assassini. Tutte le cose brutte che possono accadere accadono, ed è normale. Funziona così. Sono vivo o morto? Non lo so. Per due anni, non l'ho saputo. Non solo io, ma nessuno a Grozny, nessuno in Cecenia lo sapeva. So come ci si sente, Fiona. Lo so.»

Faccio un gesto con le mani come per chiedergli scusa. «Mi dispiace, Lev. Mi dispiace. Quindi magari lo sai, magari la tua situazione era peggiore. Ma la mia era diversa. Non ero a Grozny. Ero a Cardiff. E i casini non erano fuori, erano dentro. Sono arrivati e si sono impossessati di me.»

Lev annuisce. «Trauma.»

«Dal nulla. Trauma dallo spazio interstellare» controbatto.

«Dormi bene?»

«Sì, come una neonata. Meglio da quando ho la pistola.»

«E prima?»

«Prima che... a volte bene, a volte no.»

«Sogni?»

«Non sogno mai.» Ed è vero. Non sogno mai tranne le notti in cui mi sveglio terrorizzata e non ho idea di cosa mi terrorizzi. Notti in cui l'orrore si spalanca nel cuore dell'oscurità, senza una ragione: un teschio che sorride nel buio. Notti in cui ho pochissime difficoltà a identificare le mie emozioni.

«Hai paura? A volte ti spaventi senza alcun motivo?»

Sto per raccontargli di quelle notti di terrore, poi però rinuncio. Mi torna in mente la sensazione di formicolio che non sono mai riuscita a interpretare. Negli ultimi giorni è stata più intensa, ma questa – o qualcosa di analogo – la percepisco da quando ho memoria. Forse paura è il nome giusto. Forse quella sensazione è paura.

Rispondo a Lev: «Forse», e immediatamente mi accorgo che «Forse» è la risposta sbagliata. Quella sensazione è paura. E la sento da tutta la vita. Per cui mi correggo. «Sì. Non forse. Sì.»

Lev annuisce. «Trauma. Hai un trauma. Come lo definiscono gli americani? Ne soffrono tutti i loro soldati quando tornano a casa.»

«Dpts, disturbo post-traumatico da stress.»

«*Da*. Questo. Dpts. Tu soffri di questo.»

Lasciamo cadere il discorso.

Non ce la faccio più a discutere. Non sono mai stata aggredita. Non sono mai stata violentata. La casa dei miei è sicura e protetta. Non sono neanche mai stata vittima di bullismo a scuola, né sono mai stata palpeggiata a una fermata dell'autobus o al cinema. La piccola signorina super protetta. Eccomi, sono io.

Se non fosse per il fatto che Lev ha ragione. Lo so. Un trauma mi è penetrato fin dentro il midollo, e non vivrò in pace finché non lo avrò affrontato.

Mi alzo. Sono esageratamente stanca. Lev è seduto, io gli strofino la nuca e gli massaggio i possenti muscoli che scendono fino alle scapole. Per un minuto nient'altro che questo. Io che lo massaggio. Lui che si abbandona. E i violini.

Mi domando quanti anni abbia. Mi domando cos'altro abbia visto. Non sappiamo niente l'uno dell'altra, proprio niente.

«Grazie, Lev. Rimani qui? Io vado a letto. Le chiavi sono là se ti servono.»

Gli mostro le chiavi del capanno. C'è il cinquanta per cento di possibilità che Lev rimanga tutta la notte qui a fumare erba e ad ascoltare Šostakovič. E il restante cinquanta che domattina se ne sia andato. I primi tempi lo pagavo per le lezioni di Krav Maga, ma non lo faccio più da tanto. Non so perché. Lui ha semplicemente smesso di chiedermi i soldi. In questo periodo non so che tipo di rapporto ci sia tra di noi. Non è amicizia, non nel senso classico del termine. Ma d'altra parte siamo tutti e due strani. Io per via della testa, lui per via della sua storia. Può darsi che quello che ci lega sia amicizia, un'amicizia strana come noi.

«Buonanotte, Fiona.» La pistola è ancora sul tavolo della cucina e lui la fa scivolare verso di me. Sa che ci dormirò insieme. «Se ti trovi in una brutta situazione, ricordati che hai subìto un trauma. Il tuo istinto ti dirà di fare troppo o troppo poco. Vanno male entrambe le soluzioni. Usa la testa, non questo.»

Lev indica il suo cuore.

Annuisco. So cosa vuol dire. Ho uno slogan adatto alla situazione.

«Fanculo i sentimenti, viva la ragione» dico.

Lui sorride e lo ripete. Gli piace.

«Fanculo i sentimenti, viva la ragione.»

34

Sono troppo stanca. Esageratamente stanca.

Ho dormito piuttosto bene, grazie a Lev, ma in ogni caso sono andata a letto tardi e alle sette e un quarto la sveglia ha sferrato l'attacco contro di me. Cinque ore di sonno, neanche, ed è la mia nottata migliore da un po' di tempo a questa parte.

In un battibaleno sono all'erta. Dormo ancora sul futon, non nel letto. Con la mano ho trovato prima la pistola e poi la sveglia.

Vado a farmi la doccia. Lev dorme sul pianerottolo al piano di sopra. Non so perché abbia scelto di stare lì, ma una ragione ci deve essere. Si sveglia mentre passo, o per lo meno apre gli occhi. Con Lev non si sa mai se è sveglio o dorme. Torno in camera per prendere un cuscino da dargli, anche se – volendo – aveva a disposizione un letto nella stanza degli ospiti, poi proseguo e faccio la doccia. Anche dopo la doccia, ho il viso stanco. Scelgo vestiti morbidi e comodi e scendo giù. Lev ha lasciato i sacchetti di erba sparsi sul tavolo di cucina. Gli rollo uno spinello per quando si sveglierà e metto il resto sottochiave. Mangio qualcosa.

Vado al lavoro. Non perché ne abbia voglia né perché mi interessi. Ma solo perché è quello che so fare.

So di essere stata un po' strana negli ultimi giorni – più strana del solito, intendo dire –, ma sento che qualcosa si è amplificato dentro di me stanotte. È per via di Lev. Di lui e delle sue teorie sul trauma.

Tvau-ma. Il mio o il suo? Forse Lev non è più capace di distinguerli. Mi domando cosa ci facesse in Cecenia. È un brutto posto dove stare. *Tvau*-ma.

Mentre arrivo a Cathays Park, batto le mani sullo sterzo e spingo in basso le dita dei piedi. Sento il mio corpo solo vagamente. Come sotto anestesia, o sotto diversi strati di ovatta. Bev Rowland mi dice ciao in tono allegro quando ci incontriamo all'ingresso, ma impiego mezzo secondo per ricordarmi chi è.

Sono le otto e mezza. Jackson presiede la riunione del mattino. Ha una camicia tutta sgualcita, senza giacca e cravatta. È stato sveglio tutta la notte e ha l'aria stanca ma felice.

«La faccio breve» dice. «La maggior parte di voi sa già le cose importanti. Ieri sera, due di noi, il sergente Alexander e l'agente Griffiths, hanno raccolto le prove che tre uomini – Wojciech Kapuscinski, Yuri Petrov e un terzo a noi noto per il momento solo come Dmitri – hanno commesso gravi aggressioni contro le prostitute della zona. Una di loro, Jayne Armitage, mostrava segni di un pestaggio molto violento, che già di per sé costituirebbe un crimine. Come voi tutti sapete, siamo convinti che questi uomini siano collegati a Karol Sikorsky, e molto probabilmente anche agli omicidi dell'operazione Lohan, che rappresentano tuttora il nostro principale interesse.

«Stanotte siamo riusciti ad arrestare Kapuscinski e Petrov. Adesso sono sotto interrogatorio. Dividevano un appartamento giù a Butetown, a meno di ottocento metri da Allison Street, ed è inutile dire che in questo momento la Scientifica sta setacciando la casa. L'appartamento è un caos, ma questo dettaglio aumenta le probabilità di scoprire qualcosa di importante. Non abbiamo nessuna notizia precisa finora, ma è tutto sotto controllo.

«Voglio anche dire pubblicamente che questa inchiesta deve molto ad Alexander e Griffiths. Non è facile convincere le prostitute a parlare, e loro ci sono riuscite. Molti altri agenti non ne sarebbero stati capaci. Brave.»

Jackson vorrebbe proseguire, ma viene interrotto da uno scroscio di applausi. Jane non c'è: ieri sera ha fatto tardi e ha una famiglia da gestire. Io non so cosa fare né quale emozione provare, per cui me ne sto seduta lì come un'idiota. Compito che eseguo con una disinvoltura notevole.

Jackson prosegue.

Quando Petrov è stato arrestato, aveva un piccola rubrica nera con sé. Alla lettera к abbiamo trovato un indirizzo di Cardiff. Si suppone che l'iniziale si riferisca a Karol Sikorsky, e l'appartamento in questione è attualmente sotto sorveglianza. Se non ci saranno movimenti in casa entro le prossime ventiquattro ore, verrà emesso un mandato di perquisizione e l'abitazione sarà setacciata.

Nel frattempo l'agente Jon Breakell si gode il suo momento di gloria. Nei filmati delle telecamere a circuito chiuso di Corporation Road, che risalgono a un mese fa, compare Sikorsky insieme alla Mancini. Riceve uno scroscio di applausi anche lui.

L'analisi dei tabulati telefonici di Sikorsky ha già rilevato la sua presenza nelle zone in cui sono stati commessi tutti e tre i reati sotto investigazione: Mancini, Edwards, Balcescu.

Alcuni agenti, tra cui Jim Davis, sono stati spediti di nuovo dalla Balcescu, per vedere se era disponibile a rilasciare una dichiarazione formale.

Tutto ciò mi fa uno strano effetto. L'inchiesta si sta rapidamente avviando alla conclusione. Forse Sikorsky è già tornato in Polonia, in Russia o in qualunque altro sia il suo paese d'origine. Se non l'ha fatto, è sempre più probabile che lo troveremo e lo arresteremo. Porti e aeroporti sono sotto controllo da quando abbiamo ricevuto i campioni di Dna di Allison Street. E l'Interpol possiede il suo identikit.

In ogni caso, Kapuscinski, Petrov e Leonard saranno incarcerati per crimini dimostrabili. Una volta concluse le indagini della Scientifica sui loro beni, è assai probabile che riusciremo a mettere su anche un'inchiesta per omicidio. Nella sala si respira un'atmosfera esultante. Bravo il nostro affidabile vecchio Jackson. L'unica cosa che ci serve adesso è Sikorsky, e a quel punto saremo tutti felicissimi.

Capisco il motivo per cui Davis è stato mandato a interrogare di nuovo la Balcescu. Jane Alexander non è disponibile. Io sono in circolazione, ma sono sfinita. Quando un'indagine raggiunge questa fase, tutti devono essere disposti a fare tutto, anche se magari non sono la persona adatta a svolgere quel determinato incarico.

Lo capisco, ma non posso fare a meno di pensare a Jim Davis che parla con Ioana. «Le stiamo chiedendo di confermare le dichiarazioni che ha rilasciato nel suo interrogatorio precedente, ai detective Alexander e Griffiths, lunedì 31 maggio. Le stiamo chiedendo di mettere a repentaglio la sua vita in modo sconsiderato. Le stiamo chiedendo di non fare caso a miei denti gialli e agli improbabili capelli biondi del detective Alexander. Qualche domanda, signorina Balcescu? Ah, ah, ah!»

Penso al corpo martoriato di Ioana. Ai lividi di Jayney. Al cadavere di Stacey Edwards. Alla testolina cieca di April. Immagini che dovrei evitare di visualizzare. Non mi sento bene.

Tvau-ma.

Jackson conclude la riunione chiedendo se ci sono domande o altri argomenti di cui valga la pena parlare.

Voglio alzare la mano. Voglio dire che a Newport un uomo è scomparso lasciando più di duecentomila sterline in contanti.

Voglio dire che ho guardato negli occhi Charlotte Rattigan, e che a suo marito – il suo defunto marito? – piaceva scoparsi le prostitute. Voglio dire un sacco di cose, ma non ci riesco, perché – malgrado abbia appena meritato uno scroscio di applausi come detective del giorno – nessuno tranne me si preoccupa di queste cose. Se tentassi di parlare adesso, sarei come le vignette sull'ultima pagina di un quotidiano, come le notizie curiose alla fine del telegiornale. «E per quanto riguarda le altre notizie…» Ecco cosa sarei. Il cucciolo di coniglio che rimane bloccato su un albero. Il gatto che balla insieme al cane su YouTube.

Tengo la bocca chiusa.

La riunione è finita. Sono tutti convinti che il successo sia imminente, che stiamo per prendere l'assassino, che il lavoro sia finito. Birra per tutti. Per *tutti*? No, non proprio, perché la buffona dell'ufficio, la signorina Fiona Griffiths, non beve birra. Non è una vera agente di polizia, vedete, ma siamo orgogliosi dei nostri sforzi per accrescere la biodiversità. Attenzione! Osservatela mentre beve acqua frizzante, guardatela mentre azzanna una barretta energetica ai cereali integrali. Assumiamo gente di tutti i tipi negli ultimi tempi, eppure i cattivi li prendiamo *ancora*.

Bev Rowland mi cerca perché è preoccupata della mia brutta cera. Ha un viso tondo come la luna, ma più cordiale ed espressivo. Comincia ad agitarsi e a coccolarmi, ma oggi io non sono dell'umore adatto. Le dico che mi metto in pari con alcune e-mail e che poi me la svigno. Non aggiungo che ho intenzione di svignarmela a Newport, e lei non controbatte.

Stabiliamo di prendere un tè insieme dopo aver controllato le e-mail, e io salgo di sopra.

Errore. Hughes mi blocca alla scrivania. Una trappola, una trappola degna di lui.

Dice qualcosa a proposito dei cartellini da timbrare e degli appunti degli interrogatori. Io non lo ascolto granché. E poi questa indagine non è sua. L'operazione Lohan è di Jackson. Il caso Penry è di Matthews. L'inchiesta su Fletcher è di Axelsen. Quando mi sintonizzo di nuovo, Hughes sta dicendo qualcosa sull'autopsia di Stacey Edwards. Visto che ho fatto un buon lavoro con l'ultima, mi dice di seguire anche questa. Di accompagnarlo lunedì pomeriggio per prendere appunti mentre lui e il dottor Aidan Price tenteranno di sfinirsi a vicenda in quello che sarà senz'altro un incontro di livello internazionale. Sarà una partita tesa, ma io scommetto sul dottor Price.

Mi ero dimenticata dell'autopsia della Edwards. Va fatta, ovvio, solo che non ci avevo pensato. Gli dico: «Sì, bene. Va bene», ma non riesco a intuire cosa provo all'idea di vedere ancora la Edwards perché mi sento stordita. Continuo a dire «Sì, signore» ogni volta che c'è una pausa, e alla fine anche Hughes si stufa e se ne va. Controllo le e-mail per una ventina di minuti, ma non riesco a capire cosa devo rispondere e a chi. Mando un messaggio a Brydon, e lui mi richiama. Chiacchieriamo per dieci minuti, tutto il tempo che riesce a ritagliarsi. Prima di andare a Newport bevo una tisana alla menta e riesco ad avere una conversazione quasi sensata con Bev.

La squadra stanziata alla Rattigan Transport si è ridotta a due persone, e nessuna di loro si occupa del caso a tempo pieno. Abbiamo una casa piena di soldi, una persona scomparsa, ma nessun crimine vero e proprio. L'indagine diventerebbe prioritaria se implicasse un crimine. Avrei dovuto infilare un cadavere nel bagno di Fletcher prima di chiamare i poliziotti.

Vado nella sala conferenze e mi avvicino al computer che mi è stato assegnato. La ragazza con l'espressione da vitello mi porta un tè imbevibile in un bicchiere di plastica che si deforma quando cerco di sollevarlo.

Appena mi sistemo alla scrivania, la nebbia mi afferra di nuovo.

Una volta sono stata a fare una passeggiata sulle Montagne Nere insieme a zia Gwyn. All'inizio il tempo era velato ma piacevole, i collie correvano davanti a noi attraverso le felci, e nonostante ci fosse un po' di brina, era una bella giornata. Poi la foschia si è infittita, come se la luce si fosse rappresa o addensata. E infine il mondo è scomparso. È svanito nel silenzio, nel freddo. I collie continuavano ad andare avanti e indietro, non credo che per loro la nebbia rappresentasse un problema. Ma io e Gwyn all'improvviso siamo diventate due viandanti nel vuoto, come in *Aspettando Godot*: un Didi e un Gogo delle montagne. Malgrado Gwyn conoscesse quelle alture da sempre, siamo state costrette a scendere finché non ci ha bloccato una siepe, e poi l'abbiamo costeggiata per il resto del tragitto, tenendola sempre alla nostra destra, fino a imbatterci nel cancello e nel sentiero da cui eravamo partite. Se non avessimo trovato in qualche modo il cancello, credo saremmo rimaste lì a vagare per l'eternità.

Oggi mi sento come quella mattina, ma senza i collie, senza Gwyn e senza quel benedetto cancello. Oggi Axelsen è più presente che mai. Entra e esce di continuo tenendo d'occhio la situazione. Lo ascolto mentre mi assegna un incarico – elencare i clienti esteri visitati da Fletcher negli ultimi due anni, per esempio – e annuisco, ma due ore dopo ho solo riempito un foglio di scarabocchi e cerco di ricordarmi cosa avrei dovuto fare. Axelsen è convinto che lo prenda in giro, così come gli altri della squadra. Dico che mi dispiace e che farò meglio la prossima volta.

Appena mi scuso, loro smettono di starmi addosso, e la nebbia cala di nuovo. Non riesco a ricordare cosa ho detto cinque minuti prima.

Merluzzi, merlanghi, aringhe, rombi.

E l'halibut? Cosa è un halibut? Un tipo di pesce piatto, credo. Google mi spiega che gli halibut si pescano nel nord dell'Atlantico. Per sei mesi l'halibut ha gli occhi sui due lati del corpo e nuota come tutti gli altri pesci. Poi, dopo questo lasso di tempo, un occhio migra sul lato opposto, il pesce ruota di novanta gradi nell'acqua e passa il resto della vita con tutti e due gli occhi che fissano il tetto del mare, senza poter mai guardare in basso. Un pesce con le vertigini.

Non riesco a immaginare Rattigan che vuole pescare gli halibut.

Ogni volta che Fletcher partiva per un «viaggio di pesca», c'era una nave di Rattigan in arrivo dal Baltico. Di solito da Kaliningrad, a volte da San Pietroburgo. Sarebbe un fatto più degno di nota se Rattigan non avesse gestito una flotta di navi.

Kaliningrad. Maggiori esportazioni: gangster russi, eroina afgana, criminalità che unisce l'organizzazione capitalista e la ferocia omicida sovietica. Il meglio dei due mondi.

Ho dimenticato cosa mi ha detto di fare Axelsen, perciò chiamo tutti i pescherecci a noleggio disponibili sulla costa del Galles del Sud. Chiedo se sarebbe possibile ispezionare i registri per sapere chi li ha noleggiati, quando, per quanto tempo e verificare dove erano diretti. La maggior parte di loro dice di sì, se voglio. Alcuni dicono che non ci sono problemi, ma che dovranno chiedere ad altri colleghi nelle loro, senz'altro gigantesche, strutture aziendali. Uno skipper della zona occidentale riattacca quando gli dico chi sono. Andando a scavare, scopro che questo tizio si chiama Martyn Roberts, vive nelle vicinanze di Milford Haven e ha avuto una condanna per rapina a mano armata e una per lesioni personali aggravate.

Racconto tutto ad Axelsen quando passa da me la volta dopo.

«Pensi che Rattigan andasse a pesca con Fletcher?»

«No.»

«E come mai uno dei due avrebbe dovuto noleggiare un peschereccio?»

«Non lo so.»

«Te lo ricordi che Rattigan possedeva un'intera flotta di navi? Che se voleva una barca, poteva comprarsela? Che per lavoro Fletcher gestiva i contratti di noleggio della flotta di Rattigan?»

«Sì.»

«E che Rattigan è morto da quasi un anno?»

«Sì.»

«E non ti viene in mente che magari stai prendendo un granchio?»

«Un halibut forse.»

Rido. Mi sembra una bella battuta, per cui rido tanto. Axelsen però non la trova affatto divertente, allora mi zittisco.

«Ce l'hai la lista che ti ho chiesto?» mi dice Axelsen.

Strizzo gli occhi e mi metto a pensare sul serio alla sua domanda, la nebbia però si insinua di nuovo nella mia mente e non arriva nessuna risposta. Non riesco a ricordarmi quale lista volesse.

Mi chiedo invece se potrebbe interessargli sapere qualcosa sugli halibut, ma Axelsen ha un'espressione sul viso che suggerisce tutt'altro, per cui non dico niente. È un peccato però, perché sono pesci interessanti: gli halibut hanno la pancia bianca, quindi da sotto si confondono con il cielo, e la parte superiore del corpo scura, perciò da sopra si confondono con le profondità dell'oceano. Un lato chiaro e un lato scuro. E il lato chiaro viaggia alla cieca.

«Tutto a posto? Non sembra che tu stia bene.»

«Non sto bene.»

«Hai mica avuto un incidente o qualcosa del genere?»

Scuoto la testa. Non ricordo benissimo la giornata di oggi, ma questo me lo ricorderei, senz'altro.

«Sembri sotto shock. Perché non vai a casa, ti riposi un po' e ti rilassi il fine settimana? Nello stato in cui sei adesso, qui non mi servi proprio a nulla.»

Annuisco. Cerco di sembrare una persona sensata, come se stessimo prendendo insieme una decisione difficile, e dopo un'adeguata riflessione mi pronunciassi a favore del suo giudizio.

«Vado a casa. Sì. Buona idea. Scusi.» Non so perché rispondo così, ma quel «qui non mi servi proprio a nulla» è una frase che ho già sentito, e non aveva un'accezione positiva. Dico di nuovo «Scusi» e mi siedo alla scrivania per prendere le mie cose. Axelsen se ne va ad acciuffare criminali, a rendere il mondo un luogo migliore.

Prima di uscire però digito «shock» su Google e trovo una pagina di Wikipedia. Mi propone tre alternative.

Shock (circolatorio), emergenza circolatoria di carattere medico.
Reazione da stress acuto, spesso definito shock dai non addetti ai lavori, è una condizione psicologica che si scatena in risposta a eventi terrificanti.
Disturbo post-traumatico da stress, complicazione a lungo termine di una reazione da stress acuto.

Mi ci vuole un po' per capire queste cose. Mi ci è voluto un po' anche per scoprire tutti quei particolari interessanti sugli halibut. Ma non ho subìto uno shock circolatorio. È una cosa per cui finisci in ospedale e non ha niente a che vedere con me.

Disturbo post-traumatico da stress. È quello di cui mi ha parlato Lev, ma è una cosa a lungo termine. Una reazione prolungata a qualcosa che è successo molto tempo prima.

La reazione da stress acuto è più interessante, però. «Spesso definito shock dai non addetti ai lavori.» È una cattiveria chiamare Axelsen un non addetto ai lavori. È un ispettore della polizia di Gwent, e – addetto ai lavori o meno – forse è su una buona pista. Ecco cosa dice Wikipedia:

> La reazione da stress acuto (detta anche disturbo acuto da stress, shock psicologico, shock mentale o semplicemente shock) è una condizione psicologica che nasce in risposta a un evento terrificante o traumatico.

Continuando a leggere, apprendo quali dovrebbero essere i miei sintomi:

> I sintomi comuni di chi soffre del disturbo acuto da stress sono: stordimento, dissociazione, derealizzazione, depersonalizzazione o amnesia dissociativa, continua ri-esperienza dell'evento attraverso pensieri, sogni, flashback.

Stordimento. Crocetta. Sì, ce l'ho. Dissociazione? Sì, pure quella. Derealizzazione? Non sono sicura di cosa sia, ma se è quello che sembra, allora ce l'ho. Depersonalizzazione o amnesia dissociativa? Sì, ce l'ho alla grande e, in passato, ce l'avevo alla stragrande. Ero una depersonalizzata di livello internazionale. Imbattuta, raramente sfidata. Ma poi c'è l'ultimo sintomo. Continua ri-esperienza dell'evento attraverso pensieri, sogni, flashback. No. Quale evento? Cerco di trovare qualcosa su Wikipedia che mi dica quale evento avrei dovuto sperimentare, ma non trovo niente. E allora i miei incubi notturni? L'orrore che si spalanca a mezzanotte? Il teschio che mi sorride nel buio? Queste cose contano come sogni o come flashback?

Se contano, allora metto una crocetta su ogni casella. Una crocetta grande e fatta bene.

Ma qual è l'evento? Non c'è nessun evento. Lev è convinto che ci sia e il non addetto ai lavori Axelsen pure, ma non c'è. Non c'è nessun evento.

È strano. Anche nel mio stato di confusione, so che è strano. All'inizio, quando mi sono ammalata, c'è stata una vasta indagine clinica per capire il perché. Cosa aveva scatenato il problema? Un'adolescente cresciuta tranquillamente non avrebbe dovuto soffrire di una malattia come la mia. Non aveva il minimo senso. Gli psichiatri insistevano e pungolavano, e i servizi sociali tentavano di rifilare le loro misere teorie del cavolo ai miei poveri genitori. Non sono arrivati da nessuna parte. Non c'era una spiegazione sensata, per cui l'intera faccenda – senz'altro nella mia testa e credo anche in quella di tutti gli altri – è stata messa da parte. La mia patologia era semplicemente una di quelle cose che capitano. Non c'era più logica di quella che si ritrova in un terremoto. Posto sbagliato, momento sbagliato, sfortuna.

E adesso, quando meno me lo aspetto, Lev e Axelsen mi dicono di ripensarci. Continua ri-esperienza dell'evento. L'evento non c'è, ma Lev e Axelsen e Wikipedia si permettono di dissentire.

Accanto a me, squilla il telefono. Risponde uno dei miei colleghi. Bofonchia qualcosa, ma non ascolto, perché sono lanciata alla ricerca della conoscenza e le sciocchezze non mi interessano. La conversazione telefonica si conclude. Il collega si avvicina.

«Era Axelsen. Ha chiamato per sapere se te ne eri andata.»

«Ah, già.» Adesso mi torna in mente.

«Ti porto alla macchina, okay? Te la senti di guidare?»

Annuisco. Mite, sottomessa. Vengo accompagnata al parcheggio e torno a casa guidando così piano che sull'autostrada mi suonano il clacson perché vado a sessanta all'ora sulla corsia di destra.

35

Arrivo a casa vagamente speranzosa, ma lì non trovo nulla. Lev se n'è andato, come previsto. Nessun messaggio sulla segreteria telefonica, nessun sms.

La cucina è stata rimessa a posto. Non è opera mia, ma di Lev. Mi ha lasciato un biglietto sul bancone, però: FIS, VLR. Fanculo i sentimenti, viva la ragione. Davvero un ottimo slogan, dico tra me e me.

Comincio a metterlo in pratica. Pensa, Griffiths, pensa.

Innanzitutto, questa faccenda dello shock. Chiaramente metto una crocetta su quasi tutte le caselle della reazione da stress acuto. E piuttosto chiaramente, in questo preciso istante, sembro e mi comporto come una persona che è nelle grinfie di uno shock di serie A.

Allo stesso tempo, comunque, mi manca l'unico ingrediente decisivo della formula, un «evento terrificante o traumatico». È un enigma, ma non lo risolverò subito, lo accantono.

Prima devo trovare qualche sistema per alleviare i sintomi. Non li gestisco bene al momento e so quanto possano diventare sinistri. Faccio una lista delle mie tecniche standard per affrontare la follia mentale. Eccola: 1) fumare uno spinello; 2) buttarmi a capofitto nel lavoro; 3) andare a stare dai miei; 4) fare gli esercizi di respirazione eccetera.

Cancello subito la prima voce. Ho fumato troppo ieri, e l'erba mi fa stare bene solo fino a un certo punto. È un'auto-medicazione straordinaria, ma serve solo quando i miei problemi vanno da lievi a moderati. Adesso sono da moderati a intensi, e tendono a diventare da gravi a gravissimi.

Anche la seconda deve essere bocciata. Sono appena stata spedita a casa dalla polizia di Gwent. Tutti i colleghi dell'operazione Lohan mi guardano strano e mi dicono di andare a casa. Non ho nessun lavoro in cui buttarmi a capofitto. E il lavoro, poi, non mi è stato di grande aiuto.

La terza è più interessante. Probabilmente funzionerebbe. Non subito, certo, ma nel giro di due o tre giorni sarei in perfetta forma. Anche se mi sembra un passo indietro, un palliativo, non una cura. Decido di metterla da parte in caso di emergenza.

La quarta è come un paio di scarpe comode o i cereali ad alto contenuto di fibra. Giova alla salute, ma è scandalosamente noiosa. Tutto sommato, è una buona soluzione. Ci torno sopra fra poco.

Starsene in giro senza fare nulla, però, è una possibile quinta voce. Fare l'amore, una sesta. Non ho mai avuto molti amanti. Qualche donna agli inizi. Poi due o tre studenti brufolosi di Cambridge, imbranati e disgustosamente impazienti di infilarsi nel letto di chiunque indossasse una gonna, mentre io ero altrettanto disgustosamente disponibile a farglielo fare. Poi, dopo Cambridge, una specie di ragazzo fisso. Una persona carina, che gestisce una libreria adesso. E infine Ed Saunders. Lui era l'unico con il quale mi sentivo a mio agio, dentro e fuori dal letto. Fare sesso con Ed mi faceva sentire viva. Uno stratagemma analogo a fumare uno spinello o a correre a casa dai miei.

E ora Brydon. Una parte di me vuole precipitarsi da Brydon.

Sbatterlo nel letto e farci l'amore con foga sufficiente da sentire di nuovo me stessa. *Usare* Brydon.

Mi basta rendermi conto di questo per decidere che no, con Brydon voglio fare le cose per bene. Voglio imparare l'arte di essere una fidanzata. Una fidanzata vera, duratura, stabile, per la quale fare l'amore non significa altro che l'amore da fare. Semplicemente. Non una sorta di auto-medicazione nevrotica.

Mi preparo una tisana e passo quaranta minuti a fare esercizi. La respirazione, innanzitutto. *Inspiro*, due, tre, quattro, cinque. *Espiro*, due, tre, quattro, cinque. Dopo quindici minuti, comincio a fare ginnastica. Muovo le braccia, muovo le gambe. Le percepisco mentre le muovo. Pesto i piedi per terra per vedere se sento tutto il corpo. Ed Saunders sarebbe orgoglioso di me, ma se scoprisse come la penso sul fare l'amore forse si preoccuperebbe un po'. O forse lo sa già.

Credo che lo sappia già.

Prima o poi mi scuserò.

Per il momento mi devo concentrare sulle cose che mi toccano più da vicino. Ho fatto l'essenziale, e ora? Cosa devo fare ora? Cosa voglio? Non mi viene in mente nulla, per cui tiro di nuovo fuori il foglio e scrivo: *A cosa tengo?*

Dopo un attimo scrivo a grandi lettere APRIL MANCINI. Sposto la penna, pronta a inserire altri nomi nella lista. Janet Mancini. Stacey Edwards. Ioana Balcescu. I nomi delle vittime. E magari altre cose, altre persone di cui voglio sapere. Rattigan. Fletcher. Penry. Sikorsky. La penna però torna dov'era. APRIL MANCINI. Ecco a chi tengo. È l'unica cosa a cui tengo. La bambina con la mela caramellata.

Tutt'a un tratto, mi rendo conto di essermi dimenticata del suo funerale. Ho promesso di andarci. Ho perfino promesso di dirlo alla signora carina – Amanda, mi sembra si chiami – che ha telefonato al numero verde qualche giorno fa e si è messa a piangere quando le ho detto come erano morte Janet e April. Anche lei voleva venire al funerale.

Telefono in ufficio. Non trovo nessuno che ne sappia qualcosa o a cui interessi. Telefono all'ospedale. Idem. Ma non sono al massimo delle mie capacità, per cui magari chiedo alle persone sbagliate nel modo sbagliato. Allora telefono a Bev Rowland. Neanche lei lo sa, ma promette di informarsi, e infatti mi richiama dopo dieci minuti. Il funerale è martedì, il giorno dopo l'autopsia della Edwards. A meno che non salti fuori qualcosa di imprevisto lunedì all'obitorio, Stacey, Janet e April saranno cremate il giorno dopo.

Ringrazio Bev e metto giù il telefono.

Mi sento subito più umana. Adesso so cosa fare. Devo organizzare un funerale decoroso per April. Non so perché, ma lo voglio fare. April ha bisogno che io me ne occupi.

Telefono alla scuola di April. Insisto perché mi passino la preside. Incontro un pizzico di resistenza da parte di un'impiegata inutilmente ostruzionista, ma sto recuperando energie adesso ed è più difficile tenermi testa. Vado avanti come uno schiacciasassi e alla fine riesco a parlare con la preside. Le dico che tutta la classe di April deve venire al funerale. Lei mi risponde che hanno già programmato le lezioni. Io le dico che qualcuno ha scaraventato un lavello in testa a April Mancini e che lei non è stata abbastanza fortunata da poter assistere a nessuna lezione. In tono acido la preside mi risponde che il crematorio è troppo lontano dalla scuola, e che è troppo tardi per organizzare il trasferimento. Le dico che ha perfettamente ragione, ma le chiedo a che ora vuole un mezzo di trasporto e quanti sono i compagni di classe di April. Dopo dieci minuti richiamo: ho noleggiato un pullman che prenderà i bambini. La preside approva. E mi ringrazia perfino.

Vruuum, vruuum. Sto prendendo velocità. Prossima fermata, i vicini. Non i vicini dell'appartamento occupato, perché lì Janet la conoscevano a malapena, ma quelli del sobborgo di Llanrumney, dove viveva di solito. Chiedo a una tipografia della zona di stamparmi cinquecento volantini. Nulla di trascendentale. I dettagli del funerale e in fondo una richiesta di informazioni: JANET E APRIL MANCINI SONO STATE UCCISE. TELEFONATE IN VIA CONFIDENZIALE. E poi il mio numero di cellulare.

Giro per il quartiere e trovo un paio di ragazzi che ciondolano su delle bici bmx. Offro loro cinquanta sterline per distribuire i volantini in ogni casa della zona. Venti d'acconto e trenta a lavoro concluso. E aggiungo che controllerò tre porte a caso per assicurarmi che li abbiano consegnati. Discutono un attimo fra di loro e poi accettano. Rimango nei paraggi quel tanto che basta per verificare che infilino i volantini in qualche cassetta della posta e poi schizzo via. Nei dintorni c'è un centro di recupero per prostitute tossicodipendenti che Janet frequentava. Vado lì e chiedo di mettere un avviso. Una donna molto disponibile che sta servendo il tè mi dice che invierà delle e-mail ad alcune persone che potrebbero voler partecipare. Brava. Le domando se conosce altri centri potenzialmente interessati. Dice di sì e che si preoccuperà lei di fornire loro le notizie relative al funerale. Le dico che è un angelo.

Chiamo Amanda, la signora che ha pianto. La informo del funerale e lei piange di nuovo, promette di venire e dice che telefonerà ad altre mamme.

Torno a Llanrumney. I ragazzi stanno ancora infilando i volantini nelle cassette della posta. Perfetto. Gli do le trenta sterline mancanti.

Gli chiedo se vogliono altre cinquanta sterline per fare la stessa cosa un po' più avanti sulla stessa strada, nella zona dove bazzicava

Stacey Edwards. Mi guardano come se fossi matta, e io lo considero un sì. Telefono alla tipografia e chiedo di stamparmi altri volantini, ma questa volta con il nome di Stacey Edwards al posto di quelli di Janet e April. Spiego ai ragazzi dove andare a ritirarli e gli dico di chiamarmi quando hanno finito.

I ragazzi schizzano via in bicicletta, contentissimi della mia incapacità di concludere un affare decente.

Vruuum, vruuum.

Che altro manca? I fiori. La musica.

Chiamo il crematorio di Thornill. Come sono organizzati per la musica? Hanno dei nastri registrati. Io i nastri non li voglio. Voglio un organista, un coro, una band di trombettisti, che cazzo! Dopo aver contrattato un po' forse riesco ad avere un quartetto d'archi e un solista per quattrocento sterline. Mi sembra esagerato, ma accetto. Chiedo di un trombettista, ma li hanno esauriti, ahimè!

Sostengo questa conversazione mentre vado in macchina verso il mercato di Cardiff. Non sul vivavoce, ma destreggiandomi fra telefono, sterzo e cambio. Lo so che è sbagliato, ma favorisce la concentrazione e fa miracoli per la coordinazione. Come massaggiarsi la pancia e contemporaneamente darsi dei colpetti sulla testa, solo è più difficile.

Arrivo al mercato mentre sta chiudendo. File di banchi dentro un enorme edificio. Come se dei profughi rimasti bloccati al capolinea di una stazione vittoriana avessero messo a frutto il loro spirito imprenditoriale e aperto bottega. Gli ambulanti stanno tirando giù le loro camicie sportive e i loro gioielli etnici. Stanno abbassando le saracinesche sulla verdura e sulle edicole. Una bella atmosfera da fine giornata. Un'intera cassetta di mele rosse sbolognata a due sterline.

Corro alla ricerca di un fioraio, ne trovo uno e chiedo al tizio con gli stivali di gomma verde quanto vuole per i fiori. Mi guarda come se fossi matta da legare e mi indica i secchi di fiori. Hanno tutti il cartellino con il prezzo. Lo guardo come se fosse matto da legare. Non voglio un stupido mazzolino, voglio tutti i fiori. Voglio l'intero negozio.

Appena riesco a spiegarglielo, l'uomo mi chiede se dico sul serio e mi fa un preventivo di cinquecento sterline. Ho la sensazione di poterli prendere a molto meno, ma non voglio che April pensi che sono tirchia. Va bene, ma può aiutarmi a mettere i fiori in macchina e posso avere anche i secchi neri?

Lui accetta, dandosi la zappa sui piedi, perché la mia adorata Peugeot non è proprio il tipo di macchina che ha ettari di bagagliaio e ci vuole mezz'ora di contorcimenti accurati per infilare tutto dentro.

Ricevo una telefonata dai ragazzi in bicicletta e vado a pagarli.

E poi finalmente torno casa.

Mangio, bevo e faccio qualche altra chiamata. La chiesa della parrocchia in cui è stata ritrovata Janet Mancini, quella nella zona della città dove abitava, la vecchia parrocchia di Stacey Edwards. Parlo con i preti. Uno di loro acconsente a dare una benedizione. È gentile in effetti, un buon cristiano. Gli dico: «Non conosce per caso un trombettista, eh?» e, Dio lo benedica, lo conosce. Mi dà un numero di telefono e due minuti dopo ho il mio trombettista. Lui mi chiede che tipo di musica voglio. Ma io non ne ho idea, so solo che deve essere allegra, gli dico. Non funerea. Gli viene in mente qualcosa di trionfale? Risponde di sì. La sua tariffa è di sessanta sterline per un massimo di due ore, ma viste le circostanze non mi prenderà niente. Gli dico che è il mio nuovo trombettista preferito.

Chiamo un paio di quotidiani per i necrologi. Pago un supplemento per tutte le minuzie. Parole in più, grassetti, riquadri.

Mi sto domandando cosa devo fare, quando mi arriva una telefonata. È Brydon, rientrato a Cathays Park. Dice che in ufficio l'operazione Lohan va a tutta birra e che le indagini della Scientifica sulla casa di Kapuscinski sembrano positive. Non mi interessa e non glielo nascondo.

«Senti, domani ho il giorno libero» dice. «Ho pensato che magari noi...»

«Sì.»

«Non sai neanche cosa stavo per dire.»

«Cosa stavi per dire?»

«Stavo per dire che magari potremmo passare un po' di tempo insieme.»

«Sì.»

«Ti chiamo domani mattina, allora? Potremmo andare da qualche parte.»

Mi sembra un bel programma, tipicamente maschile. *Potremmo andare da qualche parte.* Caspita, che immaginazione! Ma non discuto. Un programma da uomo per me va benissimo. Riattacchiamo.

Adesso rallento, sono stanca ma in modo piacevole. Devo andare a letto presto stasera per recuperare un po' di sonno, ma prima devo sbrigare alcune cose.

Preparo dei mazzi di fiori. Non sono la migliore creatrice di mazzolini al mondo, ma non importa. Ne faccio venti più o meno, li lego con lo spago da cucina e li butto sul sedile della macchina. In ciascuno ho messo un biglietto scritto a mano: MI PIACEREBBE SE TU VENISSI AL FUNERALE. PS: SONO ANCHE UN'AGENTE DI POLIZIA. SE VUOI DIRMI QUALSIASI COSA SU BRENDAN RATTIGAN, HUW FLETCHER, WOJTEK KAPUSCINSKI, YURI PETROV O KAROL SIKORSKY, TI PREGO DI CHIAMARMI, NELLA PIÙ TOTALE RISERVA-

TEZZA, AL NUMERO QUI SOTTO. MILLE GRAZIE, FIONA GRIFFITHS.

Prendo la macchina e raggiungo l'argine del Taff, Blaenclydach Place. È un po' presto per trovare un gran fermento, ma il venerdì è serata di follie, e le ragazze sono già fuori, a caccia di clienti. Ne conosco tante ormai. E ad alcune sto anche simpatica.

Un mazzolino alla volta, una prostituta alla volta, mi avvicino.

A ogni ragazza spiego chi sono e perché sono qui. Sono un'amica di Janet Mancini. E anche di Stacey Edwards. Il loro funerale è martedì. Volevo che la gente lo sapesse. Volevo anche distribuire i fiori.

Incontro Kyra, la svampita che non ci ha fornito nessuna informazione utile la prima volta che l'abbiamo incontrata. Ha un paio di scarpe con plateau e tacco dodici. È felice di vedermi in modo esagerato: o meglio, non è felice perché ha incontrato me, ma solo perché si è fatta di roba da pochissimo.

«Fiori? Per me?» chiede.

«Per te. O per portarli al funerale e metterli sulle bare. Fa lo stesso. In tutti e due i casi i fiori servono per commemorare le donne che sono morte. E Janet aveva una bambina, per cui i fiori sono anche per lei. Aveva sei anni e si chiamava April.»

Kyra mi guarda come fossi pazza, ma prende i fiori. Lo stesso succede con le altre ragazze che incontro. Pensano che sia matta, ma io le saluto dicendo che ci vedremo al crematorio martedì.

Mi ci vogliono quattro ore per consegnare quasi tutti i mazzolini. Sto cominciando a ciondolare per la stanchezza quando sento una voce familiare. Bryony Williams. Con tanto di sigaretta, giubbotto e capelli spettinati. E una prostituta con un mazzolino in mano che riconosco vagamente. Altea, mi pare si chiami.

«Ho sentito dire che qualcuno stava distribuendo questi» dice Bryony indicando i fiori. «Immaginavo che fossi tu.»

Sorrido. «Me ne mancano altri tre e per stasera ho finito.»

Bryony mi dice che ci pensa lei. Le racconto dei biglietti che ci ho messo dentro, e lei annuisce in segno di approvazione.

«Dove li hai presi i fiori?» chiede.

Ho comprato un negozio, le dico. Le spiego che voglio che al funerale ci sia un sacco di gente. Non so perché mi sembra una cosa importante, forse perché Janet, April e Stacey hanno vissuto delle vite anonime. Voglio che se ne vadano con una cerimonia superba. Racconto a Bryony del mio trombettista e del pullman di scolari.

Lei mi abbraccia, forte e a lungo. Quando si allontana, ha le guance bagnate.

Le invidio le lacrime. Mi domando che sensazione diano. Mi domando se fanno male.

36

Sabato.

Brydon mi chiama alle undici. Sono pronta, più o meno. È un'altra giornata estiva come si deve, una giornata calda. Ho provato quattro diverse mise e ho finito per indossare la maglia a strisce color pistacchio e caffè che avevo il giorno in cui Penry mi ha picchiato, una gonna lunga e le ballerine. Sono carina, sto bene.

Al telefono sono incredibilmente nervosa. Ma credo lo sia anche lui. All'inizio c'è molto imbarazzo tra di noi, ma cominciamo a essere più a nostro agio non appena decidiamo che invece di venire lui a prendere me, o viceversa, ci troviamo da qualche parte fuori città. Le spiagge saranno gremite oggi, ma non mi importa. Mi piace l'idea. Ci incontreremo a Parkmill, sulla penisola Gower. Dave mi dice di portare un costume intero. Scommetto che ha le gambe bianche e che si brucerà dopo dieci minuti sotto il sole, rispondo.

Riattacchiamo. Non ho un costume intero e non so neanche nuotare bene. Però ho un paio di bikini e, dopo averli provati, scelgo quello che mi mette più in evidenza il décolleté e lo indosso sotto i vestiti.

Vado verso Parkmill. Il traffico è esageratamente lento perché abbiamo scelto il giorno peggiore dell'anno per fare una gita, ma non ha importanza. Brydon e io ci parliamo al vivavoce scambiandoci opinioni su com'è tremendo il traffico. Stabiliamo di non parlare di lavoro. L'imbarazzo evapora sotto il sole.

Dave arriva là per primo e mi dice in quale caffè si trova. Propone di far finta che sia un appuntamento al buio, che non ci siamo mai incontrati prima.

Arrivo a Parkmill, parcheggio e vado a cercarlo. Sono così nervosa che, a cinquanta metri dal caffè, mi devo fermare per riprendermi. Ma è un nervosismo naturale. Nessuna depersonalizzazione, nessuna perdita di contatto con i sentimenti. Sono nervosa ma sto bene.

Mi serve un attimo per mandare un messaggio a Bryony. Penso di aver bisogno di stare lontano dalla strada, stanotte. Le dico che ho un appuntamento con un uomo e non potrò liberarmi, di spendere quanto vuole per i fiori, di darli a chi crede e che le restituirò i soldi. A casa avrò un mucchio di fiori da sistemare, ma non importa, li porterò al funerale.

Mano a mano che mi avvicino al caffè, vedo Brydon seduto a un tavolo. Un parasole bianco ondeggia nella brezza marina. Ci sono ombre che sembrano saltare per evitare il sole. Anche lui è nervoso, ma capisco che è nervoso perché gli importa. Gli importa di me. A questo pensiero mi travolge un'ondata di piacere. Cosa ho fatto per essere così fortunata?

Lui mi vede solo all'ultimo momento, quando gli arrivo accanto. Per un po' facciamo il giochino dell'appuntamento al buio, che aiuta senz'altro ad affrontare il nervosismo. Sono imbranata e goffa, ma Brydon la prende in modo tale da farla sembrare una cosa tenera, non una stranezza da persona sull'orlo di una crisi di nervi.

Ha le gambe bianchissime e scommetto che si brucerà entro

la fine della giornata. Sotto questa luce, i suoi capelli sembrano proprio biondi, non rossicci.

Pranziamo. Lui beve un bicchiere di birra. Camminiamo lungo la spiaggia. Lui nuota. Io ci provo. Ci schizziamo. Io cerco di cacciarlo sott'acqua senza riuscirci, e alla fine per prendermi in giro lui mette su una gran scena e fa finta di affogare. Poi mi solleva e mi ributta dentro l'acqua. Io grido, mi piace il modo in cui il mio corpo si sente fra le sue braccia. Dopo che sono finita per bene sott'acqua, riemergiamo, e lui mi bacia. Sento la Compagna Lussuria che mi strattona di nuovo, ma alla mia cara compagna dico di levarsi di torno. Io e il sergente Brydon facciamo le cose con calma. Io diventerò la sua ragazza, sai.

Quando siamo stanchi – il che nel mio caso succede abbastanza presto – andiamo a casa mia. Cucino degli spaghetti al ragù e li mangiamo bevendo una bottiglia di vino rosso di nessun pregio, tenuta in casa proprio per simili occasioni. Io lo assaggio appena, ma Brydon si scola virilmente mezza bottiglia.

Finiti gli spaghetti, Brydon lava i piatti. Io dovrei asciugarli o fare qualcos'altro, ma non ci riesco. Lo guardo e basta. Gli guardo i capelli dai riflessi rossi e i minuscoli cristalli di sale scintillanti sul cuoio capelluto.

Lo bacio sul collo e gli chiedo se a lui va bene tornare a casa sua. Sto cercando di essere ragionevole. So che devo affrontare tutto con calma e sto solo cercando di dire, in un modo carino da aspirante fidanzata, che non sono ancora pronta per fare sesso.

Lui non la interpreta così.

«Non proprio» dice con una pazienza esagerata. «No. A meno che tu non mi dia un permesso speciale per guidare con un tasso elevato di alcol nel sangue.»

Lo fisso. Dice sul serio? Ha bevuto mezza bottiglia di vino e non vuole guidare per i dieci minuti necessari per tornare a casa sua?

Per un secondo – forse per dieci – ho un attacco di panico. Credo sia una sorta di stratagemma per entrarmi nelle mutande. *Oh, no, Fi, non posso assolutamente tornare a casa in macchina. Devo rimanere qui stanotte. E no, non posso usare la stanza degli ospiti. Vieni qua, bellezza.* Il panico è passeggero, ma immediato e divorante. La Compagna Lussuria è sparita. Sta tremando, ha le gambe piegate a x per la paura ed è nascosta nel ripostiglio del sottoscala. È come se la mia razionalità fosse stata occupata da una truppa di nonne metodiste che mi puntano l'indice contro e proclamano: «Vogliono una cosa sola, lo sai».

Non so che espressione ho sul viso, né cosa dico o cosa faccio. Quello che so è che Brydon reagisce come si aspettava reagisse la Fiona sana.

«Ehi, ehi, ehi, nessun problema. Non posso guidare, ma posso prendere un taxi.»

Telefona per prenotarne uno, con fare plateale, per calmarmi. Quando la compagnia di taxi chiede a che ora devono venire a prenderlo, lui mi domanda: «Ce l'abbiamo il tempo per un caffè, no?». Le nonne metodiste partono in quarta e in coro mi gridano che la parola «caffè» ha un doppio senso, ma io mi sto già rilassando e le zittisco. Rispondo a Brydon che non c'è problema.

Prenota il taxi per mezz'ora dopo.

Preparo il caffè per lui, la tisana alla menta per me.

«Scusa» dico. «Non sono molto brava in queste cose.»

C'è una domanda sul suo viso, a cui rispondo. «Non sono vergine, ma… Ma non ho molta esperienza.» Ripenso alla risposta che ho dato e mi accorgo che è la verità, ma non tutta la verità. «E poi, sono un'idiota.»

«Ne prendo atto.»

«Lo sai che non sono come te, vero? Che sono un po' strana?»
Brydon fa una battuta. Devia. È un uomo.

Io insisto. «No, sul serio. È importante. Non sono come te. Se è un problema, allora... Non so. Ma è una cosa che devi capire. A volte me ne andrò in luoghi dove tu non sei mai stato. Magari avrò bisogno del tuo aiuto.»

Dave mi guarda. Non riesco a interpretare la sua espressione. Dice: «Be', nel caso, basta chiedere», che sembra la risposta perfetta, ma in un certo senso non lo è.

Non ho la minima idea di quale sia la cosa migliore da dire, perciò dico quasi sicuramente quella sbagliata.

«E non me la cavo benissimo con le regole. Non ci vado molto d'accordo.»

«Sono un agente di polizia, Fi. E tu pure.»

«Sì, ma...»

«Le regole sono il nostro lavoro.»

«Lo so...» Ma la pistola. Ma la marijuana. Ma la cosa che ho in programma per lunedì. Ma la cosa che ho in programma per metà settimana. La lista di possibili «ma» è lunga e si sta allungando. Non finisco la frase. Né forzo la situazione. Un'altra mia regola: sempre e in ogni caso rimanda a domani tutto quello che non devi fare oggi. Non la applico al lavoro, ma a tutti gli altri aspetti della mia vita sì.

Passiamo gli ultimi venti minuti a coccolarci sul divano. Brydon bacia bene. Ha un repertorio più ampio di quanto si possa immaginare. È bravo con i baci appassionati che fanno tremare le ginocchia, ma ha a sua disposizione anche una bella serie di piccoli morsi, strofinamenti di naso, bacini teneri e seducenti. Mi domando di nuovo cosa ho fatto per essere così fortunata. E in quel preciso istante il cellulare mi segnala con un bip l'arrivo di un messaggio.

È Bryony. Mi dice che sta distribuendo fiori e biglietti come una pazza, e conclude: PASSA UNA BELLA SERATA. TE LO MERITI.

«Una cosa importante?»

«No.»

Continuiamo a coccolarci finché non arriva il taxi e il momento di accompagnarlo alla porta. Mi sento una vera abitante del Pianeta Normale. Io sarò la sua ragazza. Lui sarà il mio ragazzo. Siamo agenti di polizia, sapete. Del dipartimento di indagini criminali. Il mio ragazzo è rispettoso della legge, perciò adesso se ne va via in taxi. E io sono qui che lo accompagno alla porta. Guardate come ci salutiamo con un bacio. Guardate come gli sorrido e lo saluto con la mano. Visto come sono normale?

Quando il taxi parte, non chiudo subito la porta di casa. Rimango lì, aggrappata a questa sensazione. Sono un'abitante del Pianeta Normale. Lui è il mio ragazzo. Io sono la sua ragazza. Visto come sono felice?

37

Domenica è una giornata priva di interesse. Faccio finta di pulire casa. Non riesco ad andare in palestra. Mi dimentico di mangiare qualcosa di decente. Vado dai miei per il tè e finisco per rimanere lì fino alle dieci. Sento Brydon due volte al telefono, ma non ci vediamo. Facciamo le cose con calma, con molta calma.

La mattina dopo, lunedì, è un'altra di quelle mattinate strane. Arrivo al lavoro – perfettamente in orario, senza nebulosità, senza shock – e scopro che ancora una volta la vita è andata avanti. Durante il fine settimana hanno tenuto d'occhio quello che si suppone essere l'indirizzo di Sikorsky a Cardiff. Dato che non c'è stato il minimo movimento, stamattina all'alba hanno fatto irruzione e hanno perquisito la casa. Un'operazione imponente in pieno stile Csi, la più grande per ora a detta di tutti. In ufficio corre voce che quelli della Scientifica abbiano preso alcuni vestiti e sono convinti ci sia uno schizzo di sangue su una gamba di un paio di pantaloni. Se il sangue è di April Mancini, Sikorsky poco a poco si avvicina all'ergastolo. Meglio ancora – e incredibile a dirsi – in casa sono stati rinvenuti un rotolo di nastro adesivo e alcuni cavi comprati in un negozio di fai da te. Tutti e due usati, ma ancora dentro il sacchetto del negozio con lo scontrino. Si mormora che la parte finale del nastro adesivo con cui è stata tappata la bocca di Stacey Edwards combaci con il rotolo ritrovato a casa di Sikorsky. È incredibile come sia stupida la maggior parte dei criminali. Ma è anche una bella fortuna per noi. Altrimenti dovremmo fare un lavoro infernale per condannarli.

L'unica cosa che ci manca adesso è Sikorsky in persona. L'impianto accusatorio sembra quasi completo. Ma un processo non serve poi a molto senza un criminale da condannare. Arrivare al punto in cui siamo arrivati senza mettere le mani sul probabile assassino è a dir poco frustrante. Intorno al distributore del caffè si scommette su Sikorsky, se sia già in Polonia o in Russia. Se è vera la prima, allora abbiamo il venti, trenta percento di probabilità di prenderlo, perché il governo polacco non è troppo corrotto e perché fa parte dell'Unione Europea, e quindi cerca di comportarsi bene. Se Sikorsky è in Russia, allora siamo praticamente fottuti.

Per quasi tutti gli agenti Sikorsky è in Russia.

Se dovessi tirare a indovinare, direi anch'io che è lì.

Nel frattempo, l'indagine di Axelsen sembra esaurirsi. Tracce di cocaina sono state trovate sia a casa di Fletcher sia in un cassetto della scrivania nel suo ufficio. Sappiamo già, dal mio interrogatorio con Charlotte Rattigan, che il gran capo sniffava qualche striscia di coca quando era ancora vivo, per cui l'ipotesi predominante è che Fletcher spacciasse. È da lì che arrivavano i contanti. Ma un qualche problema nel mondo della droga lo ha costretto a scappare. Potrebbe essere in un altro paese o morto. In ogni caso doveva essere un problema piuttosto urgente se ha lasciato duecentomila sterline in contanti in giro per casa. Per quanto riguarda la faccenda dei viaggi di pesca insieme a Rattigan, si presume che Rattigan e Fletcher sniffassero coca insieme. Fletcher aveva cominciato a frequentare gente ricca e a vendere loro droga. Rattigan si divertiva a frequentare i criminali. Di cose strane ne succedono tante.

Visto che l'operazione Lohan non dà un attimo di tregua, visto che Axelsen non muore dalla voglia di avermi di nuovo a Newport e visto che Jackson e Hughes hanno tutti e due altri pensieri per la testa, a nessuno importa realmente di cosa faccio io oggi.

Meno male. Sono impegnata con i preparativi del funerale e voglio risparmiare energie. Ieri pomeriggio, ho chiamato un giornalista del *Western Mail* e gli ho parlato della grande manifestazione di solidarietà popolare che è attesa al crematorio. Visto che di domenica non succede mai niente, e questo significa che hanno un bisogno disperato di materiale per riempire il giornale di lunedì, ci hanno dedicato tutta la prima pagina. «Centinaia di persone attese al funerale di una bambina.» Riportano le parole di Gill Parker della StreetSafe, secondo cui il funerale sarà un'occasione per dimostrare come Cardiff si opponga alla violenza contro le donne. Una pop star locale sempre pronta a esprimere opinioni su tutto sostiene più o meno la stessa cosa, e lascia intendere che vuole intervenire in prima persona, anche se – guardando con attenzione il modo in cui lo dice – si lascia abbondante spazio di manovra per non farlo.

Passo un po' di tempo sui gruppi di Facebook e su altri gruppi femminili di Cardiff per spargere la voce. Chiamo la compagnia dei pullman e chiedo se sono in grado di fornire altri mezzi nel caso serva. Rispondono di sì. Poi chiamo otto presidi di scuole vicine a quella di April. Dico che c'è un grande movimento di bambini che vogliono protestare contro la violenza. Dico che il trasferimento è già predisposto e pagato. Devono solo chiamare la compagnia dei pullman per fissare l'orario di partenza davanti alla scuola. Sei presidi su otto mi sono parsi molto interessati. Credo che il titolo del giornale abbia contribuito parecchio. E magari anche la pop star. Chiamo il crematorio e dico di aspettarsi ottocento persone. Chiamo un altro negozio di fiori e dico di mandare mille sterline di fiori al funerale. Chiedono che tipo di fiori e io dico quelli con i petali.

Quando do il numero della carta di credito per pagare, mi dicono che la transazione viene rifiutata. Suggerisco di provare con ottocento sterline e poi con settecento. Con questa cifra funziona, per cui dico che darò le trecento mancanti appena mi arriva lo stipendio. Rispondono che va bene. Ancora non ho pagato neanche la compagnia di pullman, quindi anche loro dovranno pazientare. Il giorno di paga è a metà mese, per cui dovrò vivere senza soldi solo una settimana. Dovrebbe essere una passeggiata. L'unica cosa che mi preoccupa è lo stato del mio serbatoio di benzina, ma la mia Peugeot, che carina, è praticamente piena. Deve esserlo.

Durante tutte queste telefonate, ho la faccina di April morta che mi sorride dallo schermo del pc. «Stiamo lavorando bene, piccola» le dico. Lei mi sorride. Non ha mai avuto un funerale, per cui non vede l'ora di esserci, e giustamente anche.

Mi sto occupando di queste cose quando scorgo Brydon venire con aria vaga verso di me. Mi sorride e si siede sull'angolo della scrivania. Niente di insolito. Finora non ne abbiamo parlato per bene, ma nessuno dei due vuole che in ufficio si sappia della nostra storia, per cui facciamo finta di niente. Solo il sopracciglio che inarca mettendosi a sedere suggerisce che gli è piaciuto molto come ha passato il sabato. Strizzo gli occhi e lo guardo per fargli intendere la stessa cosa. A essere sincera, mi sento un po' strana per come si è conclusa la serata. Quella storia sulle regole. È stato proprio Brydon a dirmi che non approvava inezie come una multa per eccesso di velocità o una pistola senza porto d'armi? Speravo in uno scambio di idee più aperto. Comunque, non è necessario preoccuparsene adesso. Rimanda sempre a domani…

«Com'era che non me lo ricordo?» dice. «Bastardo, Ladro, Vorrei-che-si-impicasse Penry. Era questa l'espressione, mi sembra.»

«Affogasse» lo correggo. «Che morisse affogato, avevo detto.»

«È appena arrivato al piano di sotto. Vuole dichiararsi colpevole, a quanto pare.»

«Davvero? Ah!» O un suono simile comunque, non una vera e propria parola. Cerco di capire cosa significhi questo gesto e mi alzo per andarmene, prendendo la borsa e un libro dal cassetto della scrivania.

«Ci vediamo presto, eh?» dice Brydon. Non vuole che io scappi di corsa.

«Sì. Stasera no. Stasera non posso, vengono i miei a cena. Dopodomani. Sei libero?»

«Sì. Salvo esigenze operative.»

«Allora, salvo esigenze operative, si è aggiudicato un appuntamento, sergente.»

Scappo giù di corsa.

Se vuoi dichiararti colpevole, informi il tribunale, non la stazione di polizia. Se Penry è venuto qui, è per mandarmi un messaggio. Perdo un paio di minuti a cercare di capire dov'è, o dov'era, e poi scopro che è entrato, ha parlato un attimo con l'agente di guardia e se n'è andato.

Esco. In che direzione vado? L'ufficio si trova in uno dei punti più belli del centro di Cardiff. Siamo a due passi dal palazzo comunale, dal Parlamento gallese, dall'università, dal National Museum, dal tribunale e da un sacco di altre cose. Ma se Penry voleva vedermi, avrà scelto sicuramente un posto dove essere trovato senza problemi. Il che probabilmente significa uno dei due parchi. O a Bute Park dall'altro lato dei campi da tennis, o in uno dei tanti fazzoletti di verde che formano Cathays Park. Scelgo Cathays Park e opto per gli Alexandra Gardens, quelli con i monumenti ai caduti e le rose. Fantasmi elencati su insulse lapidi ufficiali. Secondo me solletica il senso dell'umorismo di Penry. O è così, oppure è a me che piacciono i fantasmi.

Mi incammino e poi attraverso il parco. È una giornata calda, anche se il cielo è coperto, e c'è un vento deciso che soffia dal mare. Non è un tempo che mette a proprio agio. È un tempo che non ha fatto pace con se stesso. Delle persone fanno un picnic, ma Penry non è fra loro.

Lo trovo in fondo al parco, su una panchina. Sta bevendo un caffè in un bicchiere di carta. Accanto a lui c'è un sacchetto marrone con dentro un altro caffè.

«Per te» dice, passandomelo. «Mi ero scordato che non bevi caffè.»

«Va bene. Grazie.» E lo prendo.

Ora che siamo qua io non so cosa dire, per cui non dico nulla. E poi mi sembra che la palla ce l'abbia lui adesso.

«Ho visto l'articolo sul *Western Mail* stamattina» dice.

«È la forza della gente che si mobilita.»

«Già. E un uccellino mi ha detto che i bravi ragazzi di Gwent hanno inchiodato Fletcher come spacciatore di coca.»

«È da cattivoni spacciare coca.»

«Cos'hai intenzione di fare?»

Scrollo le spalle. Non sono molto concentrata su Fletcher al momento. Quasi tutta la mia attenzione è puntata su April. Ma a civile domanda, civile risposta, come diceva mia nonna.

«Non lo so. Trovarlo, prenderlo, arrestarlo e farlo processare. Potreste essere compagni di cella, non si sa mai.»

«Ne dubito. Ho un avvocato che è molto persuasivo. Sono un eroe della polizia ferito nell'assolvimento del proprio dovere. Ho continui flashback, roba difficile da superare a livello psicologico.

Sono un pover'uomo che ha bisogno di un po' di sostegno, ma non lo trova. E ne combina una grossa. Si sente uno schifo. Cercherò di piangere sul banco dei testimoni, ma non so se mi riuscirà bene.»

«Sarà bravissimo, ne sono sicura.»

«Tu che dici? Un anno? Magari dopo sei mesi sarò fuori. Nell'ipotesi peggiore. O probabilmente mi daranno i domiciliari.»

Non commento, e per un po' rimaniamo seduti così, il vento che spazza il parco e noi alla ricerca di risposte. È Penry a rompere il silenzio.

«Magari è già morto. È difficile arrestare un uomo morto.»

«Oh, non saprei. Almeno i morti non corrono.» Mi fermo. Penry ne sa più di me, e la maggior parte di quello che io «so» sono supposizioni. «Posso verificare un paio di cose con lei? Prima di tutto, Fletcher è stato così stupido come penso io?»

«Oh, sì.»

«È pericoloso? Pericoloso da solo, voglio dire.»

«Da solo, è pericoloso più o meno come mia nonna. Neanche. Mia nonna aveva più palle di lui. O almeno sembrava.»

Annuisco. Bene, mi fa piacere avere queste conferme.

Penry chiede: «Sai dov'è?».

«No, di preciso no. Credo sia da qualche parte a ovest, dopo Milford Haven. Perché? Lei lo sa?»

«No, di preciso no, ma hai quasi indovinato. So che è proprio sulla costa, a neanche un minuto a piedi da lì. È l'unica cosa che so.»

«Non c'è mai stato?»

«Non fa per me, quella roba. Non volevo vedere quel posto.»

«Aveva le chiavi di casa sua, poteva controllare il suo numero di telefono e le sue e-mail.»

«Ascolta, *lui* voleva coinvolgermi. Io ho rifiutato sempre e comunque. Mi ha dato i soldi, i recapiti telefonici, le password delle e-mail, la sua maledetta chiave. Mi implorava.»

«I soldi se li è tenuti, però.»

«Quella maledetta serra. Non mi piace nemmeno.»

La serra è stata acquistata quasi quattro mesi dopo la morte di Rattigan. Con i soldi che sono arrivati da Fletcher, non da Rattigan.

«Non farebbe una buona impressione in tribunale.»

«Cazzo, Fiona, *niente* di tutto questo farebbe una buona impressione in tribunale. Ma non li ho aiutati. Nessuno dei due.»

Inarco le sopracciglia. Non gli credo.

«Ascolta, dimenticati i tribunali. Tra me e te.»

Annuisco. «Okay.»

«È cominciato… per puro caso. Ero a Butetown e ho visto un idiota con una Aston Martin lì in giro. Ero proprio curioso di vedere che razza di idiota sarebbe sceso dalla macchina. Era Rattigan, l'ho riconosciuto. Ho parlato con un paio di ragazze: io ho scoperto di lui e lui ha saputo che l'avevo scoperto. Potrebbe essere stata addirittura la Mancini a dirglielo.»

«E quindi ha cominciato a ricattarlo? Non era una consulenza operativa, era solo un ricatto?» Per qualche motivo così suona peggio.

«Non proprio. È questa la cosa stupida, non è andata così. Il ricco bastardo sa che io so e comincia a darmi dei soldi. Mi invita alle corse di cavalli e scopriamo di starci simpatici. Il ricco bastardo e il poliziotto corrotto.»

«Ma lei non era corrotto. O non ancora.»

Fino a questo momento non ci siamo guardati. Abbiamo fissato il parco in lontananza, lasciando che il mondo girasse sul proprio asse. Adesso però lui vuole i miei occhi, oltre alla mia attenzione. Mi tocca una spalla per convincermi a guardarlo. Io mi giro e osservo i suoi lineamenti con maggiore scrupolosità di quanto abbia fatto finora. Tutta la manfrina del poliziotto tosto è solo la metà di Penry, forse meno. La parte consistente di lui è più solenne, più pensierosa.

«Hai ragione. Ero un bravo poliziotto. L'idea di piangere sul banco dei testimoni non è solo una stronzata. Mi sentivo *tagliato* fuori dalla polizia, guarda caso. Un attimo prima ero convinto di essere chi sa chi, di essere il migliore. Avevo ricevuto medaglie da sua maestà la Regina e lettere di encomio dal ministro degli Interni. E un attimo dopo mi ritrovo in pensione, invitato al ritrovo annuale della polizia. Ero un po' disorientato. Rattigan mi è parsa una via d'uscita.»

«Una via d'uscita…» comincio a dire, ma Penry mi interrompe.

«Lo so. Sono morte delle persone. Non credere che non lo sappia. È per questo che ho iniziato a rubare soldi alla scuola. Un grido d'aiuto. Non è patetico? Sono diventato il tipo di uomo che ho sempre detestato.»

Non rispondo né insisto su questo punto. L'anima immortale di Penry non mi riguarda.

Il vento si sposta dal mare verso l'entroterra. Arriva in gran fretta da sud. Gira come una trottola, confuso dalla città, sbircia in ogni angolo e fessura, fa stormire le foglie, sposta le coperte dei picnic, solleva le gonne e i vestiti. Un vento cattivo, un vento irrequieto.

«E poi muore Rattigan.»

«Sì. Ho pensato che la cosa finisse lì, ed è finita lì. Fletcher, be', era stronzo come lui, ma non era divertente da frequentare.»

«Ma?»

«Niente ma. Mi voleva nel suo giro. Pensava che non mi sarei fatto sfuggire quest'occasione. E invece no. Sono stato a casa sua una sola volta, per dirgli che era una testa di cazzo.»

«Lo ha picchiato?»

«No. Vorrei tanto averlo fatto, però.»

«Anch'io.»

Avrei altre domande da fargli, ma Penry mi tocca un braccio e indica.

«Vedi quell'uomo laggiù?»

È un uomo in giacca e cravatta, sui quarant'anni e sta camminando soddisfatto di sé.

Lo osservo e poi mi giro di nuovo verso Penry.

«Ivor Harris» mi dice. «L'onorevole Ivor Harris, del Glamorgan settentrionale. Un conservatore.»

Scrollo la testa. «Il partito conservatore è legale, sa. Anche in Galles.»

«Vuoi sapere qual è il suo primo nome? Piers. Un raffinato Piers. Lo ha sostituito con il secondo perché pensava che quest'ultimo attirasse più voti.»

«E quindi? Anche questo è legale.»

«Amico del cuore di Brendan Rattigan. Sniffavano coca insieme. E lui sapeva. Non tutto, magari, ma abbastanza.»

«Lei non può esserne sicuro.»

Per un attimo mi domando come facesse Penry a sapere che il raffinato Piers sarebbe passato di qua, poi mi viene in mente che alle nostre spalle c'è la sede del Parlamento. Il parco appartiene al rango dei potenti. Probabilmente non è possibile starsene qui un paio d'ore senza incontrare qualche amico di Brendan Rattigan.

«E invece lo sono. Rattigan non riusciva a sballare senza vantarsene. Ivor Harris è un onorevole. Brian Penry è un criminale.»

«Sai che differenza!»

Penry ride. «Okay, d'accordo.» Lascia cadere questo commento e poi aggiunge: «Ti interessa sapere quante tasse pagava Rattigan?».

«Prima no, ora sì.»

«Il diciannove per cento nel Regno Unito. Assolutamente niente all'estero. E gran parte dei suoi introiti arrivavano da lì. Probabilmente di tasse pagava in media meno del dieci per cento. Perché era ricco e aveva bravi avvocati. Brendan Rattigan, l'amico di Ivor Harris.»

«Già, ma è meglio così, no? Essere come noi, intendo. Lavoro normale, soldi normali. Tasse normali.»

Penry ride. «Criminale normale, periodo di reclusione normale.»

«Sì, anche questo. Persino questo.»

Penry ha finito il caffè e accartoccia il bicchiere. Può bere il mio se ne vuole ancora, ma non gli va.

«La cosa strana è che il carcere mi fa un po' paura. Non credevo.»

«Se la caverà.»

«Lo so.»

«La verrò a trovare, se vuole.»

«Sì? Sul serio?»

Annuisco. «Se vuole.»

Più conosco Penry più mi sta simpatico, a prescindere da tutto quello che ha fatto e non ha fatto. Sediamo sulla panchina e fissiamo il parco in lontananza. Harris è sparito. In giro non si vede nessun altro onorevole da disprezzare.

«Ecco. Ho una cosa per lei.»

Gli do il libro che ho preso dal cassetto della scrivania prima di uscire: *Il mio primo libro di brani classici per pianoforte.*

«Non sapevo se le piacesse di più la musica classica o quella pop. Ho pensato che forse preferiva la classica.»

Penry è emozionato, commosso. Avevo il libro per caso. Avrei voluto spedirglielo, ma non ho fatto in tempo.

«Grazie, Fiona»

«Fi.»

«Fi? Grazie, Fi. Ti farò sapere come me la cavo.»

«Voglio un concerto.»

Penry annuisce. Rimaniamo in silenzio per un attimo, ma lui sa cosa sto per chiedergli ed è qui per dirmelo.

«Fletcher. Il posto dove si trova adesso.»

Io annuisco. «Sì?»

«È una casa bianca, una capanna o qualcosa di simile. Con una torretta, mi sembra. Ho visto solo una foto e non l'ho guardata a lungo. Ma so che è bianca. E che è dopo Milford Haven, vicinissima alla spiaggia.»

«C'è un ormeggio per le barche?»

«Non lo so. Non lo so davvero.»

«Lei aveva indosso una maglietta di un circolo velico, la volta in cui sono venuta a casa sua.»

«Ah sì? Non sono mai stato in barca a vela, però. E là non ci sono mai stato.»

«Okay.» Gli credo.

«Vengo con te, se vuoi. Non so fare molte cose, ma picchiare mi riesce bene.»

Rido di gusto. Ma non gli dico che mi sono esercitata a pestargli i testicoli fino a ridurglieli in poltiglia.

«Me la caverò. Una ragazza deve fare quello che va fatto. È poi è un uomo solo, no? Uno che sua nonna avrebbe potuto far fuori.»

«Speriamo.»

Mi alzo. Butto in un cestino la tazza del mio caffè ancora intatto.

Penry mi saluta con un cenno del capo. «Buona fortuna, cara. Potrai anche essere come me, ma non diventarlo.»

Gli sorrido, cercando di sembrare più coraggiosa di quanto in realtà non sia. «Me la caverò. E buona fortuna anche a lei.»

Quando me ne vado, Penry è ancora seduto sulla panchina, il libro aperto davanti a sé, le dita che si esercitano nei movimenti su una invisibile tastiera.

38

La visita all'obitorio con l'ispettore Hughes non è divertente come quella con l'ispettore capo Jackson. Hughes e Price si sfiniscono a vicenda, ma Hughes ne esce molto meglio di quanto mi aspettassi. Price mette a segno svariati colpi fornendo dettagli inutili, ma Hughes contrattacca con il suo solito atteggiamento deprimente e ostile, una tecnica malleabile e che usata da lui funziona. Non riesco a dichiarare il vincitore: non c'è il ko, e i giudici dovranno prendere una decisione ai punti.

Quando hanno finito, io ho riempito ventuno pagine di appunti. Fruscio come taffetà, proprio come la prima volta.

Nella sala in cui ci troviamo ci sono Stacey Edwards su un tavolo autoptico e le due Mancini sulle barelle. Janet e April sono state portate qui perché Price facesse un raffronto tra i cadaveri. Saranno tutte e tre cremate domani, saranno liberate nel cielo dalla cappa del forno. Il tempo previsto per domani è uguale a oggi: una giornata ventilata, secca, calda e nuvolosa. Un giorno adatto per essere cremati, suppongo. Il vento finalmente darà la libertà alla piccola April. Libertà e luce.

Quando né Price né Hughes riescono a trovare nient'altro che valga la pena aggiungere, copriamo i corpi e usciamo dalla sala.

Guardo l'orologio.

«Accidenti, è questa l'ora?» Sulla parete c'è un grande orologio che la conferma. Le sei precise, o quasi. «Ho un appuntamento per un aperitivo. Grazie tante, dottor Price.» Gli stringo la mano, poi dico a Hughes: «Se per lei non ci sono problemi, signore, ci sentiamo domani. Per prima cosa batterò gli appunti al computer».

«Va bene... Fiona.» Ha impiegato un po' a ricordare il mio nome, ma ci è arrivato abbastanza alla svelta. È perdonato. «A domani.»

Vado di corsa nello spogliatoio delle donne, il camice che svolazza, gli stivali che si muovono sgraziati. Dietro di me, gli uomini si dirigono con calma verso il loro settore continuando a parlare.

Il cuore mi batte a mille all'ora, ma faccia pure. Sfilo il camice. Le dita mi tremano così tanto che mi risulta davvero difficile toglierlo per bene e finisco per strapparlo. Mi levo gli stivali scalciando, mi infilo le scarpe e piano piano torno verso la reception, drizzando le orecchie. Gli uomini sono nel loro spogliatoio a fare quello che gli pare.

«Buona serata, allora!» grido, e come risposta ricevo un borbottio.

C'è un pulsante di sicurezza accanto all'uscita principale. Lo premo, la porta fa clic, io la apro e la richiudo. Il rumore echeggia per un secondo nella stanza, tra le pareti nude e il pavimento lucido dell'ospedale.

Per un attimo il mio cuore smette di battere e percepisco una fugace sensazione: chiarezza. Fiona Griffiths, non farlo. Né ora, né mai. Dì di no e basta.

Non ascolto.

Nonostante tutto, il mio istinto mi dice il contrario. Dice: Fiona Griffiths, è la tua occasione. Sfruttala. Sfruttala adesso. Sfruttala bene. Non ne avrai un'altra.

Senza far rumore mi tolgo le scarpe e torno nello spogliatoio femminile a piedi scalzi. Spengo la luce, assicurandomi che l'interruttore non faccia click. La stanza è disadorna e vuota. Non c'è niente da vedere.

Non è troppo tardi per fare marcia indietro. Lo so. Ogni secondo che passa il libero arbitrio mi offre delle vie di fuga, io però le ignoro tutte. Il cuore mi batte ancora troppo forte, ma sentendomi stranamente calma apro la porta del ripostiglio, entro e la richiudo con delicatezza.

C'è un secchio rovesciato lì dentro e mi ci siedo sopra. Sono al buio. Nascosta. Invisibile. Dimenticata.

Aspetto.

Sento dei rumori. Per lo più provengono da fuori, dall'ospedale: l'impianto di ventilazione, la cordicella di una veneziana che sbatte per la corrente, un bip elettronico di un macchinario. I click e gli scricchioli di un grande edificio qualunque.

E poi sento Hughes e Price che tornano indietro e vanno verso la reception. Una breve pausa. Chiavi. Qualche frase borbottata, poi lo scatto della porta. La botta quando si chiude. La chiave che gira. Due paia di passi che si allontanano.

Adesso è davvero troppo tardi. Le vie di fuga sono tutte bloccate. Non riesco a credere a quello che ho fatto, ma in parte non riesco a crederci perché non me ne pento nel modo più assoluto. La mia decisione mi sembra assolutamente giusta. Sono inebriata dalla semplicità di tutto questo.

Per quasi un'ora non mi muovo. Sono seduta sul secchio per le pulizie dentro un ripostiglio che si trova accanto a uno spogliatoio silenzioso. Non mi concedo neanche di spostare un po' il peso del corpo o di allungare le gambe.

Decido di alzarmi. Jackson e Price non torneranno. Dubito

fortemente che la vigilanza faccia la ronda qui, la notte. I morti non combinano guai, si sa, e tutte le procedure di sicurezza e le porte chiuse a chiave servono presumibilmente per assicurarsi che nessuno faccia mai quello che ho fatto io.

Sono da sola all'obitorio. Da sola con i morti.

Credo che Price abbia chiuso a chiave l'uscita e quindi sono bloccata qui tutta la notte. Non penso di essere mai stata tanto eccitata – tanto eccitata e felice – in tutta la mia vita. Lascio passare ancora un po' di tempo, prendo le cose con calma.

Poi alla fine mi dirigo verso la reception. Tocco la pianta per controllare che non sia di plastica come sembra e scopro che è vera. Ci sono delle cianfrusaglie sulla scrivania e le sposto per sentire un po' di più la mia presenza qui. Non ci sono telecamere di sicurezza, niente di niente. Trovo una cartolina indirizzata a una certa Gina. La leggo – niente di interessante – e la rimetto a posto.

All'improvviso mi accorgo che sento un po' freddo. Indosso una gonna scura, le calze, una camicia bianca e la giacca. Per ovvi motivi la temperatura negli obitori viene tenuta bassa e stanotte non farà certo più caldo. Indosso di nuovo le scarpe, per evitare di toccare il pavimento. C'è qualcosa di strano nell'essere vestita in un modo tanto formale, viste le circostanze.

Gironzolo ancora un po'. Provo ad aprire un paio di porte interne, senza incontrare resistenza. E perché mai dovrei incontrarne? L'ingresso è chiuso a chiave e l'obitorio è vuoto.

Nel bagno delle donne accendo di nuovo le luci e mi guardo allo specchio. Ho i capelli scuri e corti, un velo di trucco, e un visino coscienzioso ed efficiente. Non riesco mai a capire se sembro come sono o no. Non lo so. Faccio scorrere dell'acqua calda sulle mani, mi bagno i capelli e mi faccio una cresta stile punk. Sono più io o meno io? Non lo so, ma mi lascio la cresta.

Mi asciugo le mani, spengo le luci e cammino lentamente verso la sala delle autopsie numero due, dove giacciono i corpi di Stacey Edwards e delle due Mancini. La porta è chiusa, ma non a chiave, lo so, perché ho controllato prima. Mi fermo un attimo. Non per farmi forza, ma, be', per fermarmi e basta. Se fossi una che prega, ma non sono certo il tipo, adesso sarebbe il momento adatto per pregare. Non c'è fretta. Sto per mettere la mano sulla porta quando mi ritrovo a controllare di avere la camicia infilata per bene dentro la gonna. Brava, Griffiths! Devi essere carina e ordinata.

Entro. Fuori sta cominciando a fare buio e la stanza è piena di ombre. Non accendo le luci. Non scopro i cadaveri. Mi muovo lentamente cercando di orientarmi.

Ci sono due tavoli da lavoro, una zona «asciutta» per i documenti e cose di questo tipo, e una zona «umida» per gli organi, le viscere e altre delizie. La lampada da tavolo con il braccio snodato. Alcuni cartelloni alle pareti. Niente di speciale. La sala è circondata da una buona dose di rumori ospedalieri, ma è il posto più silenzioso in cui sia mai stata. Il più pacifico.

Per prima cosa saluto Stacey Edwards.

Non è molto diversa dalla prima volta che l'ho vista. Niente nastro adesivo, niente cavi ai polsi. Ma è ugualmente morta. Le tengo un attimo la mano e le accarezzo i capelli. In realtà non ce n'è motivo, non sono qui per lei. Ma mi sembrerebbe scorretto escluderla solo perché con lei non ho alcun legame. È la sua ultima notte di permanenza sulla terra. Domani volerà con April e Janet tra le brezze, verso nord, oltre le valli e le colline. Verso la fattoria di zia Gwyn, i monti e i pivieri.

«Andrà tutto bene, tesoro» le dico. «Dirò a Gwyn di salutarti.»

Lei non reagisce. Non conosce Gwyn e quindi non la biasimo.

«Sei stata coraggiosa. Lo sai? È stato grazie a te che è venuta fuori tutta questa storia. Hai fatto un buon lavoro. Hai fatto la tua parte.»

Le piace questa cosa. Continua a non esserci alcun legame tra di noi, ma io rimango lì ancora un po' perché non pensi che stia fuggendo.

Poi vado dall'altra parte della sala, accanto alla barella di Janet Mancini. Non è una bella parola. *Barella*. È goffa e poco dignitosa come le scarpe ortopediche. Hanno messo Janet e April sulle barelle perché le hanno già fatte a fettine. Le hanno trasferite qui come accessori per il festival della noia di Price e Hughes. Non aveva senso spostarle di nuovo. Non stanotte, la loro ultima notte sulla terra.

Decido che per stanotte le barelle di Janet e April saranno i loro feretri. Sono esposte in una camera ardente come una regina medievale e la sua giovane principessa.

Scopro Janet. Dalla testa ai piedi. Piego il lenzuolo e lo appoggio sul banco di lavoro asciutto, cosa che, mi rendo conto dopo averlo fatto, probabilmente viola le norme igieniche.

La sala è abbastanza buia ora e i colori non si vedono bene. I capelli di Janet sembrano sempre ramati, ma sono talmente scuri che è difficile dirlo. Sono straordinariamente morbidi e lunghi. Io non ho mai portato i capelli lunghi, per lo meno non dopo gli otto o i nove anni; e invidio le trecce di Janet che le coprono le spalle.

C'è una ferita circolare sulla sua nuca, nel punto in cui Aidan Price deve averle segato la calotta cranica per prelevare il cervello e analizzarlo. Com'è meticoloso il buon dottor Pedante: la cucitura è precisa. Con una certa impertinenza, sollevo la piccola botola nel cranio e tocco la parte interna. Il nulla. C'è un non so che di straordinariamente liberatorio in questa sensazione. Essere morti e con il cranio effettivamente vuoto è un trucco che la maggior parte dei cadaveri non riesce a mettere a segno. Con le dita perlustro la cavità.

Non mi isolo da me stessa, come farei di solito. Ho tutta la notte davanti, perciò mi prendo il tempo necessario per esplorare. Il cranio sembra la cosa più grande di tutto l'universo, un contenitore di galassie. Con le dita vago fra le stelle godendomi lo spazio e il silenzio. Ripenso al fienile di Llangattock. A quello spazio, a quel silenzio e a tutti quegli occhi color ambra.

Quando alla fine rimetto la calotta cranica al suo posto, si chiude con un rumore sordo. *Clop.*

L'espressione di Janet non è affatto cambiata. È difficile dire cosa comunichi il suo viso. Sollievo, suppongo. Sarebbe questa la cosa normale da dire, ma d'altra parte so che il permesso di cittadinanza sul Pianeta Normale mi è stato temporaneamente sospeso per irregolarità nei documenti – e in ogni caso, non credo che «sollievo» sia corretto. Non sembra che Janet sia sollevata da niente. Qualunque cosa sia, è più forte, più pura. È come se la morte l'avesse perfezionata, l'avesse trasformata nella migliore versione possibile di se stessa, non toccata dalle disgrazie della vita, intangibile adesso e per sempre.

Faccio scorrere la mano sul suo corpo fino ai piedi. Tutti i suoi organi interni saranno stati rimossi, pesati, misurati, analizzati. A volte li reinseriscono nel corpo, altre li buttano via e al loro posto mettono materiali economici. Per le ossa usano i tubi di isolamento, ad esempio. Ma la pelle di Janet è meravigliosa. In parte per via del freddo, suppongo. La pelle fredda sembra sempre più liscia, ma la verità è che Janet Mancini è una donna carina con una bella pelle, le manca poco per essere un vero splendore.

Le spingo con delicatezza i piedi verso il basso perché siano inclinati come quelli di una ballerina e non bloccati a novanta gradi come quelli di un poliziotto. Con le dita riesco quasi a cingerle la caviglia, mentre se faccio la stessa cosa con la mia restano scoperti un paio di centimetri. Mi domando cosa sarebbe diventata la Mancini se la sua vita avesse avuto preso una piega migliore. Un'insegnante di scuola materna, una segretaria, una rappresentante. Strane cose a cui pensare visto che lei è distesa fredda e nuda davanti a me, e visto che conosco i fini commerciali a cui quella nudità è stata sottoposta. Eppure Janet non era una prostituta, non proprio. Non lo era fino in fondo neanche quando era viva e senz'altro non lo è adesso.

«Chi ti ha ucciso, Janet Mancini? È stato Karol Sikorsky?» le chiedo con delicatezza.

Lei non risponde.

«Lo prenderemo. Prenderemo chiunque sia stato a farti del male.»

Lei continua a tacere.

«Hai fatto del tuo meglio, lo so. Hai sempre fatto del tuo meglio.»

D'istinto mi viene voglia di coprirla di nuovo, poi però mi rendo conto che ai morti non importa. La nudità per loro è indifferente come il lenzuolo azzurro dell'ospedale o la garza bianca. Feretro o barella, neanche di questo gli importa.

Scopro April.

Il suo corpicino finisce al naso. Niente occhi, niente fronte, nessuna cavità vuota dentro la calotta cranica. Ma ha la sua bella bocca sorridente, la sua figura esile da bambina e una mano che guarda caso è spalancata verso di me. La stringo. La stringo abbastanza a lungo da raffreddare la mia pelle e riscaldare la sua. Siamo alla stessa temperatura adesso. Ho la sensazione che ci conosciamo già. Siamo vecchie amiche.

«E chi ha ucciso te, piccola April?»

Lei non ribatte.

«Anch'io sono nata in aprile, sai. Forse festeggiamo il compleanno lo stesso giorno.»

Lei mi sorride. Le piace l'idea.

«Ti preoccupavi per tua mamma, vero? Non era facile la tua situazione. Ma sai, lei ha fatto del suo meglio. Tu hai fatto del tuo meglio. E non c'è assolutamente niente al mondo di cui preoccuparsi adesso.»

E davvero non c'è. Né per loro né per me. Non so di preciso quanto rimarrò con loro due, ma la stanza è completamente buia adesso, dai lampioni del parcheggio arriva appena qualche bagliore di luce viola.

Sono intirizzita, per cui comincio a camminare per la stanza a passo sostenuto. Esploro il resto dell'obitorio. Riesco a trovare altri tre cadaveri. Un vecchio, una vera sagoma, ci scommetterei. Lo chiamo signor Buontempone, e lui con fare spregiudicato flirta con me. Poi c'è un tipo obeso sulla cinquantina. Non ci vado per niente d'accordo. Non gli do neanche un nome, e non gli dispiace vedermi andare via. E infine c'è una donna deliziosa dai capelli d'argento, nuda come la luna, che sorride verso il soffitto mentre ce ne stiamo sedute a chiacchierare. Lei mi piace più di tutti e la chiamo Edith. Ma sono state Janet e April a portarmi qui, e quindi torno da loro.

Sposto il feretro di April verso quello di Janet, così posso stare accanto alla madre e tenere la mano alla figlia. Comincio a raccontare a April una favola della buonanotte sulla fattoria di Gwyn e su come le apparirà dall'alto. All'inizio la storia ci appassiona, poi però preferiamo il silenzio e rimaniamo lì sedute, tutte e tre, senza parlare ma felici di essere insieme.

April è figlia di Janet.

Ecco cosa aveva sempre cercato di dirmi April e io l'ho capito solo ora. April è figlia di Janet. Janet stessa non ha mai conosciuto realmente sua madre perché è stata data in affido da piccola. Lo stesso vale per Stacey Edwards. Lo stesso vale per tantissime prostitute.

Janet però le è rimasta accanto. Ha fatto quello che poteva. Voleva essere la mamma di April e ha fatto tutto quello che era in suo potere per essere la migliore madre possibile. E April apprezzava gli sforzi di sua madre. April era figlia di Janet. Gli stessi geni, lo stesso sangue.

Ecco cosa cercava di dirmi April.

Mi verrebbe da ridere per la semplicità di tutto questo, ma oggi è una notte di silenzio e anche la mia risata è silenziosa. Un'altra cosa da aggiungere alla lista di cose da fare questa settimana.

Sono felice come non lo sono mai stata. Andrà tutto bene.

Dopo un po' mi sento stanca, perciò metto le due barelle una accanto all'altra e mi distendo nel mezzo per dormire. Dormo tenendo la mano di April e la faccia rivolta verso l'invidiabile chioma ramata di Janet. Dormiamo il sonno dei morti.

39

È un'ora imprecisata dopo l'alba. Sono rigida come un'asse di legno e fredda come un tè della sera prima. Janet e April stanno bene. Probabilmente ridono di me. Sì, brave. Non fate un cervello in due.

Sistemo le barelle nell'esatta posizione in cui erano e copro di nuovo i cadaveri. Do un bacio a ciascuna di loro prima di uscire. A Janet sulla fronte, ad April su quel che le è rimasto di una guancia. Si becca un bel bacio anche Stacey.

«Buonanotte, signore. Buonanotte, dolci signore. Buonanotte. Buonanotte.»

Gli recito un po' di *Amleto* perché sappiano di aver passato la notte con una ragazza che ha una certa dimestichezza con Shakespeare, poi mi metto di nuovo a pensare a come evitare il disastro che sta per travolgere non solo la mia carriera, ma tutto quello che ho provato a costruire negli ultimi anni. Se il buon dottor Pedante e compagnia bella tornano qui e mi trovano, mi fanno a fettine, e giustamente anche.

Questo problema mi è venuto in mente solo adesso. Non è mi passato per la testa quando ho compiuto la mia bravata e mi sono nascosta nel ripostiglio. Non mi è venuto in mente neanche quando ho progettato questa avventura.

Mi domando se ho un grado di fiducia eccessiva su come andrà a finire questa settimana.

Provo l'uscita principale, ma è chiusa a chiave, e questo era piuttosto prevedibile. C'è un'uscita di emergenza, ma un grosso cartello verde mi avvisa che la maniglia è collegata a un allarme e decido di non rischiare.

O I, cavolo. Non sono proprio la tipa adatta a scavalcare una finestra, ma non ci sono molte alternative. La finestra della sala autoptica è piccola e alta, e non vedo niente che mi possa aiutare all'esterno. Poi però mi torna in mente la stanza che ospitava i parenti. Grazie a Dio, quella stanza ha una finestra di dimensioni decenti e l'inestimabile benedizione del tetto della mensa proprio sotto di lei. Butto fuori la borsa, cosa che in un certo senso mi costringe a seguirla. Mi domando cosa fare con le scarpe, che non sono tanto scomode come tenuta da ufficio ma non sono neanche fatte per scavalcare una finestra del secondo piano. Me le tolgo, e seguono la borsa fuori. Poi la giacca. Non mi è d'intralcio, ma non voglio rovinarla. Mi domando se c'è qualcuno dentro la mensa, e se per caso ha notato il volo del mio guardaroba.

Mi metto in piedi sulla sedia che ho avvicinato alla finestra e cerco di arrampicarmi. La mia gonna non è stata disegnata per affrontare un'attività sportiva, ma giungo alla conclusione che scavalcare nuda è meglio che scavalcare vestita, a prescindere da quanto questo sia poco dignitoso. Così mi infilo la gonna dentro le calze e tutta infagottata mi lancio. Mi ferisco una coscia sul fermo della finestra mentre salto, e striscio la parte superiore delle braccia sul telaio mentre scendo. Mi fa male anche la caviglia sinistra. Non sono assolutamente tagliata per questo genere di cose.

Tiro la gonna fuori dalle calze, metto la giacca e infilo le scarpe. Sistemo per bene la borsa sottobraccio e mi schiaccio i capelli, anche se so che non staranno mai bene senza essere lavati. Eppure, se non fosse per il fatto che sono sul tetto della mensa dell'ospedale universitario del Galles alle cinque di mattina, ho un'aria assolutamente rispettabile. Ci sono alcune persone in giro per il campus, ma sono per lo più quelli del personale ausiliario, gente a cui non interessa proprio se c'è una pazza sul tetto della mensa. Mi guardo un po' intorno per cercare un sistema per scendere. Ahimè, nessuno ha pensato che una scala sarebbe stata una buona idea, per cui finisco per calarmi da una grondaia. Mi lascio cadere da un metro e mezzo di altezza e mi faccio male alla caviglia per la seconda volta, questa volta di più però.

Rimango a sedere tra un mucchio di sacchi dell'immondizia per qualche minuto, e impreco finché non mi sento meglio.

Zoppico fino alla macchina e la apro usando il telecomando. E ora? Il mio primo istinto è andare a casa dei miei. Abitano a pochi minuti da qui e la mamma si alza sempre esageratamente presto. Comincio a guidare in quella direzione, passo davanti al cimitero di Cathays, costeggio Roath Park fino al lago e arrivo nel mondo delle case enormi e della vita facile. Poi, a non più di trenta secondi dal portone, cambio idea. Faccio una rapidissima inversione a u e mi dirigo verso casa, casa mia, non la loro.

Sono felicissima. Immense ondate oceaniche di felicità si infrangono intorno a me e io ne cavalco la schiuma gridando e ridendo. Questa notte è stata fantastica, ma tranquilla. Questa mattina è fantastica ma per niente tranquilla. Ho voglia di suonare il clacson, di baciare gli estranei, di guidare a centosessanta chilometri all'ora, di nuotare nella baia di Cardiff e di coprire il mondo intero di rose. Abbasso la capote, guido troppo veloce e metto i Take That al massimo.

Non riesco a smettere di sorridere e non ci provo nemmeno.

Il funerale è centomila volte meglio di quanto me lo aspettassi. C'è così tanta gente che il crematorio di Thornhill non riesce a contenerla. Gran parte della funzione si svolge all'esterno ed è amplificata con degli altoparlanti, in modo che si riesca a sentire tutto, malgrado il brontolio dell'autostrada subito dietro gli alberi. Probabilmente l'ottanta per cento dei presenti sono alunni, accorsi solo perché le loro scuole hanno deciso di prendere pubblicamente posizione, ma non mi importa. Gli alunni sono il pubblico perfetto, quelli a cui April terrebbe di più. Il mio trombettista è fantastico. Il quartetto d'archi è un po' troppo educato e tranquillo per sortire chissà quale effetto, ma francamente credo che April, Janet e Stacey siano sbalordite semplicemente per la loro presenza. Il cantante solista è molto meglio. A parte i miei, non c'è un paio d'occhi asciutto in tutta la platea, e i miei non contano. La pop star sempre pronta a esprimere opinioni su tutto e tutti si è fatta viva. Legge in malo modo una poesia sentimentale e tutti piangono. Ci sono anche un sacco di fiori. Non so se sono tutti miei, ma non mi importa. Hanno i petali, sono come piacciono a me e a April.

Un nastro trasportatore conduce le bare dalla sala in cui si svolge la funzione al forno. Tende rosse separano un lato dall'altro. Quando la piccola bara di April scivola verso le tende, cominciano ad applaudire tutti. Credo abbiano cominciato alcuni scolari, perché non sapevano cosa dovevano fare ma sentivano di dover fare qualcosa. In ogni caso, da chiunque sia partito l'applauso, era la cosa giusta da fare e nel giro di mezzo secondo tutti, dentro e fuori, battono le mani e le battono forte. Il trombettista – il mio trombettista preferito – coglie l'attimo e si lancia in un motivo che è allegro, triste, definitivo, dolce e trionfale tutto insieme. Il sindaco di Cardiff sbuca da chissà dove per fare un discorso, molto breve e perfettamente adeguato alla situazione.

Credo di essere l'unica a non avere le lacrime agli occhi. Su quasi tutte le guance delle persone presenti scorrono delle lacrime.

Mi domando come ci si senta, cosa si provi.

Ma non è questo il mio pensiero principale. Accompagno April nel suo ultimo viaggio. Nel fuoco, su per la cappa del camino, nel vento e sopra Cardiff, sopra tutte le colline del Galles. April è felice adesso. Lei e Janet. Lei e la sua mamma. Anche Stacey Edward, immagino. Sono tutte felici adesso. Felici per sempre.

41

Dopo il funerale, sono successe un paio di cose.

Brydon c'era. Non so come sapesse che ci tenevo, perché non l'ho detto apertamente, ma comunque eccolo qua. Non si avvicina durante la funzione perché vuole lasciarmi spazio. Ma non appena tutti si riversano dal crematorio all'esterno, su una piccola aiuola, Dave mi raggiunge e mi stringe affettuosamente un braccio.

«Tutto a posto?»

«Sì.»

«È stato un addio splendido.»

«Sì.»

«Qualcuno si deve proprio essere impegnato a organizzarlo.»

Gli sorrido. «Sì.»

Chiacchieriamo un altro po', ma mi accorgo che è teso. È arrabbiato con me? Non lo so. Se lo fosse, non capisco perché. Ma non è questo il luogo adatto in cui chiederglielo, perciò scambiamo ancora qualche parola, con la tensione addosso, e poi diciamo che dobbiamo correre a fare altro. Che magari nel suo caso è vero. Domani sera, in teoria, abbiamo un altro appuntamento. Qualunque cosa sia questa tensione, verrà fuori al momento opportuno.

Più importante, però – più importante in questo preciso istante –, è una cosa che Bryony Williams ha per me. Lei è qui, ovvio. E non è vestita a lutto: indossa una maglia arcobaleno e una collana di grosse perle. Il tipo di mise con cui io starei malissimo. Mi abbraccia e mi dice che sono fantastica.

«Bravo il trombettista» dico. «Ha suonato gratuitamente.»

«Vorrei ben sperare, cavolo!»

Bryony prosegue dicendo quanto le è piaciuta la poesia e come la pop star l'abbia letta bene. Concordo, perché non voglio fare la guastafeste. Accenna qualcosa sull'impatto televisivo che avrà, io però rimango basita, perché non sapevo che ci fosse anche la tv. Mi dice che, in fondo alla sala, c'erano un cameraman e un tecnico del suono. Li vedo sistemare la loro strumentazione e andare via.

«Ti ho portato questo» dice Bryony.

Lo solleva in alto. È un foglio di carta, uno dei miei bigliettini. Non c'è niente sopra tranne il mio messaggio.

Non appena mi vede perplessa, Bryony gira il foglio dall'altra parte. Sul retro qualcuno ha scritto: PROVA AL VECCHIO FARO. AMMAZZA QUEI BASTARDI.

«Hai presente la borsa che porto con me quando sono di ronda? È piena di cibo, preservativi e opuscoli sanitari. Domenica sera, quando la stavo disfacendo, ci ho trovato dentro questo. Non so chi ce l'abbia messo né quando. Non so cosa significhi.»

Il vecchio faro.

Io invece so esattamente cosa significa. Dovrò passare un po' di tempo su Google Earth e verificare alcuni codici postali per trovare una località precisa, ma è solo una questione di tempo. *Prova al vecchio faro.* Ci puoi scommettere, sorella. *Ammazza quei bastardi.* Non era nei miei programmi, ma al diavolo, non si sa mai.

Mi accorgo che sorrido come un'idiota.

«Sembra che tu abbia trovato quello che stavi cercando» dice Bryony.

«Le ultime ventiquattr'ore,» dico «sono state le più belle di tutta la mia vita.»

42

È mattina.

Mancano solo un paio di settimane al giorno di luce più lungo dell'anno. Il buon vecchio sole fa capolino sui tetti poco dopo le quattro, ma il cielo è illuminato e senza nuvole. Sono sveglia dalle tre e mezzo circa: sono riuscita ad addormentarmi solo a mezzanotte passata, ma non mi aspettavo di dormire, per cui non mi preoccupo.

Metto un po' di musica al piano di sotto, prendo un po' di cibo e mi rollo uno spinello. Me ne sto a letto ad ascoltare musica, mangiare e fumare. Maneggio la pistola a occhi chiusi. Sicura innescata, sicura disinnescata. Caricatore inserito, caricatore disinserito. Lo ricarico a occhi chiusi. Mi piace il modo in cui i proiettili si bloccano dentro. In modo netto, preciso, metallico. Affidabile e finalizzato. Mi piace anche il mio spinello, ma in maniera del tutto diversa. Se la pistola rappresenta il padre, lo spinello è la madre. Accogliente, consolatorio, rilassante. Non è una questione di finalità, ma di essenza. O di aggiungere gentilezza a ciò che già esiste. Anch'esso ha un'affidabilità che gradisco. Anch'esso è qualcosa da cui dipendo.

Ripenso al funerale di April. La piccola April, cieca e morta, è ormai libera di compiere i prossimi passi del suo viaggio, qualunque essi siano. Il suo legame con me è già meno stretto, in senso positivo però. Mi ha detto quello che doveva dirmi. Una cosa talmente ridicola nella sua semplicità che non riesco a credere di aver impiegato così tanto a capirla. Fiona Griffiths, pluripremiata laureata in Filosofia, a volte è proprio un'idiota. Non mi lamento, preferisco le persone complicate.

Alle quattro e mezzo, ho il diavolo in corpo. Non c'è bisogno di aspettare altro. Per cui mi alzo, faccio la doccia e mi vesto. Stivali, pantaloni, maglia, giubbotto di jeans. Un impulso mi trascina davanti allo specchio, mi passo il gel sui capelli e mi faccio una cresta. Poi mi trucco: labbra rosse e occhi assassini. Un look da rockettara ben attrezzata e pronta a partire.

Alle cinque e un quarto sono già in macchina. Più tardi pioverà, così ha promesso ieri sera il meteorologo, ma la giornata inizia con un cielo pulito e luminoso. Il mondo sembra tirato a lucido per un'ispezione mattutina. Le ombre si stagliano nette sulle strade e sui marciapiedi, come fossero disegnate con una matita appuntita, i prati sono rasati e le auto presenti e ben parcheggiate. Non c'è niente che si muova tranne me.

Esco da Cardiff in un baleno, poi volo verso ovest, il sole continua a sorgere alle mie spalle. Amy Winehouse è nel lettore cd, mentre sul sedile del passeggero giacciono una barretta energetica, le manette, la pistola, le munizioni e il cellulare. L'ombra della mia Peugeot vola lungo la strada davanti a me e io la rincorro, cercando di superare il mondo che gira sul proprio asse.

Cardiff. Bridgend. Porthcawl. Port Talbot. Swansea.

È da queste parti che io e Brydon abbiamo svoltato per la nostra giornata sulla penisola di Gower. Il mare è una distesa sonnolenta e scintillante alla mia sinistra, mi osserva mentre guido e non ne rimane impressionato.

Supero Swansea, e l'autostrada si appresta a finire.

Pontardulais. Llanddarog. Carmarthen.

È questo il vero Galles. Il profondo vecchio Galles. Questo non è il Galles creato dai vittoriani, tutto carbone e ferro, porti e fabbriche. Questo è il Galles dei celti. Dell'opposizione. Opposizione ai normanni, ai vichinghi, ai sassoni, ai romani. Opposizione all'invasore. Un cartello che ti manda a quel paese da secoli. Qua la gente parla gallese perché non ha mai parlato un'altra lingua. Se usi l'inglese sei considerato uno straniero.

St. Clears. Llanddewi. Haverfordwest.

Adesso guido più piano. Cerco di capire come uscire da Haverfordwest e andare verso Walwyn's Castle. Attraverso viuzze sconosciute e incontro una mandria di mucche lungo la strada. Mucche appena munte e sulla via del pascolo. Un allevatore con un bastone di nocciòlo e un collie cammina dietro di loro, le spinge nel campo e alza una mano verso di me mentre passo. Contraccambio il saluto e proseguo.

Attraverso Walwyn's Castle e arrivo a Hasguard Cross. Proseguo verso la punta della penisola. Adesso il mare mi circonda da ogni lato tranne alle spalle, non tornerò indietro molto presto. St. Brides è alla mia destra, St. Ishmael a sinistra. Davanti a me, il mio obiettivo. Un luogo di nessuno in una terra di nessuno. Un vecchio faro che non illumina niente e non protegge anima viva.

Non è solo un vecchio faro però, è il Vecchio Faro. Ed è bianco. Lo so dalle foto che ho visto su Flickr, che mostravano un tratto di costa nei pressi di Pembroke. Bianco e vicino alla spiaggia. A ovest di Milford Haven. La barca di Martyn Roberts era ormeggiata qui, e questo attracco a ovest è lontano e di difficile accesso, al contrario di quelli più affollati che si trovano invece a est. Finché non ci arrivo, non posso esserne sicura, ma tutti gli indizi puntano alla stessa località.

Adesso sono più lontana da Cardiff di quanto Cardiff lo sia dall'estrema periferia occidentale di Londra. È il limite dell'infinito, la punta dell'oblio.

Sono le sette e un quarto e sono pronta.

43

A circa un chilometro e mezzo dalla mia meta, parcheggio. Il ciglio della strada è talmente ricoperto da lunghi steli di cerfoglio selvatico che devo falciarne una striscia per oltrepassarlo. Tutte quelle belle testoline bianche decapitate. Sopra il motore della macchina l'aria scintilla per via del calore che sale. I gabbiani volteggiano su di me, e il mare ridacchia della mia presunzione.

Pistola. Telefono. Manette. Una manciata di proiettili. Non mi serve altro. Con un po' di fortuna, mi basteranno solo le manette e il telefono. Controllo ci sia il segnale e sono sollevata quando vedo che è al massimo della potenza.

Cammino lentamente verso il faro, tagliando attraverso i campi e procedendo a tentoni. Non è difficile. Punto verso il mare, e il mare mi circonda. Un paio di campi di grano all'inizio, il raccolto che ha appena cominciato a imbiondire. La brezza marina. La ginestra che punteggia di giallo le siepi. Poi un prato pieno di pecore e la mia prima vista sul faro.

È un edificio più piccolo di quanto mi fossi immaginata. Una torretta massiccia, abbandonata e inattiva. Alla cui base, addossato alla scarpata, si trova un edificio basso, quasi a forma di barile. Salendo cinque o sei scalini si accede a una porta. Ci sono due finestre visibili, e magari altre che non noto. Sul parcheggio sterrato c'è solo una Land Rover. La proprietà è circondata dal filo spinato e chiusa da un cancello, ma niente di impenetrabile. Più un avvertimento ai turisti che altro.

Mi sento sollevata nel vedere solo una macchina. Due mi avrebbero fatto paura.

Poi però la mia attenzione è catturata da una cosa che non mi piace affatto.

Lungo la costa, direi a circa quattrocentocinquanta metri dalla spiaggia, c'è una barca ormeggiata. Una barca blu con una striscia bianco sporco sulla fiancata. La barca di Martyn Roberts, se l'immagine sul suo sito web è affidabile.

Martyn Roberts, l'unico noleggiatore di barche del Galles meridionale che si è rifiutato di farmi controllare i registri. Martyn Roberts, che mi ha riattaccato il telefono in faccia quando l'ho chiamato. Martyn Roberts, l'ex galeotto.

Mentre sono lì a guardare, vedo sbucare un gommone dalla baia. È difficile a dirsi da questa distanza, ma sembra ci siano tre figure a bordo. Difficile a dirsi, ma mi parrebbero due uomini e una donna.

Mi sento impreparata. Una dilettante.

Mi sento nello stesso modo in cui mi sono sentita vedendo Lev combattere seriamente. Erano esercitazioni, certo – non l'ho mai visto cercare di fare del male a qualcuno –, ma pur sempre combattimenti in cui si trovava di fronte un avversario di pari livello o quasi. Osservando il gommone e riflettendo su queste cose mi rendo conto di non essere in grado di affrontare uno scontro serio. Mi rendo conto di essere molto vulnerabile.

Avrei dovuto portare il binocolo. Avrei dovuto essere qui due o tre ore fa. Avrei dovuto farmi accompagnare da Penry, o da Lev, o da Brydon, o magari da tutti e tre.

Avrei dovuto chiedere un incontro con l'ispettore capo Jackson e insistere affinché mandasse sul posto un'intera squadra di intervento speciale, minacciando di licenziarmi se si fosse rifiutato.

Potrei farlo adesso. Chiamare Jackson, dirgli dove mi trovo, dirgli cosa penso stia succedendo. Dirgli che ho bisogno che arrivino qui in un istante elicotteri e sommozzatori, tiratori scelti e gazzelle. Ma non saranno qui in un istante. L'unica che è qui adesso sono io, e non c'è tempo da perdere.

Tiro fuori di tasca la pistola e comincio a correre.

A correre veloce attraverso il campo pieno di pecore. E poi attraverso un altro campo – un lungo pendio di erba rasata e di pietra calcarea ricoperta di licheni, nient'altro – che si estende fino alla riva del mare e al faro. Le finestre sono di sbieco rispetto alla direzione da cui arrivo. La porta si affaccia proprio davanti a me. Devo solo sperare che non si apra. Devo solo sperare che nessuno giri intorno all'edificio.

A cinquanta metri dal faro, mi fermo. Il cuore che martella, il sangue che scorre a tutta velocità.

Eccolo. Ecco ciò a cui Lev mi ha preparato.

Non combatti mai dove o quando vuoi. Non combatti mai la battaglia per cui ti sei preparato. Combatti solo quando è necessario. E adesso è necessario. Musica da battaglia.

Faccio rallentare il battito del cuore, poi scavalco il cancello e cammino decisa verso la porta. Tengo gli occhi fissi sulla porta. Ogni cinque passi perlustro tutto l'intorno. Il gommone ha raggiunto la barca. Nel parcheggio non si muove nulla. C'è un piccolo capanno con una catasta di legna e alcuni attrezzi. Nessuno è di fianco o dietro me. Il sole e il mare sono il mio unico pubblico. I gabbiani gridano la loro disapprovazione.

Arrivo alle scale di pietra.

Non so se la porta sia chiusa chiave.

Non si sente nessun rumore tranne il mare, il cielo e i gabbiani.

Se la porta è chiusa a chiave, faccio saltare la serratura con un colpo di pistola. Altrimenti, la spalanco con la mano sinistra e tengo la pistola puntata e pronta nella destra. Visualizzo entrambi i movimenti e poi salgo gli scalini.

Arrivo alla porta in un istante. Il tempo sembra muoversi a scatti. Salti quantici da uno stato all'altro, senza alcun passaggio graduale nel mezzo. Sono alla porta. Pronti. Via.

Con la mano sinistra provo a girare il fermo. Non è inserito. Spalanco la porta. Punto la pistola e sono pronta a sparare. Il cuore in gola suggerisce tutt'altro. Mi schizza fuori dalla bocca e comincia a battere all'impazzata sulle travi del soffitto.

Lì dentro però non c'è nessun pericolo.

Solo l'orrore.

Huw Fletcher, per l'appunto. L'uomo che volevo catturare. Vivo e catturabile.

Non opporrà molta resistenza. Non nelle condizioni in cui è adesso. Il povero Fletcher è in fase di smontaggio. È accasciato contro la parete, muto, immobile, gli occhi che guardano fissi attraverso e oltre di me, nelle macerie del suo futuro. Sul pavimento accanto a lui giacciono le dita della mano destra. Le orecchie. La lingua. E, in modo grottesco, lo scroto, come uno di quei pezzi di carne che i macellai danno da mangiare ai loro cani. Il sangue cola dall'inguine, dalla bocca, da un braccio e da un lato della testa. Fletcher è vivo, ma forse morirà dissanguato.

Non provo dispiacere per lui. Provo una rabbia feroce, resa ancor più feroce dal fatto che si trova faccia a faccia con ciò che l'ha scatenata. Sono sentimenti forti questi, ma sono miei e sono umani. Mi appartengono, e io non ho paura.

Non dico niente a Fletcher. Non faccio niente per aiutarlo. Non mi importa assolutamente nulla di lui.

Camminando intorno alle pozze e agli schizzi di sangue, attenta a non lasciare impronte, mi dirigo rapidamente verso la rampa di scale che porta giù in cantina.

Tengo la pistola con entrambe le mani adesso, ma è diventata parte di me. Un istinto, una cosa sola. Mi chiamo Lev e il mio nome è vendetta. Quel che troverò là sotto sarà peggio di qualsiasi cosa sanguini di sopra, lo so. Con un calcio apro la porta della cantina e perlustro la stanza attraverso il mirino della pistola.

Ho trovato ciò che sono venuta a cercare.

44

E quello che trovo è puro orrore. Un orrore indescrivibile. Un orrore che so, ancor prima di aver finito di perlustrare la stanza, mi accompagnerà per il resto dei miei giorni. Le lancette rovinose del tempo un giorno potranno forse intorbidire e offuscare questo momento, ma quello che qui è stato fatto non troverà mai rimedio, non sarà mai disfatto.

Vedo quattro donne. Sono nude, se non fosse per delle lunghe magliette che un tempo erano bianche e ora invece sono luride. Ognuna di loro ha una catena alla caviglia, fissata a uno dei tanti anelli di ferro appesi alla parete. Il pavimento è coperto di paglia. Tanta paglia, come se ci trovassimo in una stalla per le mucche. Un secchio pieno di merda e piscio esala vapori nell'angolo sotto l'unica finestrella presente. Le donne sono sporche. Hanno i capelli fetidi e spettinati. Sono troppo magre e coperte di lividi, alcune su tutto il corpo. Hanno gli occhi vacui di chi è scioccato al di là dello shock, e come se non bastasse sono strafatte di eroina. Ci sono dieci anelli di ferro in tutto. Sei sono vuoti.

Osservo bene ogni cosa e, in uno scatto spontaneo e naturale come un'ispirazione, vomito. Un unico conato di vomito che si riversa sulla paglia ai miei piedi. Uno solo. Il tempo torna a scorrere con il suo ritmo quantico, a strattoni, e il riflesso che mi ha fatto vomitare svanisce velocemente.

Le cose stanno davvero così? Non solo devo avere a che fare con Fletcher, ma anche con tutti i brutti ceffi amici di Sikorsky. Così sia. Vadano tutti a farsi fottere, tutti. Sia quel che sia, io sono pronta. Spero solo che lo schifoso peschereccio di Roberts non sia già pieno. Altrimenti, mi odierò per il resto dei miei giorni per essere arrivata troppo tardi.

È una di quelle situazioni, di quelle benedette situazioni, in cui una volta tanto il mio istinto si muove più veloce e in modo più saggio del mio cervello.

In men che non si dica, faccio cenno alle donne di tacere, shhh – dubito che qualcuna di loro parli bene l'inglese –, mi tolgo i vestiti e li butto nell'angolo della porta che non si vede arrivando dalle scale. C'è un mucchio di magliette bianche sporche in un angolo della stanza, ammassate sopra delle coperte militari grigie usate. Ne prendo una e la indosso. Detesto la sensazione che mi dà, il modo in cui mi trasforma in una schiava, ma qui le schiave sono invisibili, e l'invisibilità è mia amica.

Frugo nei miei vestiti per prendere le munizioni dalla tasca del giubbotto, poi arrivo alla conclusione che ho bisogno degli stivali e me li infilo nuovamente. Ci sono solo dieci proiettili nella pistola. In caso di combattimento a mani nude, sarà più efficace scalciare. Rotule, testicoli, trachee.

Mi dirigo verso l'angolo in fondo alla stanza. C'è una sola lampadina al centro del soffitto, ma non illumina granché l'angolo in cui mi trovo io. Mi distendo e nascondo gli stivali sotto una coperta.

Faccio cenno alle donne di tacere, in modo duro, aggressivo, perché due di loro hanno cominciato a parlare fitto fitto in rumeno, mi sembra. Non smettono di mormorare, allora gli punto la pistola alla testa e loro ubbidiscono. Mi fissano ancora tutte, e a gesti cerco di convincerle a distogliere lo sguardo da me. Ci riesco solo a metà, ma metà è meglio di niente.

Me ne sto distesa lì, nella paglia, in questa trappola per le scopate creata da Brendan Rattigan.

Un posto dove portare le ragazze dell'Europa dell'Est. Un posto dove riempirle di eroina, violentarle, abusarne, farle quasi morire di fame, malmenarle finché non stramazzavano a terra morte o finché lui non decideva di volerne un nuovo carico. Rattigan e tutti i suoi amici che guarda caso si divertivano nello stesso modo. Rattigan e i suoi ricchi compagni di scopate. Compagni di scopate che pagano il dieci per cento di tasse perché hanno gli stessi avvocati che aveva lui.

Non so se Fletcher condividesse i suoi stessi gusti o se fosse solo contento di essere il faccendiere di Rattigan, l'uomo che aveva reso possibile tutto questo. Immagino un po' tutte e due le cose, ma Fletcher è stato solo ed esclusivamente colui che gestiva le operazioni, che portava le ragazze e poi ripartiva. L'uomo delle spedizioni. L'addetto alla logistica.

A un certo punto, però, Rattigan cade in mare. Morto per davvero, senza fare tanto casino. Un banale incidente aereo. Lo stupido bastardo forse era troppo vanitoso per mettersi il giubbotto di salvataggio, troppo arrogante per prendere ordini dal pilota. E, con il corpo del capo che ondeggia sul fondo dell'estuario del Severn, quell'idiota di Fletcher, un pigmeo convinto di essere un gigante, ha deciso di continuare da solo. Presumibilmente c'erano clienti a cui Rattigan sceglieva di presentare il conto. Magari loro sceglievano di pagare. Magari Fletcher ha pensato che fosse un'iniziativa imprenditoriale da espandere.

Un errore. Il peggiore della sua vita – un errore che al momento gli è costato le orecchie, la lingua, i testicoli, le dita, per non parlare del sangue che sta annerendo le assi del pavimento di sopra. Fletcher ha deciso di spacciarsi per il capo? Di usare il nome di Rattigan? È probabile. Davanti al nome di Rattigan la Balcescu ha reagito come se fosse vivo. Magari Fletcher ha fatto finta che il capo avesse simulato la propria morte, che fosse ancora vivo e operativo. O magari la Balcescu era rimasta indietro. Ad ogni modo, la sua reazione è stata uno degli indizi che mi ha portato qui.

Per un po' Fletcher ha guadagnato bene, l'attività funzionava. Ma se vuoi fare sul serio con i gangster di Kaliningrad, devi essere tosto, duro e spietato come loro. Rattigan lo era. Aveva i soldi. E ben altro, aveva l'abilità, il carisma, la spavalderia, l'aggressività. Fletcher era un pigmeo che se ne andava in giro nei panni di un gigante. In breve è inciampato nel suo stesso orlo, e i suoi cari amici di Kaliningrad ne hanno approfittato. Forse ai russi non piaceva che qualcuno si prendesse gioco di loro. Molto probabilmente hanno pensato che se Fletcher gestiva un'attività con cui guadagnare soldi, loro avrebbero potuto guadagnarci ancora di più. Hanno deciso di farsi avanti, di assumere il controllo del territorio, di diventare più aggressivi.

Janet Mancini è stata la prima vittima. La carta di credito di Brendan Rattigan. In un passato ormai lontano lui la scopava, le diceva più del necessario, ma la lasciava vivere. Janet, che sciocca, ha raccontato più di quanto avrebbe dovuto – alla sua amica Stacey Edwards, suppongo –, e la voce è arrivata fino ai tizi di Kaliningrad. Janet aveva sentito dire che era in pericolo. È fuggita nell'appartamento occupato, ma sarebbe dovuta scappare in un altro continente. Un quartiere diverso non bastava. Quelli che le davano la caccia, l'hanno rintracciata e uccisa. Hanno ucciso anche

April, senza nessun motivo tranne assicurarsi che tenesse chiusa la sua bocca di bambina di sei anni. Sikorsky è senza dubbio l'assassino, un sicario, un pesce piccolo. Il caso Mancini, per me, non ha mai riguardato Sikorsky.

La stessa cosa è successa a Stacey Edwards. Ha parlato troppo, ha lanciato accuse, ha fatto chiasso in giro. Sikorsky è andato a trovare anche lei. L'ha uccisa in modo tale da mandare un segnale. Il tipo di segnale che quelli di Kaliningrad sono bravissimi a mandare. Taci, altrimenti...

Tutto questo l'avevo più o meno intuito. Speculazioni in gran parte, come mi ha ricordato l'ispettore capo Jackson, ma non si può sempre scoprire la verità – senz'altro nessuna verità interessante – senza qualche ipotesi azzardata. Magari la vicenda si rivelerà leggermente diversa nei dettagli, ma ci scommetterei la testa che il nòcciolo è questo. È anche probabile che tutti i particolari non verranno mai fuori. Di solito non succede.

Però non ero riuscita a immaginare questo finale. Non mi era venuto in mente che la campagna di pulizia di Kaliningrad sarebbe arrivata fin qua. Non avevo intuito che potevano essere così efficienti e spietati. Non avevo usato abbastanza il pensiero laterale, perché credevo che quel pigmeo di Fletcher rappresentasse il mio unico antagonista. Quanto sono stata scema! Come direbbe mia nonna, vivendo non si finisce mai di imparare. Ovvio, in questa particolare circostanza sarebbe più appropriato dire: «Morendo, non si finisce mai di imparare». Ma come so meglio di tanti altri, c'è di peggio che essere morti.

Distesa sulla paglia, mi agito un po'. Sento i fili che mi pizzicano sotto la maglietta. Paglia contro il seno, le cosce, la pancia. Non puoi vivere a lungo in questo stato senza trasformarti in una bestia o quasi. Tenuta in vita perché dei ricchi bastardi ti scopino, ti picchino e buttino il tuo corpo in mare quando non serve più ai loro porci comodi. Sarebbe difficile restare umana vivendo così, morendo così.

Nella stanza è calato il silenzio adesso. Le due rumene hanno smesso di chiacchierare.

Da qui non si sentono i gabbiani fuori, solo il fruscio della paglia che si assesta e forse, a meno che non sia la mia immaginazione, il gocciolio del sangue di Fletcher.

Ripenso ai bersagli del poligono di tiro. Neri e bianchi. Neri per congratularsi con te per un bel colpo al petto. Bianchi per abbassarti il punteggio in seguito a un colpo in qualsiasi altra zona. Immagino i miei bersagli. Immagino i loro centri neri. Mi tornano in mente tutti i bersagli che ho centrato a una distanza maggiore, in condizioni di luce peggiori, quella notte a Llangattock.

Ancora una volta, sono pronta. Perfettamente immobile e perfettamente pronta.

45

Ci vuole più di quanto pensassi, più di quanto vorrei. Forse la mia percezione del tempo è alterata. Forse i russi stanno portando la loro barca nel Mare d'Irlanda prima di tornare qui. O forse stanno facendo qualcos'altro. Magari una cosa banale, come fermarsi a prendere un tè o mangiare un boccone. Deve essere spossante, in fin dei conti, smembrare il corpo di Fletcher e trascinare le donne sulla barchetta a motore di Roberts, che è lì a portata di mano. Uno di loro magari sarà affamato dopo tutto questo lavoro. Tè nero e marmellata.

Non so quanto tempo passi, direi un'ora, prima di sentire degli stivali sulle scale esterne, la porta che si apre e delle voci.

Voci e risate. Non capisco le parole, ma dal tono immagino che stiano parlando a Fletcher. Che stiano ridendo di lui.

Lo spero. Spero che Fletcher sia sempre vivo. Lo voglio vivo, muto, zoppo e dietro le sbarre per il resto della sua lunghissima vita. Non si merita alcuna pietà.

Poi gli stivali e le voci scendono in cantina.

Il battito del cuore non cambia. Non c'è distanza fra me e le mie emozioni. Per una volta in vita mia, non ho alcuna difficoltà a sentirmi viva, a sentirmi come si deve sentire un essere umano. Sembra una follia, ma mi sento in pace. Serena.

Continuano a parlare mentre scendono le scale. Scale di pietra, con pareti di pietra su entrambi i lati, e una cantina tutta di pietra. Il suono delle voci echeggia intorno a me. Difficile valutare quanto siano lontani.

Tengo la faccia schiacciata sulla paglia. Per questi uomini, una schiava in più è solo un errore di calcolo. Ma il trucco da rockettara mi tradirà, e voglio che quel momento arrivi il più tardi possibile, perciò mi schiaccio contro la parete, privandomi della visuale completa sulla stanza.

Forse sono scuse. Scuse per rimandare tutto di un paio di secondi. Ma non me ne faccio una colpa. Io non sono Lev. È la prima volta che mi trovo in una situazione del genere, e la prima volta è per forza un'esperienza di apprendistato.

Presumo che ci siano due uomini. I due che ho visto portare la ragazza sulla barca di Roberts, tornati a prendere la prossima.

Aspetto che entrino in cantina. Se hanno già notato che c'è una donna in più, non lo hanno ancora dato a vedere. L'uomo davanti indossa un giubbotto di pelle sopra una maglietta bianca, quello dietro è più basso e non lo vedo bene. Sono assassini. Assassini russi. Gli amici di Sikorsky venuti a concludere i loro affari.

Mi muovo. Stando sempre abbassata, spiano la pistola davanti a me. Miro in alto, al torace del primo uomo. Non è nero su bianco come al poligono di tiro. Qui il bersaglio è la maglietta bianca e a questa distanza non posso mancarlo.

Sparo.

Non sento neanche il colpo. I miei sensi si spingono ben oltre il cervello. Mi dicono cosa devo e cosa non devo sapere. Il rumore violento dello sparo è irrilevante. Conta solo il fatto che io abbia centrato perfettamente il bersaglio. Un colpo al petto. Letale.

L'uomo cade, io salto in piedi e, mentre mi muovo, sparo.

Anche il secondo uomo si muove, e torna di corsa sulle scale della cantina. Con il primo colpo lo manco, con il secondo lo prendo su un fianco, con il terzo su una gamba.

Se avessi voluto tirargli il terzo colpo al petto, avrei potuto. Ma non l'ho fatto. Voglio che sia la giustizia a occuparsi di questi uomini, con calma. Il primo doveva morire: non c'era nessun'altra soluzione pratica. Il secondo ha un fianco frantumato e una coscia polverizzata. E non andrà da nessuna parte.

E, stupida che non sono altro, penso di aver finito. Qui Lev sarebbe ancora attivo, pronto a ricaricare la pistola, a prendere l'iniziativa. Io invece mi metto a pensare: grazie al cielo, ho finito.

Quasi.

Il terzo signor Kaliningrad si precipita giù per le scale con la pistola spianata, pronto a uccidermi. Non mi ammazza solo perché rimane un attimo perplesso. Forse si aspettava un uomo, o come minimo qualcuno con dei vestiti decenti addosso. E invece trova cinque donne seminude e gli ci vuole un attimo di troppo per capire chi di loro ha sparato ai suoi amici.

Lui spara. Io sparo.

L'aria è saturata dal suono dei colpi. Più che dal rumore sono frastornata dallo spostamento d'aria. Come se un disastro naturale – un'alluvione, un uragano, un terremoto – fosse stato tradotto in suono e compresso in questo stretto varco di spazio e di tempo.

Non capisco neanche cosa stia succedendo.

Non lo capisco finché il cane della mia pistola non fa click, click, click. A vuoto.

Non lo capisco finché non mi accorgo che l'uomo a cui stavo sparando ha una mano frantumata, una spalla frantumata e un paio di ferite tra il polmone e il rene. Non sta sparando, non è in piedi. E non si muove neanche molto, a parte l'attività della mano buona, che continua a tastare diverse parti del corpo per poi allontanarsene rossa di sangue. Lui è inorridito.

Per tutto il tempo che ho sparato, ho creduto che anche lui mi stesse sparando. Devo controllare il mio corpo, con gli occhi e con le mani, per convincermi di non essere stata colpita. Mi rendo conto che, grazie al mio minuscolo vantaggio, grazie al fatto che io avevo un bersaglio chiaro e l'uomo è rimasto confuso dovendo scegliere tra cinque, lui non ha sparato neanche un colpo. Capisco tutto questo mentre sono sopra di lui, e guardo il sangue zampillare fuori dalla sua pancia pulsando al ritmo del cuore.

Il mio cervello comincia a ingranare. Il mio momento di trionfo è finito. Sento dei passi sopra di me correre a più non posso lontano dal faro.

Ammanetto i due uomini feriti e li lego l'uno all'altro. Tento di ricaricare la pistola, ma le mani mi tremano così tanto da non riuscire a farlo. La lascio lì, afferro quella del russo, che se ne sta per terra inutilizzata, e scappo via anch'io. Passo di corsa davanti a Fletcher. Giù per le scale e fuori dalla casa. Esco dal cancello, che è stato aperto e adesso si sta spalancando.

Devo trovare il sentiero della scogliera.

Non corro veloce, non faccio uno scatto per raggiungerlo. Non sono abbastanza in forma da scapicollarmi e poi riuscire a combinare qualcosa di utile al momento opportuno. Un paio di volte, quando la visuale si amplia, vedo un uomo che corre davanti a me. Jeans e maglietta. Non ha una pistola, penso, altrimenti non correrebbe.

Il terreno sotto i piedi non è poi così sfavorevole. È abbastanza secco e il sentiero è tracciato. Ma non è piano: le pietre e le radici di ginestra sporgono, c'è della melma dove prima c'erano le pozze, e delle curve improvvise. Devo tenere gli occhi sul viottolo, per cui riesco a guardare davanti a me meno di quanto vorrei.

Supero una curva e mi ritrovo faccia a faccia con l'uomo.

Che mi aspetta.

Non ha in mano una pistola, ma un'ascia. Presa dalla catasta di legna al faro, immagino.

Sollevo la pistola e sparo.

Non succede niente. Manca il proiettile nella camera di scoppio. Premo di nuovo il grilletto ma non succede niente. A parte premere il grilletto, non so cos'altro fare.

Se avessi più tempo, mi metterei a sedere con la pistola in grembo e capirei. Non dev'essere un aggeggio tanto complicato, questa pistola. Devo solo impararla a usare.

Ma non ho tempo. Lo so io e lo sa l'uomo. Getto la pistola lontano, nel campo dietro di me, per privare il mio avversario di un'arma che lui presumibilmente sa usare. Ma non è una grande vittoria.

L'uomo sorride. Non è né rapido né subdolo nel suo trionfo. Pensa: ce l'ho in pugno, la stronza, e me la posso prendere comoda. Me la prendo comoda e mi diverto.

Tira indietro l'ascia. È un oggetto con un manico lungo, non un'accetta. La testa e l'impugnatura sono tra il marrone e il grigio, un tono a metà strada fra il legno e la ruggine. Il sole è nascosto dietro l'uomo e l'ascia, perciò lui è solo una sagoma e la sua ombra disegna il proprio doppio sull'erba.

All'improvviso capisco: lui è Sikorsky. Non è scappato. Non è in Polonia né in Russia. È qui nel Pembrokeshire a portare a termine il suo incarico.

Penso: io sarò stupida, ma tu sei ancora più stupido di me.

Questa è una cosa che mi ha insegnato Lev: la diffidenza nei confronti delle armi a manico lungo. In mano sembra funzionino, ma impiegano troppo tempo a colpire. Quando le brandisci, ti esponi. È facile schivarle, per me. A noi lottatori piccoli manca la forza, ma ci muoviamo più veloci. E in questo preciso istante preferisco essere più veloce che forte.

È il momento di Sikorsky e glielo lascio godere. La testa dell'ascia alta nel sole. Una donna mezza nuda davanti a lui. Una bella giornata per uccidere.

«*Zdravstvuite*, Karol» dico con gentilezza.

Lui brandisce l'ascia. È un movimento troppo esplicito. Troppo ampio e troppo lento. Mi sposto su un lato e allontano il manico dell'arma con un braccio. Allo stesso tempo gli do un calcio su uno stinco. Più forte che posso. Più forte di quanto abbia mai fatto.

Non è la mossa migliore. Un bel calcio sulla rotula probabilmente lo avrebbe messo fuori uso. Ma non è possibile mancare uno stinco, e in questo momento agisco in modo da minimizzare i rischi. Gli stivali che indosso oggi sono quelli che Lev ha adattato per me. Hanno la punta d'acciaio. Sono stivali da cattivi.

Il russo scopre cosa significhi soffrire e per un paio di secondi è fuori combattimento.

Ho tutto il tempo che serve.

Un calcio forte sull'altro stinco lo mette in ginocchio. A quel punto ho via libera verso i testicoli, e sferro il calcio. Sikorsky cade verso di me, con il mento in avanti, e gli affibbio una pedata anche lì. Adesso è a terra e si lamenta, per cui gli rifilo un calcio su un lato della testa. Un calcio davvero forte. La punta d'acciaio dello stivale si abbatte sul cranio. La testa balza di scatto all'indietro e uno spruzzo di sangue crea dei disegni nella luce del sole.

Immagino Lev che si congratula con me per questo calcio.

Sikorsky si contrae spasmodicamente e poi si ferma. Non è

morto, respira ancora, ma ha delle bolle di sangue su un angolo della bocca.

Non so bene cosa fare adesso. Non ho le manette con me. Il telefono è rimasto al faro. Sikorsky è ferito, ma si riprenderà. Non posso permettermi di fargli raggiungere la barca.

Scruto oltre la scogliera. Soffro un po' di vertigini, ma neanche tanto, e in ogni caso queste sono circostanze speciali. La scogliera non è molto alta, al massimo centocinquanta metri, e si apre di una settantina di gradi rispetto alla verticale.

Bene.

Do a Sikorsky un altro energico calcio in testa. Non ha senso correre rischi. E lo spingo con violenza giù dalla scogliera. È tutto un po' improvvisato, ma l'improvvisazione è la mia carta vincente. Sikorsky rotola giù come un sacco di patate avvolto in un tappeto, rimbalza inerte come un pallone sgonfio. Non riesco a vedere in fondo alla scogliera, per cui non so cosa succeda laggiù, e nemmeno sento niente. Sono mezza sorda per via della sparatoria di prima. Non percepisco neanche l'infrangersi delle onde.

Sono stanca adesso. E ho una sete incredibile.

Mi trascino nel campo dietro di me e trovo la pistola. Mi rendo conto che va tirato indietro il cane per caricare i proiettili. Visto? Lo sapevo che non ci sarebbe voluto molto a capirlo.

Il tragitto di ritorno verso il faro mi sembra lungo mille chilometri, e avverto il peso di ogni centimetro. Nonostante la maglietta, mi sento completamente nuda.

Non mi piace la violenza. So di averla studiata, di averne indagato le oscure e imprevedibili arti, ma non mi piace. Quello che ho fatto mi disgusta. Quello che è successo qui è disgustoso.

Quando arrivo al faro, non riesco a entrare subito. Nella casa dell'orrore. Davanti agli occhi muti e repellenti di Fletcher.

Per un minuto, forse due, mi siedo sui gradini di pietra e mi lascio andare. Non pratico in modo consapevole gli esercizi per la respirazione, ma queste cose ormai sono diventate parte di me e a volte le faccio senza accorgermene. *Inspiro*, due, tre, quattro, cinque. *Espiro*, due, tre, quattro, cinque. Il battito del cuore rallenta. Mi sento più calma. Noto che è una bellissima giornata, un bellissimo posto. Erba rasata, pietra calcarea ricoperta di licheni e l'infinito mare ceruleo.

Da quando ho parcheggiato la macchina sul ciglio della strada sopra il faro, non ho percepito alcuna distanza fra me e i miei sentimenti, proprio nessuna. Prima d'ora non ero mai stata me stessa così tanto e così a lungo.

Inspiro, due, tre, quattro, cinque. *Espiro*, due, tre, quattro, cinque.

Poi mi trascino dentro. In quel luogo cupo dove alberga così tanta crudeltà.

Fletcher è vivo, ma ha perso conoscenza. Sembra abbia smesso di sanguinare, per cui scelgo di non spostarlo. Non mi fido delle decisioni che potrei prendere adesso. Chiama gli addetti ai lavori perché siano loro a occuparsi della situazione.

Scendo giù, evitando di calpestare i due uomini semicoscienti e scansando quello morto.

Le donne mi fissano. Non sanno di essere state salvate. Magari non sanno neanche che stavano per essere uccise. In ogni caso, visto quello che hanno passato, la loro salvezza deve ancora venire. Magari non la troveranno mai. Janet Mancini non l'ha mai trovata. Stacey Edwards non l'ha mai trovata. Non serve a nulla vivere in un mondo in pace, se la tua testa è in guerra con se stessa.

Non trovo le chiavi per liberarle, ma in ogni caso adesso non è questa la priorità. Controllo i due uomini in manette. Non sono in forma, ma sono vivi, e io non ho voglia di prestargli i primi soccorsi. Trovo i miei vestiti e il mio telefono. Non c'è segnale in cantina per cui torno fuori sulle scale. Chiamo Jackson.

Inizia a strigliarmi perché sono sparita senza chiedergli il permesso, ma io lo interrompo. Gli dico dove sono e cosa ho trovato.

Gli dico che c'è un uomo morto e altri quattro che forse saranno morti, o forse no, prima dell'arrivo dei soccorsi.

Gli dico della barca.

«C'è almeno una donna sopra, ma suppongo ce ne siano altre, forse addirittura sei. Sono praticamente sicura che le stavano portando nel Mare d'Irlanda per buttarle in acqua. Servono le navi della Guardia costiera per avvicinarsi via mare. L'ideale sarebbe un elicottero e dei sommozzatori pronti a recuperare le prove nel caso che a bordo cerchino di disfarsene. Se trova dei franchi tiratori da qualche parte, magari potrebbe portarli.»

Jackson, benedetto uomo, mi prende alla lettera. Mi crede. Mi dice di rimanere in linea – l'ho chiamato sul cellulare – e lo sento gridare ordini dal telefono fisso per organizzare l'operazione. Di tanto in tanto si fa vivo con me. Localizzazione esatta della nave. Segni distintivi. Numero di uomini ipotizzati a bordo – non che io abbia una risposta, ma non dovrebbero essere molti. Forse solo Martyn Roberts.

È facile per me adesso. Qualcun altro prende le decisioni, porta a termine il lavoro. Apro la cerniera degli stivali e me li tolgo. Questa piccola scala di pietra crea una sorta di nicchia soleggiata e riparata dal vento. Un bel posto dove rilassarsi un po'. Io però mi rivesto. Pantaloni, maglia, stivali. Mi tornano in mente le munizioni nella tasca del giubbotto e le tiro fuori. Torno per un attimo dentro e le lascio sul tavolo nella stanza al piano di sopra. Gli do una ripulita con l'interno del giubbotto per togliere un po' di impronte e sudore, ma se ci rimane qualcosa sopra, pace.

Appoggio la pistola del russo accanto alle munizioni.

Adesso sono senza pistola. Tutta vestita, mi sento nuda.

Troppo nuda. Facendomi forza un'ultima volta affronto l'orrore, torno dentro e recupero l'arma. La annuso. Non ha sparato oggi. È probabile non abbia mai sparato in nessun posto che fornisca a quelli della balistica l'opportunità di capirci qualcosa. Di questi tempi le pistole sono aggeggi monouso. Usate una volta e poi buttate. La nostra è la società dell'usa e getta.

La pistola russa è più grande della mia, ma non troppo. Non così grande da non essere maneggevole. Mi piace la sua massa, il peso più consistente, l'assenza di compromesso. È una pistola da adulti.

Mi domando cosa farne.

Consegnarla ai bravi ragazzi che stanno per arrivare. È questa la risposta che sarebbe venuta in mente a qualsiasi poliziotto.

Tenerla io. La risposta che d'istinto preferisco. Mi piace avere una pistola. Dormo meglio insieme a lei. Mi sento completa all'idea di possedere un'arma e di sapere come usarla.

Ma è stata una giornata complessa, e anche queste domande mi sembrano di una complessità tale che adesso non riesco ad affrontarle, per cui rinuncio. Nel campo oltre il faro c'è un piccolo ovile di pietra. Un ovile vecchio, a quanto sembra, a ridosso della collina. Entro nel capanno dov'è accatastata la legna e frugo finché non trovo un vecchio sacco di fertilizzante. Lo prendo e ci avvolgo la pistola, raggiungo di corsa l'ovile e – dopo aver infilato la pistola nel sacco – la nascondo sotto un cumulo di pietre sul retro. Sporge un po', ma sembra un vecchio rifiuto di plastica. Un buon posto dove tenere una pistola.

Allontanandomi dall'ovile sento un elicottero che sorvola la collina e scorgo due lance che arrivano da St. Ishmael cavalcando rapidamente le onde. L'elicottero ha il portellone laterale aperto e due tiratori armati di fucile che guardano fuori.

Bel lavoro, Jackson. E anche rapido. Mi torna in mente che, non lontano da qui, c'è una base dell'aeronautica militare. Senza dubbio sono il loro elicottero e i loro tiratori. La chiamata di Jackson li avrà resi felicissimi.

Dietro di me sento delle sirene. Auto della polizia, ambulanze, uomini in gamba che sanno come affrontare il caos che ho contribuito a creare. Sono i benvenuti.

Quando alla fine arrivano, io sono seduta sugli scalini di pietra e tremo, tremo, tremo.

46

Una delle cose migliori del Galles, a dire il vero di tutta la Gran Bretagna, è la bravura dei suoi poliziotti. Fra di loro trovi qualche farabutto, ovviamente, e diversi idioti, ma per granitico buon senso, generosità e incorruttibilità, datemi sempre e comunque un poliziotto britannico.

Dennis Jackson mi sta facendo bere una tazza di cioccolata calda zuccherata in un bar di Haverfordwest. Ha ordinato per me pane tostato e fagioli, perché è convinto che io abbia bisogno di mangiare. Io faccio del mio meglio.

«Quattro donne a bordo» mi dice, e poi si ferma. «Non so se ti va di sentirne parlare adesso, ma dopo quello che hai già visto oggi, tanto vale che tu lo sappia, suppongo.»

Io annuisco.

«Quattro donne. Nessuna di loro parlava inglese. Avevano del nastro adesivo sulla bocca, le mani legate con dei cavi dietro la schiena e un blocco di cemento incatenato alla caviglia. Stavano per portarle in mare aperto…»

«Lo so.»

«Per portarle in mare aperto e…»

«Lo so.»

«Riesci a immaginarlo?»

L'ispettore capo Jackson, l'uomo dalle sopracciglia irsute e dall'atteggiamento scorbutico, non riesce a finire la frase. Non è necessario. So cosa stava per dire e so come si sente.

Credo di sentirmi così anch'io. Più o meno. Io non ho lacrime a disposizione, ovvio, e con i sentimenti non ho la stessa dimestichezza di Jackson. Eppure, in queste ultime settimane, il muro di vetro fra me e i sentimenti si è assottigliato. A volte è sparito del tutto. Non sono stata esattamente normale, ma mi ci sono avvicinata più di quanto abbia mai fatto dall'epoca della malattia. Capisco come si sente l'ispettore capo Jackson, e credo di provare qualcosa di analogo. È una sensazione triste, ma niente è così brutto come non sentire nulla.

Sono talmente orgogliosa di essere qui, a condividere lo stesso spazio emotivo di Dennis Jackson, che una parte di me vorrebbe ridere per la felicità. Sto attenta a non farlo, però. Rovinerebbe l'atmosfera.

«Non era la prima volta» dico. «Mi sa che Martyn Roberts stava facendo lo stesso serviziеtto per nuovi clienti.»

«Sì. Lo penso anch'io, penso proprio che tu abbia ragione.»

Faccio una smorfia e provo a mangiare un po' di fagioli. Mi sembrano pesanti, per cui preferisco bere un po' di cioccolata. Jackson chiede alla cameriera di portarne un'altra. Mi opporrei, se non fossi sicura che lui non ne terrebbe conto.

Ho smesso di tremare solo una decina di minuti fa.

«Immagino che un giorno vorrai raccontarmi come hai fatto a capire che era necessario cercare in uno sperduto faro del Pembrokeshire. Probabilmente vorrai anche spiegarmi come sei arrivata alla conclusione che fosse una buona idea precipitarti là da sola, invece di chiedermi di fornire le risorse adeguate.»

«Prima domanda: ho avuto una soffiata» rispondo. «Stronzate

complottiste sentite dire da una prostituta. E – quanto al motivo per cui non gliel'ho detto –, be', lei mi avrebbe risposto che erano stronzate complottiste, voci, speculazioni infondate. Ma non la biasimo per questo. E poi, l'avrebbe ottenuto un mandato di perquisizione?»

«Fiona. Sei uno dei miei agenti. Non dico che sei una delle persone più semplici che io abbia dovuto gestire, ma sei comunque parte della mia squadra. Avresti potuto farti ammazzare oggi, ed è mia responsabilità assicurarmi che non accada.»

C'è un momento di silenzio a questo punto, e io non lo interrompo. Forse mi scappa una scrollatina di spalle, ma niente di più. In ogni caso, Jackson adesso ha cambiato il corso dei propri pensieri.

«Anche se, porca miseria, Fiona, sembra che tu te la sia cavata bene anche da sola.»

Scuote la testa invece di proseguire, ma io colgo il nòcciolo del discorso. Com'è possibile che uno scricciolo come me sia riuscito a compiere uno scempio simile? Quando la cavalleria è arrivata per salvarmi, ero così grata della loro presenza – e in uno stato di shock tale – che mi ci sono voluti quasi quaranta minuti per ricordarmi di aver trovato Sikorsky, l'uomo che stavamo cercando. Quando me lo sono ricordata, e ho tentato di raccontarlo dicendo che l'avevo buttato giù dalla scogliera, tutti hanno pensato che stessi vaneggiando, e continuavano a dirmi che andava tutto bene, che era tutto sotto controllo. Alla fine ho dovuto afferrare un paio di uomini e portarli lungo il sentiero della scogliera, nel punto esatto in cui avevo combattuto contro Sikorsky. Dato che c'era un'ascia che spuntava dalle ginestre, esattamente come e dove avevo detto che sarebbe stata, e uno spruzzo di sangue nel luogo in cui avevo tirato una pedata in testa a Sikorsky, hanno dovuto prendermi sul serio. Hanno impiegato cinquanta minuti per raggiungere i piedi della scogliera, perché hanno dovuto aspettare che l'elicottero dell'aeronautica portasse loro un po' di corde e paranchi. Hanno trovato Sikorsky malridotto ma vivo, accasciato sugli scogli.

«Immagino di aver imparato qualcosa a Hendon, dopo tutto» suggerisco.

«Sai che sarà aperta un'inchiesta a tuo carico adesso? Una vasta inchiesta, con indagini della Scientifica e tutto il resto. Non mi fraintendere. Penso che tu abbia fatto un bel lavoro oggi. Se anche li avessi ammazzati tutti quanti, quei bastardi, personalmente non me ne sarei preoccupato. Ma quando un agente di polizia scarica un'arma da fuoco…»

«Lo so.»

«Si deve aprire un'inchiesta. E quando ci sono un morto e tre feriti gravi…»

«Lo so.»

«Sikorsky è in terapia intensiva. Ha riportato ferite al cranio e ha metà delle ossa del corpo rotte. Non so se…»

Se vivrà o morirà. Io scrollo le spalle e Jackson mi imita. Non ci interessa.

«Hai sparato per difesa personale.»

Metà affermazione, metà domanda, una su cui non so in disaccordo. «Sì, signore.»

«Il primo colpo, l'uomo che hai ammazzato, è stato sp̊ a di-stanza. Non ci sono tracce di polvere da sparo e la feri̇̀gresso è molto netta. Non c'è segno che quelli che ti stav̊accando abbiano fatto fuoco.»

«Mi avrebbero ammazzato, signore. Mi avr̊ ammazzato come stavano per ammazzare tutte quelle d̊ farò uno, per

«Fiona, non è un cazziatone questo. ̊

397

questa volta. Ma ti verranno fatte un sacco di domande, e tu dovrai fornire delle risposte.»

«A essere sincera, signore, non ho idea di cosa sia accaduto. Sono più un tipo logico che d'azione. Tutta questa faccenda è solo un confuso ricordo, in effetti.»

Arriva la cameriera con la cioccolata calda e me la serve. C'è un che di materno nel modo in cui me la porge. O meglio, è come se io fossi una persona diversamente abile e lei guarda Jackson per capire se sta facendo la cosa giusta.

Annuendo bruscamente, Jackson le fa cenno di andarsene. Non ha ancora finito con me.

«Solo un confuso ricordo. È carino da dire, ma...»

«Credo di aver visto una pistola sul tavolo, quando sono entrata. L'ho presa. Sapevo di essere in una situazione pericolosa.»

«Okay. E volevi impedire che i sospetti che eri andata lì ad arrestare avessero accesso alle armi. Bene. Poi sei scesa giù per proseguire le indagini.»

Fisso Jackson. Il cervello non mi funziona benissimo, deve ripartire un paio di volte, come una macchina che viene messa in moto durante una fredda giornata invernale, prima che io capisca cosa sta facendo. Jackson mi sta suggerendo le battute, mi sta facendo fare le prove.

«Sì, signore. Sono scesa giù per...» ho un attimo di confusione e non mi vengono le parole, poi però passa e continuo «per proseguire le indagini. Ho cercato di liberare le donne che ho trovato, ma erano incatenate.»

Jackson annuisce. Sto andando bene. «E non hai potuto chiedere aiuto.»

«Perché...»

Sikorsky aveva delle altre donne sulla barca. Se gli uomini di sentito le sirene della polizia, probabilmente avrebbero subito gettato le donne in mare. Dovevo fare in modo che venissero da me per poter... ehm...»

Sparare ai bastardi.

«Arrestarli» continua Jackson.

«Esatto. Per poterli arrestare.»

«Quando sono entrati in cantina, immagino che tu ti sia identificata e abbia dato loro l'opportunità di consegnare le armi.»

Lo fisso. Sta dicendo sul serio? Salve, siete i gangster di Kaliningrad, se non erro. Io sono l'agente Griffiths, praticamente il membro più giovane del dipartimento di indagini criminali del Galles meridionale. In seguito a dei tagli di budget, sono tutto quello che è rimasto della nostra squadra speciale e, per spirito di solidarietà, apprezzerei moltissimo che depositaste le armi e vi consegnaste. Poi magari, tutti insieme, diamo una ripulita a questo posto.

Jackson sostiene il mio sguardo senza battere ciglio.

«Immagino che tu abbia gridato: "Polizia", o "Abbassate le armi", o qualcosa del genere.»

«Polizia. Probabilmente ho gridato: "Polizia".»

«Bene. Hai gridato "Polizia"» dice Jackson, omettendo con cura il mio «probabilmente». E riprende: «Loro hanno alzato le armi con la chiara intenzione di sparare».

«Sì.» Questa parte è vera.

«E nello scontro a fuoco che ne è seguito, tu... cazzo, Fiona. Hai ammazzato un uomo, ne hai messi fuori combattimento altri due, e tutto senza che nessuno di loro abbia sparato un colpo.»

«Questa è la parte confusa.»

«E poi hai picchiato Sikorsky fino a ridurlo in poltiglia e lo hai buttato giù dalla scogliera.»

«Non l'ho buttato. Sembrava più un barilotto che rotolava.»

«Okay. Lo hai fatto rotolare giù dalla scogliera perché volevi continuare a proteggere le donne sulla barca. Giusto?»

«Giusto.»

«E non appena sei riuscita a neutralizzare ogni minaccia, ti sei messa in contatto con me, e noi siamo intervenuti per arrestare Roberts e bloccare la barca.»

Io annuisco.

«Almeno ci hai lasciato qualcosa da fare.» Jackson ride. «E a proposito, credo che tu abbia ragione. Credo che se fossi venuta da me con delle voci e delle ipotesi, ma senza prove sufficienti a convalidare un mandato di perquisizione, be', ti avrei detto di sloggiare.»

«Pensavo di trovare Fletcher. Magari qualche donna. Non avevo idea che ci sarebbero stati i russi. Altrimenti non ci sarei andata. Ed ero sicura di poter gestire Fletcher da sola.»

«Ti credo. C'è stata proprio una bella carneficina. Una carneficina.» Jackson ridacchia un po', poi cambia discorso. «Janet Mancini. Secondo te, l'hanno portata lì e lei è scappata? O lei l'ha scoperto in qualche altro modo?»

«Sto tirando a indovinare,» dico «ma sono praticamente sicura che il faro fosse usato solo per le merci di importazione. Credo che Rattigan debba aver fatto sesso con la Mancini, ma a Cardiff, in qualunque posto lei ricevesse di solito i clienti. Lui probabilmente era sballato e ha parlato troppo. Forse lei gli piaceva anche. Secondo me, la pura e semplice verità è che lei gli piaceva, altrimenti non gliel'avrebbe detto. Gli deve essere caduta la carta di credito nell'appartamento della Mancini e lei l'ha tenuta come ricordo. Un suo cliente, un milionario.»

«O l'ha tenuta per il suo potenziale ricattatorio.»

«O ha pensato di poterci comprare delle cose, prima di perdersi d'animo. I motivi possono essere tanti.»

«Peccato che lui non sia vivo» dice Jackson. «Sarebbe bello mandarlo in prigione, no?»

«Sì, davvero bello.»

Provo a mangiare un'altra forchettata di fagioli, ma non mi vanno giù. Jackson mi allontana il piatto, così la smetto di innervosirlo facendo finta di mangiare cose di cui non ho voglia.

«Fiona, se dovesse succedere di nuovo una cosa simile, dimmelo prima. Se ti sono arrivate all'orecchio delle voci, stronzate complottiste in cui credi, raccontamele e ci crederò anch'io. Niente più voli in solitario sotto la mia guida, per nessuna ragione, mai e poi mai. Hai capito?»

«Sì, signore.»

«Bel lavoro, comunque. Non so quante regole tu abbia infranto oggi e prego Iddio di non scoprirlo mai, ma hai salvato delle vite. Non ti striglierò per questo. Bel lavoro.»

Dovrei dire qualcosa, ma non riesco a pensare a niente. Poi il cellulare di Jackson squilla e lui risponde. Dà indicazioni su come arrivare al bar. Io stacco la spina, non mi sento benissimo. Mi sa che devo andare a casa a riposare. Probabilmente non dovrei guidare troppo veloce sulla via del ritorno. Sono un po' troppo assonnata per andare veloce.

Un attimo dopo, Jackson si raddrizza.

«Bene, bene. Guarda chi c'è. Il tuo passaggio a casa.»

Alzo gli occhi. È Dave Brydon che entra di corsa nel bar con il passo che lo contraddistingue, pesante e leggero, pesante e leggero sempre e comunque. Mi sta cercando, è commosso. Jackson prende le chiavi della mia macchina, promette di farmela riportare a casa da qualcuno e mi infila nell'auto di Brydon.

«Tutto a posto, amore?» chiede lui allacciandomi la cintura di sicurezza.

«Mi hai appena chiamata "amore"?»

«Sì.»

«Allora è tutto a posto. Sto benissimo.»

La pioggia che il meteorologo aveva promesso è arrivata da ovest. È uno di quei temporali in cui enormi gocce colpiscono con forza il parabrezza, la strada è ricoperta da uno strato d'acqua e anche con i tergicristalli al massimo è difficile vedere a più di una decina di metri di distanza. Ma non mi importa. Sono mezza addormentata. Sana e salva. E David Brydon mi ha chiamata «amore».

47

Un giorno e mezzo dopo. Sono in congedo e ci rimango quanto voglio. I miei unici impegni sono mangiare, dormire e rimettermi in forma. Ordini di Jackson.

Ogni tanto qualcuno della squadra investigativa viene a trovarmi per chiedermi qualcosa, e io rispondo al meglio. Ci sono cose che posso raccontare e cose che invece non posso né voglio, così rivelo le prime e taccio sulle seconde. Ci sono due indagini in corso: una è l'operazione Lohan, l'altra è interna alla polizia. È un'indagine che ha luogo ogniqualvolta un agente spara provocando la morte o gravi lesioni a terzi. Non sono nei guai – non proprio –, ma Jackson aveva ragione a farmi fare le prove. Queste cose devono essere prese sul serio.

Rispondo incespicando a ogni parola, senza però combinare nessun pasticcio. Lo shock è la mia scusa. E, a dire il vero, è più di una scusa. Ho subìto uno shock, un vero e proprio shock. «L'evento traumatico o terrificante» eccetera. È bello essere un caso da manuale una volta tanto. Devo ammettere che Lev, Axelsen e Wikipedia avevano ragione. Ho convissuto con qualcosa di traumatico da quando ho memoria. E non ho memoria di avere mai vissuto senza. Per cui sperimentarlo adesso, nel contesto appropriato e con tutto il sostegno desiderabile, è un sollievo. È un passo avanti nella mia discesa sul Pianeta Normale. Almeno stavolta ho un motivo per sentirmi strana.

Alle cinque, passa a trovarmi Brydon. Il temporale del Pembrokshire sembra aver spazzato via le due settimane di bel tempo che abbiamo avuto: fuori fa freddo e tira vento. Non ho più intravisto il sole da quella mattina ad Haverfordwest, e tengo il riscaldamento sempre acceso, il termostato fisso sui ventiquattro gradi.

Brydon ha un paio di borse della spesa – cioccolata per me, birra per lui, cibo precotto per tutti e due – ed entra di corsa. Io sono sul divano, sotto il piumone, a guardare divertita un programma per ragazzi alla tv. Raccontano la storia di un porcospino piccolo e tondo, troppo grasso per chiudersi a palla, e io voglio proprio sapere come va a finire.

Ma sono un'adulta e non ho fatto quasi niente tutto il giorno. Spengo la tv e ci baciamo. La gamma dei suoi baci continua a impressionarmi. Ottiene un buon punteggio nel settore dei baci teneri: tutti tra 8 e 9.

Chiacchieriamo un po'. Dave mi racconta come sta proseguendo l'operazione Lohan. Non è più un'indagine vera e propria, ma un'enorme operazione di pulizia. Dato quello che abbiamo trovato, nessun magistrato rifiuterà a Jackson i mandati per perquisire quel cavolo che gli pare. La Scientifica sta mettendo sotto sopra il faro, stanno cercando di individuare tutti i clienti che lo hanno frequentato e hanno lasciato tracce genetiche. Stanno rivoltando anche la tenuta di Cefn Mawr. Quasi sicuramente là non troveranno niente, mi diverte però pensare come sarà entusiasta Miss Ostruzionismo. Spero sappia che è dipeso da me. Mi dispiace però per Charlotte Rattigan. Non è il mio tipo di donna, ma anche lei è una parte lesa. L'ennesima di una lunga lista.

Per quanto riguarda le donne del faro, ciascuna è sottoposta a una terapia di riabilitazione individuale. Tra le persone che se ne occuperanno c'è anche Bryony Williams. Parallelamente, vengono mostrate loro delle foto in modo che possano identificare gli uomini che le hanno violentate. Sarà un processo lungo e faticoso, con tante foto e tante domande.

Ho detto alla squadra investigativa che so per certo che l'onorevole Piers Ivor Harris è uno degli uomini coinvolti. È una bugia. Credo che abbia ragione Penry quando dice che Harris doveva sapere dell'innocente hobby di Rattigan. Lo sapeva e ha taciuto. Ma né io né lui abbiamo modo di sapere se fosse personalmente coinvolto, e io ho fatto il suo nome solo perché voglio spaventarlo e incasinargli la vita il più possibile. Se trovano un collegamento fra Harris e il faro, tanto meglio. La stessa cosa vale per qualsiasi altro legame fra gli amici di Rattigan e il faro. Tutti quelli che hanno messo piede in quel posto senza denunciarlo alla polizia dovrebbero passare il resto della loro vita in carcere.

Non assolvo nemmeno Penry. Il suo silenzio è stato fatale come quello di tutti gli altri. I peccati di omissione sembrano meno gravi, ma hanno comunque voluto dire nastro adesivo e blocchi di cemento al largo del Mare d'Irlanda. Solo due cose rendono Penry leggermente migliore degli altri. La prima è che mi ha giurato di non sapere niente degli omicidi. Era a conoscenza del traffico di donne, del sesso violento, dei ceffoni e anche di peggio. Dice però che non sapeva del resto. Gli credo. La seconda è che almeno mi ha spinto, a modo suo, a cercare le risposte giuste. Tra tutte le persone coinvolte, Penry è stato l'unico che ha cercato di fare qualcosa.

Se durante le indagini si scopre il ruolo di Penry e lui viene messo dentro – cioè a prescindere dall'appropriazione indebita –, ne sarò contenta. Sarebbe la conclusione giusta, meritata.

Ma non farò niente perché questo accada. Penry mi ha aiutato e non ripagherò il suo aiuto con una soffiata. *Chi tra di voi è senza peccato scagli la prima pietra.* Siamo entrambi peccatori, io e lui.

Brydon e io chiacchieriamo, ma a volte ammutoliamo di colpo. Non abbiamo ancora fatto l'amore, anche se ci stiamo avvicinando. Non voglio fare l'amore in stato di shock. *Noi* non vogliamo. Io e Brydon. Il mio ragazzo.

Per cui ci baciamo, ci coccoliamo e chiacchieriamo, ma dopo un po' di tempo mi accorgo che lui comincia a essere teso. Com'era dopo il funerale.

Gli chiedo cosa c'è che non va. Lui risponde nulla e io dico che invece qualcosa c'è. Qualunque cosa sia, è meglio che la tiri fuori.

Fa un respiro profondo, poi sospira, si alza e si mette a camminare.

È proprio un tipo irrequieto, il signor Brydon. Un labrador: se non ha fatto abbastanza movimento non riesce a stare fermo. Magari dovrei comprargli un osso di gomma con cui giocare. E qualcosa per mantenergli il pelo lucido.

Cominciamo tutti e due a parlare insieme.

«Senti, Fi, io non volevo…»

«Hai mai avuto dei cani da bambino?»

Sono io la donna, per cui la mia domanda ha la meglio sulla sua.

«Abbiamo sempre avuto dei labrador. Labrador neri.»

«Ce n'era uno che era il tuo preferito?»

«Oddio, questa sì che è difficile. Volevo bene a tutti, ma suppongo più di tutti a Buzz. È quello che abbiamo preso quando io avevo otto o nove anni. Era il mio miglior amico all'epoca.»

«Buzz? Buzz.» Provo a ripeterlo. Funziona. «Ti chiamerò Buzz. Non mi piace Dave, scusa.»

«Buzz? Va bene. Era formidabile, davvero.»

«Allora, Buzz, hai qualcosa da chiedermi?»

«Senti, è una stupidaggine, ma mi ha dato fastidio. L'altra sera, lunedì, la sera prima del funerale, dovevamo vederci, ma tu hai detto che non potevi perché venivano a cena da te i tuoi genitori. Ho pensato di chiamarti, per vedere se ti andava che passassi dopo, magari per una birra. Al fisso non mi hai risposto. Io ero in zona, perché ero uscito con un amico ed eravamo in un bar qui dietro l'angolo, in Pentwyn Drive. Forse non avrei dovuto, ma sono passato da casa tua. Luci spente, niente macchina. Neanche un'anima. Niente di niente.

«E a quel punto mi sono preoccupato. Non so perché. Non sono – cavolo, Fi, di solito non sono geloso. Né paranoico. Ma ero preoccupato. Sapevo che eri stata all'obitorio con Hughes e sono andato là a cercarti. Non so per quale motivo di preciso. Come ti ho detto, non è da me. Ma la tua macchina era lì. Nel mezzo di quel dannato parcheggio. Molto lontano da una festa di famiglia, cavolo. E molto tempo dopo che avevi finito con Ken Hughes.»

Conclude. Lo imbarazza aver curiosato, ma vuole anche una risposta. Se ne merita una.

Il mio primo istinto è rifilargli una balla, inventare una storia, escogitare qualcosa. Sono duttile e creativa. Lo potrei fare senza problemi. Ma Brydon – Buzz – adesso è il mio ragazzo, e il tuo ragazzo si merita di meglio. È arrivato il momento delle spiegazioni.

Non so da dove cominciare.

Ho paura di dire qualsiasi cosa.

Mi ritrovo da sola con la verità e non so cosa fare. Potrei semplicemente provare a tirarla fuori, la verità nuda e cruda, e confidare nel fatto che Buzz, il mio nuovo ragazzo, non ne sarà sconvolto. Potrei fare così. Potrei farlo adesso.

Insicura, comincio con molta delicatezza.

«Da adolescente sono stata malata. Lo sapevi?»

Lui annuisce. Lo sa. Lo sanno tutti.

«Lo sai...? Non so se nessuno ha idea di quale fosse la mia malattia. Non so quali voci circolino in ufficio.»

«Nessuna voce, Fi. Ho sempre ipotizzato che fosse stato una specie di esaurimento nervoso. Non sono affari miei e in ogni caso ormai appartiene al passato.»

Sorrido. «Appartiene al passato.» È quello che dice la gente sana quando parla di queste cose, e non c'è nessuno al mondo più sano del sergente David «Buzz» Brydon.

«Ti metti a sedere?» dico. «È difficile parlare con qualcuno che cammina avanti e indietro così.»

Si siede davanti a me. Ha un'espressione matura, seria.

«Grazie. Sì, una specie di esaurimento nervoso, esatto. Era un tipo speciale di esaurimento nervoso. Speciale a tal punto da avere un nome. Gliel'ha dato Cotard, il dottor Jules Cotard. *Le délire de négation*. La sindrome di Cotard.»

Brydon mi fissa, con aria cupa, senza giudicarmi. So che non ha idea di cosa sto parlando, ma adesso ci arrivo.

È difficilissimo.

«È una sindrome che dall'esterno sembra buffa, ma non lo è per niente per chi ne soffre. È uno stato di continuo delirio. È molto più di un esaurimento nervoso. Deliravo nel *vero* senso della parola. Ero pazza.»

Brydon annuisce. Non è impaurito, non sputa sentenze. So che se lo incoraggiassi, mi ripeterebbe che la cosa appartiene al passato, ma io voglio continuare a parlare prima di perdermi d'animo.

«Il motivo per cui il dottor Jules Cotard è riuscito a individuare questa sindrome è perché era particolarmente strana. In una forma lieve, i pazienti soffrono di disperazione e di disprezzo di sé, ma la forma di cui ho sofferto io non era lieve, per niente. Non mi sono fatta mancare nulla. Nella forma grave i pazienti nutrono la convinzione delirante che non esistono, che il loro corpo è morto o in putrefazione.»

Voglio fermarmi qui, ma guardando la faccia di Brydon vedo che non ha capito. Credo che, ascoltando le mie parole, nessuna persona normale avrebbe capito.

Faccio un respiro profondo.

Dillo, Griffiths, dillo ad alta voce. Dillo a questo bravo ragazzo che ti è seduto davanti. Raccontagli tutto e dagli fiducia: le cose andranno bene.

E così glielo racconto.

«Buzz, per due anni ho creduto di essere morta.»

Silenzio.

Un lungo, lunghissimo silenzio.

Forse devo iniziare a preoccuparmi di non avere più un ragazzo. Di essere spedita alla più vicina stazione missilistica del Pianeta Normale e di essere lanciata di nuovo nello spazio da cui sono venuta. Ho la sensazione che né io né lui sbattiamo le palpebre da un'eternità.

«Cosa mi stai dicendo? Che l'altra sera eri lì? All'obitorio?»

Io annuisco. «Insieme a Janet e a April soprattutto. Le Mancini. Ma anche insieme a Stacey Edwards, a dire il vero. Nel reparto autopsie.»

Brydon allunga un braccio verso di me. Adesso siamo tutti e due sul divano, io appoggiata su un bracciolo, lui sull'altro, piedi e gambe intrecciati nel mezzo. Mi prende la mano e comincia a parlarmi con il tono di voce che la gente riserva ai pazzi. Nessun problema. Ci sono persone in grado di aiutarti. Non sarà più com'era prima.

Lo interrompo. Il suo errore è inevitabile, lo avrebbero fatto tutti, ma la cantonata che ha preso mi fa ridere.

«No, no. Non mi sento pazza adesso. So cos'è la pazzia e non c'entra nulla con la mia presenza all'obitorio. Di rado mi sono sentita così viva.»

Questa è la mia logica. Per me ha senso, ma non sono mai stata molto ferrata nella normale logica umana e stasera ho perso del tutto la bussola.

«Hai passato la notte con tre cadaveri, tutte donne uccise, e...»

Alzo una mano. È il momento di fermare qui la cosa. «Buzz, devo chiederti un po' di comprensione. Ascoltami bene e fino in fondo. Da quando sono guarita – be', in realtà non funziona così. La sindrome di Cotard recede ma non scompare mai del tutto. Non che lo ammetterei con il mio strizzacervelli, però è così. E so che prima o poi potrei avere una ricaduta. È la paura che mi ha accompagnato ogni ora di ogni giorno che ho vissuto da quando sto meglio.»

«Il tuo strizzacervelli? Sei ancora...?»

«Non proprio. Mi è stato assegnato un consulente, semmai dovesse succedere qualcosa. Dovrei andarci a fare una chiacchierata ogni tanto, ma non ci vado. Da anni.»

«E l'altra notte, all'obitorio...?»

«L'altra notte non è stata una cosa ponderata, ho seguito l'istinto. Ho sentito il bisogno di stare con i morti. Non c'erano solo le Mancini, c'erano...» Sto per raccontargli di Stacey, Edith e del signor Buontempone, quando mi accorgo che probabilmente mi spingerei troppo oltre, per cui mi trattengo. «C'erano anche altri cadaveri. Sai, per te sono morti, estranei. A te dà fastidio che il loro cuore abbia smesso di battere e che gran parte dei loro organi non esista più.

«Per me sono solo persone. Sono morte, sì, ma sono stata morta anch'io. Li trovo una compagnia piacevole. Sono semplici, sereni, piacevoli. A essere sincera per me è più facile andare d'accordo con loro che con i vivi. Lo so che ti sembra strano, ma tu non sei come me. Nessuno lo è.»

«C'è niente...? Oddio, Fi, che sia vero o meno, dimmi che non c'è niente di strano in tutto questo, ti prego.»

Lo guardo a bocca aperta. Non so cosa intenda, per cui provo a indovinare cosa chiederebbe un normale essere umano in un momento simile. Poi capisco. «Niente di sessuale? È questo che volevi dire?»

Lui annuisce, contento che non lo abbia obbligato a dirlo.

«Non c'è niente di sessuale, neanche il più piccolo, lontano e vago accenno. Ai morti non interessa il sesso. Non è uno scherzo. Non ci interessa. Voglio dire, non mi interessava quando ero malata da adolescente e a loro non interessa adesso. Sono... sono semplicemente morti.»

«Okay. Fammi capire bene. Bloccami se sbaglio.»

Concordo. L'atmosfera è più leggera adesso. Non sono molto lucida, ma so che ho detto la cosa peggiore – la cosa grossa, la cosa sulla sindrome di Cotard – e Brydon non è saltato su dal divano. È ancora qui. Non ha mollato. Questo non significa che sono al sicuro, lo so, ma il peggio è passato.

Ascolto Brydon che tenta di riassumere il mio riassunto.

«C'era una volta un dottore. Il dottor Cotard» comincia.

«Esatto.»

«Ha dato il nome alla sindrome di Cotard.»

«Giusto.»

«Per due anni hai avuto la sfortuna di soffrire della suddetta sindrome.»

«Per due anni più o meno. I morti non si preoccupano granché del tempo.»

«Okay, per due anni circa. Poi sei stata meglio. O un po' meglio.»

«Sì.»

«Qualche... non saprei cosa, qualche attacco di panico, magari? Niente che tu non riuscissi a gestire.»

«Esatto.» Non del tutto a dire il vero. I primi tre anni dopo la «guarigione» sono stati terribili. Gli anni di Cambridge sono stati i peggiori, con il fantasma della mia morte che faceva capolino da ogni finestra buia. Non mi va neanche di ripensarci. Mi sembrano addirittura peggiori dei due anni di malattia.

«Dopo di che ti sei ritrovata per questioni di lavoro in un obitorio.»

«Insieme all'ispettore Kenneth Hughes, impegnato nell'operazione Lohan.»

«Precisamente. E… non so. Aiutami in questa parte. Avevi bisogno di stare con dei morti. Perché?»

«Non lo so. Se lo sapessi, te lo direi. Forse perché mi sentivo abbastanza sicura. Mi sentivo sufficientemente viva da azzardarmi a stare con dei morti. Ha senso? Io ero viva, loro morte, abbiamo passato insieme un po' di tempo. E sono stata bene. Per la prima volta da quando ho quattordici o quindici anni, la sindrome di Cotard non c'era più. Era sparita.»

All'improvviso mi accorgo che la faccia di Brydon è commossa. C'è più emozione in lui di quanta ne senta io stessa.

«È sbalorditivo, Fi. Se è vero, è fantastico, cavolo.»

«Non so se è vero. Come ti ho detto, non è una malattia da cui si guarisce. Non credo che guarirò mai.»

«Be, non rovinare tutto ora. Mi avevi convinto.»

«È stata una bella serata. Davvero.»

Brydon annuisce. Quante persone al mondo potrebbero ascoltare tutto questo ed essere ancora accoglienti? Al di fuori della mia famiglia e degli psichiatri, Brydon è la prima persona a cui io abbia mai raccontato della mia malattia.

«Cosa sentivi, Fi? Com'è possibile che una persona pensi di essere morta?»

«Non te lo so proprio spiegare. Suppongo di aver avuto dei pensieri. Il mio cervello era ancora in grado di funzionare, ma non provavo nessun sentimento, nessuna emozione. Non sentivo affatto il dolore. Il contatto umano era strano per me, una sorta di torpore. Non sentivo nulla. Perciò cosa dovevo pensare? In un modo un po' bizzarro, credermi morta non era poi tanto sbagliato. Voglio dire, non ero viva. Non realmente. Non nel modo in cui lo sei tu adesso.»

Brydon assimila il tutto.

«Però, cazzo!» dice alla fine.

Prendo il suo avambraccio e glielo mordo, abbastanza forte da lasciare il segno. «Si è morti quando non si sentono cose del genere.»

«Ah-ah. E quanto ti senti morta oggi?»

Mi morde il braccio, con delicatezza.

La piccola incomprensione che c'è stata fra noi sparisce del tutto, è difficile ricordarsi che sensazione dava. La faccia di Brydon è di due tonalità più luminosa. Io mi sento diversa, come se avessi perso peso, se fossi più leggera.

Non succede subito. Non succede in un modo brutto, frettoloso o inappropriato, ma nel giro di qualche minuto iniziamo a coccolarci, le coccole si trasformano in preliminari e i preliminari si trasformano nel fare l'amore. *L'amore. Da fare.*

Non lo facciamo sul pavimento, ma sul divano. E non è appassionato, pieno di morsi e senza parole come me lo ero immaginato. È tenero, coinvolgente, sincero.

Ho detto la verità e stiamo facendo l'amore.

Ho detto la verità sulla mia malattia e siamo distesi sul mio divano a fare l'amore.

Non riesco a credere di essere così fortunata.

Quando abbiamo finito, ridiamo e mangiamo cibo precotto. Brydon beve birra e io ne prendo dei minuscoli sorsi dalla sua lattina. «Buzz» dico strofinando la testa sul suo torace nudo. «Buzz, Buzz, Buzz.»

Con la mano libera lui mi accarezza la testa e il collo. Soffoca un rutto e dice: «Scusa».

Ci coccoliamo, quasi sempre in silenzio, per mezz'ora o forse più. Brydon è adorabile, ma io intuisco che è sconcertato dalla sindrome di Cotard. Non lo biasimo. Lo sarebbero tutti. Non è una bazzecola per nessuno. E poi forse non lo aiuta pensare che due giorni fa la sua nuova ragazza ha ucciso una persona e ne ha messe fuori uso altre tre. Non sono le classiche strategie femminili di conquista.

«Buzz» dico. «Mi sa che hai bisogno di una serata libera. Di tempo per te stesso. Di ripensare a tutto quello che ti ho detto, sono tante cose da assimilare. Lo so e non ci sono problemi per me.»

Lui comincia a protestare, io però non voglio sentire ragioni e nel giro di poco Brydon capisce che quello che sto dicendo ha senso. È carino il modo in cui lo fa, ma è felicissimo di andarsene.

Lo accompagno alla porta.

C'è un'altra cosa che ho pensato di dire. Per poco non lo faccio davanti al portone, ma mi trattengo. Solo quando Brydon è in macchina, mi saluta con la mano, si allontana lungo la strada e sparisce alla vista, mi permetto di dirgliela.

«E, mio caro Buzz, c'è un'altra cosa. Mi sa che mi sto innamorando di te.»

Suona talmente bene che lo ripeto.

«Mi sto innamorando di te.» Le più belle parole sul Pianeta Normale.

48

Ho quasi finito tutto quello che c'è sulla mia lista di cose da fare. Ma non ancora. Manca una telefonata.

Chiamo. Mamma e papà sono a casa. Ripeto a mamma tre volte che ho già mangiato, poi vado a trovarli.

Che strana sensazione, questa. Ci sono state tantissime varietà di stranezza nelle ultime settimane, ma questa è completamente nuova. *Anticipazione*. Ecco come la chiamavano gli strizzacervelli quando si avventuravano nei loro elenchi di sensazioni. *Anticipazione, Fiona. Stai prefigurandoti un evento del tuo futuro. Non sai ancora come andrà a finire. Esiste una gamma di possibili risultati. Alcuni positivi, alcuni negativi, alcuni misti. La sensazione associata a questo stato è definita «anticipazione».*

Anticipazione, dottore. Credo di aver capito. Ma posso verificare con lei per essere sicura di aver afferrato bene il concetto?

Certo, Fiona. Siamo qui per aiutarti. Lancia un'occhiata entusiasta all'infermiera.

Allora perfetto, dottore, le riassumo la situazione. Nelle ultime tre settimane, o giù di lì, ho lavorato al caso di una bambina di sei anni a cui è stata schiacciata la testa con uno di quei giganteschi lavelli squadrati. Ha capito quali intendo? Probabilmente ne ha uno anche lei in cucina. Quelli stile country. Di lusso. Comunque, la bambina aveva la parte superiore della testa fracassata da un enorme pezzo di ceramica che le aveva lasciato solo la bocca per sorridermi. E mi sorrideva eccome! Per gran parte delle ultime tre settimane ho avuto la foto della bambina sulle pareti di casa mia o sul salvaschermo del pc, o su tutti e due. Mi perseguitava, si potrebbe dire, ma era una persecuzione molto gradevole. Mi piaceva. La cercavo, in effetti. E tanto per essere chiara, era la bambina morta che mi perseguitava. Ho paura a dirlo, ma la bambina viva non mi è mai interessata granché. Fin qui mi segue?

Tirato. A denti stretti. *Sì. Sì. Stavamo parlando dell'anticipazione, Fiona. Una sensazione che si ha nel presente su un evento futuro.*

Ci arrivo, dottore. Non si può andare di corsa in queste cose. Ora, mi sembrava che la bambina morta avesse qualcosa da insegnarmi ma io non capivo cosa, allora ho deciso di passare una notte insieme a lei all'obitorio. Quello grande, all'ospedale universitario.

Una notte intera? All'obitorio? Tono scioccato. L'infermiera si accosta a poco a poco alla porta e al grosso pulsante rosso d'allarme. *Ti prego di concentrarti sul punto del discorso. Stavamo parlando dell'anticipazione. Volevi verificare se avevi afferrato bene il concetto.*

L'obitorio, dottore, dove tengono i morti. Perché? Le danno fastidio i morti? Le provocano delle sensazioni sgradevoli con le quali fa fatica a confrontarsi? Forse dovrebbe trovare qualcuno con cui parlare di questo. Ad ogni modo, ho passato la notte con lei e sua madre – anche sua madre è morta. L'avevo già accennato? Aveva capelli splendidi, ramati, e una pelle incredibile –, e ho imparato una cosa molto interessante. Una cosa di cui devo parlare con i miei genitori. È buffo, ma credo che quella conversazione possa alterare completamente il modo di interpretare la mia storia personale. Forse in senso positivo, forse no. Ci potrebbe anche essere – come lo ha definito lei? – un risultato misto. E quindi ho una sensazione dentro di me adesso – una sorta di smania, frenesia, nervosismo, agitazione – e penso di poterla definire anticipazione. Crede sia la parola giusta? Sembrerebbe di sì.

Sì, Fiona. Credo che tu abbia afferrato il concetto. Anticipazione. La sensazione che si ha pregustando un evento nel proprio futuro. Proseguiamo?

Le conversazioni con i medici che mi seguivano erano più o meno tutte così. Tanto per cominciare, riuscivo a farli impazzire senza sapere come. Non so cosa dicessi in particolare, fatto sta che si scambiavano delle occhiate con le infermiere come a dire «È pazza». Spesso quelle sedute finivano con i dottori che suggerivano di «regolare» la terapia per «farmi sentire più tranquilla», che tradotto significava che volevano aumentare il dosaggio di qualunque cosa stessi prendendo per mettersi a posto la coscienza. Almeno una volta, ma forse qualcuna in più, la seduta è finita con due corpulenti infermieri di psichiatria che mi «contenevano» mentre il dottore mi somministrava un'iniezione di sedativi. L'aspetto buffo della questione è che si è portati a credere che una persona si occupa di salute mentale perché le piace lavorare con i matti. Io mi sono accorta che non è assolutamente vero. Magari per qualcuno è così, per i santi come Ed Saunders. Ma la maggior parte di loro sembra aver scelto questa professione perché odia la malattia mentale. La odia e vuole castigarla, narcotizzarla e soggiogarla. Obbedienza. Sì, dottore. No, dottore. È questo il suo parere? Allora va benissimo. Apro la bocca. Prendo le pasticche. Piccoli e graziosi confetti rosa sui loro vassoi bianchi. Deglutisco. Sorrido. Grazie, dottore. Mi sento già più tranquilla.

Una volta capito tutto questo – più o meno quando la malattia ha cominciato ad attenuarsi –, andavo a quelle sedute e volontariamente mi divertivo a confondere i dottori. Strappavo le loro catene, dicevo cose offensive che li turbavano, ma stavo anche attenta a non dire o fare niente che consentisse loro di tirare fuori aghi o ricettari del cavolo. Ho cominciato anche a essere fiscale nei loro confronti. Ho fatto ricerche sui miei diritti e ho cominciato a sfidarli controllando se le cose che volevano fare erano legittime in base al paragrafo tal dei tali della legge sulla salute mentale. Ero brava, informata, creativa e ribelle – un'adolescente intrattabile e umorale, ovvio. Testarda e polemica. Neanche mio padre ha mai avuto un rapporto fantastico con le autorità, per cui se io cominciavo a essere nervosa e fiscale, lui non riusciva a trattenersi. Arrivava e schierava i suoi avvocati al mio fianco, scriveva lettere, esigeva il riesame giudiziario, faceva appello al consiglio sanitario nazionale. Si rendeva insopportabile. Non so se abbiamo mai ottenuto qualcosa, ma è stato divertente. Il rapporto con mio padre è diventato ancora più stretto grazie a questo suo modo di fare.

Eppure, adesso che sono trascorsi tanti anni, devo ammettere che quei dottori mi hanno insegnato qualcosa. Concetti e tecniche che uso tuttora.

Anticipazione. La sensazione che si ha pregustando un evento nel proprio futuro.

Ecco cosa sento adesso. Smania. Frenesia. Nervosismo. Agitazione. Una sensazione che in qualche modo combina tutte queste emozioni e le mescola in un composto che è più grande della somma delle sue parti. *Anticipazione.* Ecco cosa provo in questo preciso istante.

Arrivo davanti a casa dei miei e mi fermo. Metto in folle e tiro il freno a mano. Disinserisco la chiave. Ascolto il motore che si spegne. *Inspiro*, due tre, quattro, cinque. *Espiro*, due, tre, quattro, cinque. Trattieni e ripeti.

Anticipazione.

49

Mamma dice: «Non ho cucinato niente perché mi hai detto che avevi già mangiato, ma ho pensato di tirare fuori qualcosina comunque, nel caso avessi voglia di piluccare».

Salsicce, insalata di patate, insalata di pomodori, lattuga, insalata russa, salame, prosciutto cotto, panini al latte, cheddar, caprino gallese, sottaceti e birra in bottiglia, inclusa quella analcolica per me. Qualcosina.

Papà guarda la distesa di cibo e sgrana gli occhi. Andando in cucina ci siamo dovuti fermare ad ammirare il trofeo dedicato a «La mamma migliore del mondo», che adesso sovrasta la porta e sembra sul punto di crollarci addosso. Ho detto a papà che era meraviglioso e ho lanciato un'occhiata d'intesa alla mamma. È davvero orribile, gli do un mese e mezzo circa di sopravvivenza, tre al massimo.

Kay e Anto arrivano per partecipare al banchetto. Abbiamo già mangiato tutti, ma la mamma è l'unica a non piluccare. Nel giro di poco, Kay tira fuori dal frigo mezza torta al cioccolato, e lei e Anto cominciano ad attaccarla: ben presto la lasciano in macerie. Ognuno parla delle proprie cose e non si preoccupa che nessuno ascolti con attenzione.

L'orologio si avvicina ticchettando alle nove. L'ora di andare a letto per Anto, il segnale per la mamma di accomodarsi sul divano a vedere la sua serie di telefilm in dvd.

Io dico: «Mamma, papà, posso parlare un attimo con voi?».

Kay sgrana gli occhi. Qualunque cosa sia, vuole esserci anche lei, ma io le dico che è una questione privata, se non le dispiace. Le dispiace, ma non a tal punto da non lasciarsi persuadere ad andare in camera sua e passare il resto della serata chiacchierando con i suoi amici al telefono, via sms e su skype.

Così io, mamma e papà rimaniamo da soli in cucina. Ci siamo chiaramente spostati in un nuovo territorio socio-emotivo, e la mamma si sente un po' disorientata. Per lei un nuovo territorio di questo tipo deve essere marcato dalla produzione di qualcosa di commestibile, ma ci siamo appena abbuffati e neanche lei riesce a convincersi a ricominciare da capo. Per cui arriva a un compromesso e prepara il tè. Papà corre a prendere porto, whisky, brandy, cointreau e un liquore italiano dall'aria pericolosa di cui non riesce a pronunciare il nome. Gli è stato regalato da uno dei suoi fornitori italiani, con la promessa di un tasso alcolico da sballo, e non vede l'ora di provare su qualcuno questi effetti tanto decantati. Il mormorio che io sia praticamente astemia, come lui ben sa, non gli impedisce di divertirsi comunque a inscenare il teatrino. E comunque i bicchieri sono belli.

Dopo un po', ci rilassiamo. Io e la mamma beviamo una tisana. Papà prende una tazza di tè nero insieme a un bicchierino di liquore italiano, ultimamente non beve molto. Anto è a letto. Il mormorio di Kay che parla al piano di sopra si sente anche da qui. L'orologio della cucina ticchetta.

«Mamma, papà.»

Esordisco, e poi mi blocco. In un certo senso non voglio costringerli a dirmelo, voglio che siano loro a rivelarmi tutto, spontaneamente. Ma so che devo dargli una spinta e non so bene come fare. Prendo una foto dal corridoio accanto. In una cornice d'argento c'è uno scatto recente di noi cinque. Mamma, papà, io, Kay, Anto. La tengo girata verso di loro, per cui i miei la vedono e io no.

«Credo sia arrivato il momento di dirci la verità. Il momento di dirmi la verità. Non ci sono problemi. Sono pronta. Davvero. Lo preferisco.»

Mamma e papà si guardano. Sono preoccupati, io però sono sicura che sappiano di cosa sto parlando.

Mi sembra di doverli incoraggiare ancora un po', per cui insisto.

«Ho passato un po' di tempo con una bambina in cui mi sono imbattuta per lavoro. Una bambina di sei anni carinissima, un amore. A un certo punto mi sono accorta che questa bambina aveva qualcosa di speciale. Era la figlia di sua madre. Sembra una stupidaggine, no? La figlia di sua madre. La madre però aveva avuto una vita incredibilmente turbolenta. Non entro nei dettagli, ma non è stata una vita semplice. Lei però ha compiuto degli sforzi enormi per tenere sua figlia con sé. Le autorità volevano toglierle la bambina, ma lei ha sempre combattuto. Voleva che sua figlia avesse una vita migliore della sua. Non le è riuscito benissimo, ma ci ha provato. Le ha dato tutto.

«Mano a mano che il tempo passava, ero sempre più sicura che questa bambina avesse qualcosa da insegnarmi. Una cosa davvero ovvia, come è venuto fuori dopo. Sentivo che la bambina mi sta-va dicendo che io non ero figlia di mia madre. Né di mio padre. Quella bambina ha avuto una vita terribilmente difficile, ma al tempo stesso aveva una cosa che io non avevo.»

Sollevo la foto.

Papà è alto. Mamma è alta. Kay è alta, magra e bellissima. Anto sta crescendo rapidamente. E poi c'è Fiona, la nanerottola superintellettuale della cucciolata che si sente un pesce fuor d'acqua.

«È così ovvio, davvero. Non vi assomiglio per niente. Né fisicamente. Né… né in altri modi. E non mi fraintendete. Vi voglio tantissimo bene, a tutti e due. Voglio bene a voi, a Kay e ad Anto. Questa famiglia è di gran lunga la cosa migliore che mi sia mai capitata. Ma devo sapere da dove vengo. Magari prima non ero pronta. Ma adesso sì. E vorrei saperlo.»

Non l'ho detto, né lo dirò, ma la mia intuizione non nasce solo dai costanti suggerimenti di April. Nasce anche da quello che ha detto Lev. E Axelsen. E Wikipedia.

Sono stata sotto shock per gran parte della mia vita. Ho messo una crocetta su quasi tutte le caselle. In effetti, se si pensa alla sindrome di Cotard come alla forma di depersonalizzazione esistente più estrema, più stravagante, allora si può dedurre che ho sofferto della più estrema e stravagante forma di shock esistente. Quando si parla della mia vita mentale, raramente ho fatto le cose a metà.

L'unico problema con l'ipotesi di Lev-Axelsen-Wikipedia era la casella rimasta senza crocetta. L'unica casella su cui ne andava assolutamente messa una. L'evento. L'evento traumatico o terrificante. L'evento che non è mai accaduto.

Quello che ho raccontato a Lev è vero. So che la mia è una famiglia sicura. Nessun abuso fisico né sessuale, niente alcolismo. Nessun accenno al divorzio e pochissime discussioni coniugali. Nessuna minaccia dall'esterno, nessuno zio poco raccomandabile e nessun assalto da parte di estranei. Nessuna famiglia in tutto il Galles potrebbe essere stata più sicura. I soldi di papà, la sua energia, la sua reputazione sono state pareti ben più solide del cemento. Qualsiasi ipotetico malfattore avrebbe preferito avere guai con qualsiasi altra famiglia piuttosto che inimicarsi mio padre. Per tutta la mia vita sono stata al sicuro.

Per tutta la mia vita, da quando ne ho memoria.

Ma gli eventi traumatici possono risalire a un passato molto lontano. All'inizio della vita, prima dei ricordi. Cosa è successo nel mio primo o secondo anno di vita? Perché riesco a ricordare la mia infanzia solo attraverso la nebbia dell'oblio? Perché la sindrome di Cotard è spuntata dal nulla per rovinarmi gli anni dell'adolescenza? Perché a volte mi sveglio nel cuore della notte terrorizzata e madida di sudore, e preferisco rimanere a letto, con le luci accese, a occhi sgranati per il resto della nottata piuttosto che rischiare di tornare a qualunque cosa mi abbia visitato in sogno?

Non dico queste cose ad alta voce, né mai le dirò a queste persone che mi hanno voluto così tanto bene, ma è arrivato il momento delle risposte e loro lo sanno.

Si lanciano delle occhiate da una parte all'altra del tavolo. Papà appoggia la mano su quella della mamma e l'accarezza. Poi si alza e dice: «Un attimo, tesoro», e lascia la stanza.

Io e la mamma rimaniamo lì da sole, l'orologio ticchetta.

L'orologio ticchetta in una stanza silenziosa.

Lei mi sorride. Un sorriso coraggioso, perplesso. Le sorrido anch'io. Sto bene. L'anticipazione che sentivo prima adesso si è placata. Non sono sicura di cosa sento. O meglio, sono in contatto con la sensazione che provo, ma non ho un nome da darle. È una sorta di struggimento interiore. La liquefazione di qualcosa di solido. Non è una brutta sensazione, non mi dà fastidio. Solo non so cosa sia. Neanche i miei dottori potrebbero darle un nome, credo.

Papà ritorna in cucina.

Ha con sé degli oggetti. Una foto e una vecchia borsa di plastica. Si siede al tavolo. Sorride a me, a mamma e poi di nuovo a me.

L'orologio ticchetta troppo forte nel silenzio.

Siamo tutti nervosi. È come se la stanza stessa, lo spazio vuoto, la casa intera fossero in uno stato di anticipazione. I dottori probabilmente mi rimprovererebbero per averlo detto. Mi direbbero che lo spazio vuoto non ha sensazioni. Ma loro non sono mai stati seduti qui come me adesso. Loro non hanno mai saputo come ci senta a starsene tutta la vita seduti in bilico a tremare.

Papà mi mostra la foto e me la passa.

È una foto di me a due anni e mezzo circa. Indosso un vestito rosa con un fiocco bianco e ho i capelli pettinati. Sorrido timidamente. C'è anche un piccolo orsacchiotto bianco. Non ho mai visto questa foto prima d'ora, ma riconosco la macchina dentro cui sono seduta. È la vecchia Jaguar decappottabile di papà. Il tettuccio è abbassato e sembra una bella giornata. Non vedo abbastanza bene la strada per capire dov'è. Ma non ho alcun motivo per pensare che ci sia niente di strano in questa foto.

Guardo papà.

«Fiona, tesoro. La foto è stata scattata il 15 giugno 1986. È stata scattata con questa macchina.»

La tira fuori dalla busta di plastica e me la passa. Una piccola macchina fotografica marrone in una custodia di cuoio, con tanto di tracolla. Sembra risalire a prima del 1986. Forse a molto prima.

«Abbiamo trovato la macchina fotografica lo stesso giorno in cui abbiamo trovato te. Eravamo stati in chiesa – tua madre mi costringeva ancora ad andarci all'epoca – e quando siamo usciti, c'era la nostra auto, esattamente come l'avevamo lasciata, con dentro un piccolo miracolo, però. Tu. Siamo usciti dalla chiesa e tu eri lì. Seduta nella nostra auto con questa macchina fotografica al collo. Quando abbiamo fatto sviluppare la pellicola, c'era solo questa foto. Una foto tua. Non c'era nessun biglietto, niente di niente. Solo questa fantastica bambina sul sedile posteriore della nostra auto.»

Ascolto tutto. Non ha il minimo senso, eppure allo stesso tempo quadra. È come quel momento in teatro in cui una scenografia entra da sinistra e la precedente scompare a destra. Le vedi tutte e due contemporaneamente, nella loro interezza. Le capisci. Ma sai anche che una sostituisce l'altra. Che quello che pensavi fosse il tuo mondo sta per scomparire e non ricomparirà mai più.

«Mi avete trovato?» dico. «Siete usciti di chiesa e mi avete trovato?»

«Sì. Io e la mamma volevamo dei figli. Adoriamo i mocciosi, vero, Kath? Ma avevamo difficoltà a concepire. Non so perché. Le due ragazze al piano di sopra sono arrivate nella maniera tradizionale. Ma comunque. Siamo usciti dalla chiesa: avevamo pregato per questo, lo facevamo sempre. Ed eccoti là. Grazie, Gesù. La risposta alle nostre preghiere. Proprio così. Il nostro piccolo miracolo. E non eri neanche il tipo di bambina che piangeva e rigurgitava. Il buon Dio ti ha fatto superare tutto e ti ha mandato a noi pulita, dolce e simpatica. E con il tuo piccolo orsacchiotto.»

«Ovviamente...» dice la mamma imbarazzata, perché dal discorso di papà sembra che siano semplicemente partiti in macchina senza preoccuparsi di nulla.

«Sì, la mamma ha ragione. Dovevamo dirlo a qualcuno e l'abbiamo fatto. Se la tua vera mamma e il tuo vero papà si fossero fatti vivi, ti avremmo subito riconsegnato. Non ci sarebbe piaciuto e non avremmo voluto, perché ci siamo innamorati di te subito. Insomma, all'istante. Ma avremmo fatto la cosa giusta per te. Se la tua mamma e il tuo papà ti fossero venuti a cercare, ti avremmo subito restituito.»

A questo punto la mamma comincia a raccontare altre cose. La procedura di adozione. Come sia stato, «sai, un po' complicato, fra tuo padre e tutto il resto». Un eufemismo, direi. La fine degli anni ottanta è stata, per quanto mi è dato sapere, il periodo più riprovevole nella vita di papà. Mi ricordo, avrò avuto cinque o sei anni, di essere seduta a tavola: lui si sbellicava dalle risate insieme ai suoi amici perché era l'uomo più onesto del Galles meridionale. Cinque processi e nessuna condanna. Mi verrebbe da pensare che le autorità preposte all'adozione fossero riluttanti ad affidare una bambina a un uomo che sarebbe sicuramente finito in carcere, e che qualsiasi rapporto della polizia abbiano richiesto su di lui non sarà stato certo lusinghiero. Ma d'altra parte quando papà vuole una cosa, di solito la ottiene. Per amore o per forza.

Ascolto mia madre, ma non mi interessa la procedura di adozione. Mi interessa sapere di me.

«Quanti anni avevo?»

Papà scrolla le spalle. «Nessuno lo sa. All'epoca abbiamo supposto due anni, forse due anni e mezzo. A giudicare dall'altezza. Ma non sei mai stata altissima, vero, tesoro? Per cui magari non ci abbiamo azzeccato. Forse eri più grande.»

«Non me lo avete chiesto?»

«Oh, tesoro. Ti abbiamo chiesto tutto. Dov'erano la tua mamma e il tuo papà. Dove vivevi. Come ti chiamavi. Quanti anni avevi. Tutto»

«E?»

«Niente. Non parlavi. Per – quanto è durato, Kath? – per un annetto e mezzo non hai parlato. Capivi perfettamente tutto. Eri una bambina intelligente anche allora. Ti abbiamo fatto visitare eccetera. Non hanno trovato niente che non andasse, proprio nulla. E poi un giorno hai cominciato a parlare. Hai detto: "Mamma, posso avere ancora un po' di formaggio, per favore?". Vero, Kath?»

Mamma conferma e gli fa eco: «Mamma, posso avere ancora un po' di formaggio, per favore?».

E io faccio eco alla sua eco. *Mamma, posso avere ancora un po' di formaggio, per favore?*

Dentro di me qualcosa è mutato. Il cambio di scena è completo. Non vedo né sento più il vecchio mondo, adesso mi appartiene il nuovo. Non ha senso. Questo solleva un milione di domande. Chi sono, da dove vengo, come sono finita nella macchina di papà, perché non potevo o non volevo parlare. Domande su quei due o tre anni andati perduti. Su cosa è successo in quel periodo da provocare danni così grossi nel mio futuro.

Eppure tutto questo non conta, o perlomeno non conta adesso.

Papà tira fuori le ultime cose dalla borsa di plastica. Il vestito rosa con il fiocco bianco. L'orsacchiotto. Una forcina per capelli. Un paio di scarpe nere di vernice con dei calzini bianchi infilati dentro. Mi porge tutto.

Il mio passato. Il mio misterioso passato. Gli unici indizi che ho.

Quando sprofondo la testa per annusare il vestito, realizzo che neanche queste cose contano. Ciò che conta adesso è quello che sta succedendo dentro di me. Ciò che si stava liquefacendo prima, adesso si è completamente sciolto. Una vecchia barriera si è dissolta, è sparita. È stata distrutta.

Mi sento strana e sta succedendo qualcosa di strano.

Sollevo la testa e la scosto dal vestito. Porto le mani al viso e quando le allontano sono bagnate. Sta succedendo qualcosa di molto strano. Una sensazione che non riconosco. Da qualche parte ho una perdita.

E poi capisco. Capisco cosa sta succedendo.

Sono lacrime queste, e io sto piangendo.

Non è una sensazione dolorosa, come avevo sempre pensato.

Sembra la più pura espressione di un sentimento. E combina insieme molte emozioni. Felicità. Tristezza. Sollievo. Desolazione. Amore. Una miscela di cose che nessuno psichiatra ha mai provato. La miscela di sentimenti più meravigliosa del mondo.

Porto le mani al viso diverse volte. Le lacrime scorrono lungo le guance, cadono sul mento, mi fanno il solletico al naso, scivolano via dalle dita.

Sono lacrime queste, e io sto piangendo. Sono Fiona Griffiths. Cittadina a tutti gli effetti del Pianeta Normale.

La sindrome di Cotard

La sindrome di Cotard è una patologia rara ma assolutamente reale. Jules Cotard, psichiatra francese di epoca tardo vittoriana, le dette il proprio nome e inventò anche l'espressione «le délire de négation», definizione più pregnante e accurata di qualsiasi altra usata oggi.

È una malattia molto grave, i cui effetti principali sono depressione e psicosi. Gli psichiatri contemporanei probabilmente sosterrebbero che non è una patologia di per sé, quanto piuttosto un'estrema manifestazione della depersonalizzazione, la sua forma più estrema, in realtà. Alcuni pazienti riferiscono di «vedere» la loro carne decomposta e brulicante di vermi. Un precoce trauma infantile è presente in tutti i casi ben documentati della sindrome.

La guarigione totale è rara. I suicidi di pazienti affetti da tale patologia sono, ahimè, troppo frequenti. In effetti mia moglie – che si occupa di neurofeedback – ha lavorato con una paziente che ha finito per togliersi la vita. *Parla con i morti* è stato scritto, in parte, per onorare il coraggio di questa donna.

Lo stato mentale di Fiona Griffiths è, ovviamente, una rappresentazione fittizia di una patologia complessa. Il mio intento non era raggiungere la precisione clinica. Malgrado ciò, le ampie pennellate con cui Fiona descrive la sua malattia suoneranno in gran parte familiari a chiunque vi abbia dimestichezza.